EL ARTE DRAMÁTICO
DE
VALLE-INCLÁN

Una de las últimas fotografías de don Ramón

Emilio González López

Graduate Center
of the City University of New York

EL ARTE DRAMÁTICO
DE
VALLE - INCLÁN

(del decadentismo al expresionismo)

LAS AMÉRICAS PUBLISHING COMPANY

152 East 23rd Street • New York, N. Y. 10010

1 9 6 7

152 East 23rd Street, New York 10010

Printed in the United States of America

A porta d'ouro da ilusião

I — LA VUELTA DE VALLE-INCLAN

Se acaba de celebrar, en 1966, el centenario del nacimiento de dos de los grandes escritores españoles del siglo XX: el madrileño Jacinto Benavente, dramaturgo profesional; y el gallego Ramón del Valle-Inclán, que cultivó todos los géneros literarios, entre ellos el teatro. Las revistas españolas más prestigiosas han publicado (*Insula, Revista de Occidente, Cuadernos Hispanoamericanos, Papeles de Son Armadáns*) un número extraordinario para honrar la memoria de Valle-Inclán; y lo mismo han hecho otras hispanoamericanas (*Revista de la Universidad del Plata*). Universidades españolas (la de Verano de Santander) y norteamericanas (*Columbia University, Middlebury College* Summer School, Vermont) dedicaron cursos especiales para estudiar la obra del escritor gallego. Se organizaron *simposiums,* como uno en Filadelfia, en el que tomaron parte numerosos profesores críticos literarios, en honor a Valle-Inclán; y hasta los teatros profesionales quisieron unirse a esta corriente de exaltar la obra dramática del creador del *esperpento* y de otras formas del arte dramático de singular valor: el Teatro *Nacional Maria Guerrero* de Madrid puso en escena *Aguila de blasón,* de Valle-Inclán.

En cambio, salvo algún apagado eco de un teatro comercial, pasó en el mayor silencio el centenario de Benavente, como si las Universidades, los directores escénicos y los críticos literarios tuvieran especial empeño en no despertar los dormidos recuerdos de quien dominó la escena española en las tres primeras décadas de este siglo.

Esta visible diferencia, en las honras ofrecidas a uno y otro dramaturgo, revela el hondo cambio operado en la crítica española, en la general y en la particular del arte dramático, en la valorización de la obra de estos dos escritores: la de Valle-Inclán se considera hoy, en cuanto a su arte dramático, como el esfuerzo artístico más valioso que se ha hecho en el teatro español contemporáneo para ponerlo a la altura y compás de las corrientes estéticas europeas de nuestros tiempos; y, en cambio, le de Benavente, pese al *Premio Nobel* (1922), con que el dramaturgo fue galardonado en vida, se tiene por un arte envejecido, periclitado, muerto con su creador.

* * *

El cambio en la estimativa del arte de Valle-Inclán en general y del teatro en particular, que se había ido operando con cierta lentitud en los años de las dos primeras décadas de la postguerra civil española, recibió un fuerte impulso en los últimos años; debido, en gran parte a algunas de las corrientes que se agrupan hoy en día bajo el titulo de *existencialismo.* Los nuevos críticos españoles e hispanoamericanos, de sentido existencialista o empujados por esta corriente, sintieron un interés particular por las obras expresionistas de Valle-Inclán, singularmente por los *esperpentos.*

Ha sido muy sensible el cambio operado en la estimativa de la obra de Valle-Inclán en los cuatro o cinco años últimos. Todavia no hace más que seis años se quejaba José Luis Cano, secretario de *Insula* y crítico sagaz, de que hubiera pasado, en 1961, el veinticínco aniversario de la muerte de Valle-Inclán sin que se hubiera rendido honra alguna señalada a la memoria de tan insigne escritor: "El año 1961 - dice José Luis Cano - en que se cumplía el veinticinco aniversario de su muerte -murió en enero de 1936- pasó sin pena ni gloria, y de todo su teatro, tan rico y dramático, sólo se ha representado hasta ahora en España, aunque sin mucho y sorprendente éxito, esa espléndida tragedia que es *Divinas palabras,* y con mucho menos éxito *Aguila de blasón*" (1)

La baja en la estimativa en la obra de Valle-Inclán era mucho menos en 1961 de lo que parece indicar José Luis Cano; y la bibliografia sobre la obra del dramaturgo gallego era más extensa de lo que señala (Rubia Barcia, Speratti Piñero, José Amor Vázquez, Emilio González López etc). El propio Cano atisba ya la curva ascendente en esta estimativa, a la que él contribuyó, quizás más que ningún otro director de revistas, con el número que dedicó *Insula* a Valle-Inclán, en 1966, el cual es el mejor de cuantos se han publicado en honor del escritor gallego. La revalorización de la obra de Valle-Inclán no afectó a toda ella sino a la de su periodo expresionista, el último de su creación artística en la que se distinguieron los esperpentos. En cambio, el alza apenas afectó a su arte simbolista, tanto a las novelas como al teatro, singularmente a las del pri-

---

(1) José Luis Cano. *Retorno de Valle-Inclán,* en *El escritor y su aventura,* Madrid, 1966, 89

mer periodo de este arte, más lírico y sensual que dramático. Las obras simbolistas de fuerte carácter dramático, como las *Comedias barbaras* y las *novelas de la guerra carlista,* se beneficiaron también de la corriente alzista, buena prueba de ello es la escenificación de *Aguila de blasón,* en el Teatro *María Guerrero* de *Madrid.*

Cano atribuye a las corrientes neorrealistas o existencialistas el descenso en la estimativa de la obra de Valle-Inclán en los años anteriores a 1961; pero, como veremos fueron estas corrientes, por el contrario, las que revalorizaron su arte expresionista, aunque quizás se deba a ellas el descenso por la estimación de las obras de carácter simbolista, comunmente llamadas *modernistas* por los criticos españoles: "un arte barroco y deformador como el de Valle-Inclán -dice José Luis Cano-, y, en su otra vertiente modernista, difícilmente puede ser una obra de arte popular, sobre todo en un momento, como el actual, en el que el realismo ha logrado dominar la narrativa española con muy pocas excepciones" (1)

Cano, percibiendo la pronta alza del valor del arte de Valle-Inclán, particularmente de su teatro, decía en 1962 que "no hay que deducir de ello, sin embargo, que esta baja del valor Valle-Inclán sea definitiva. El éxito, aunque aislado, de *Divinas palabras,* nos demuestra que es muy probable que no pasen muchos años sin que, si no la novela, al menos el teatro de Valle-Inclán triunfe rotundamente en los escenarios españoles. No todo el teatro de Valle-Inclán merece, sin embargo, los honores de una vuelta, como no todo el teatro de Unamuno. No debe olvidarse la evolución profunda que experimentó el teatro valleinclanesco, cuya primera fase fue enteramente modernista, con ecos rubenianos y d'annunzianos. Es la época de *Romance de lobos* (1908), *Voces de gesta* (1910), *La Marquesa Rosaiinda* (1913) y *La cabeza del dragón* (1914). La influencia rubeniana es visible sobre todo en *La Marquesa Rosalinda*" (1).

Sin duda el teatro de la llamada fase *modernista* no se ha beneficiado de la revalorización del teatro de Valle-Inclán en la medida que lo ha hecho el de la última de la fase *expresionista.* Pero es un error agrupar en esa llamada fase modernista

---

(1) José Luis Cano.-o. c., 89-90
(1) José Luis Cano.-o. c., 90

obras tan dispares como las enumeradas por Cano, y en las que, como en *Romance de lobos* y en *Voces de gesta* no hay princesa alguna ni tampoco influencia visible rubeniana. Las princesas que Salinas y Ortega Gasset encontraban en la obra de Valle-Inclán estaban más en la imaginación de los críticos que en la obra del escritor gallego, pues sólo aparecen en un número muy reducido de obras. En cambio hay otras, como la trilogía de las *Comedias bárbaras,* a las que pertenece *Romance de lobos,* en las que asoma un mundo duro e inhóspito, el más opuesto que puede haber al de las princesas y al afable modernista de Rubén; y algo semejante sucede con el rústico y épico, de fondo vasco, de *Voces de gesta.*

La revalorización de la obra de Valle-Inclán se ha orientado hacia su arte expresionista, tanto a la novela como al teatro, y, en este último en particular, hacia los *esperpentos,* pero también hacia otras formas muy originales de su arte dramático.

II — EL ARTE DRAMATICO REALISTA ESPAÑOL FINESECULAR Y VALLE-INCLAN

Valle-Inclán, novelista, poeta y escritor dramático es tenido hoy por uno de los grandes dramaturgos españoles del siglo XX. Benavente, en cambio, que en vida rigió omnímodo, como emperador del arte dramático, los escenarios españoles, ha visto eclipsada su estrella después de su muerte, como si ésta hubiera matado más a la obra que al artista. Por el contrario, la obra de Valle-Inclán, singularmente la dramática, renació, como un nuevo *Ave Fenix,* después de la muerte del dramaturgo. Esta honda diferencia, en la suerte de uno y otro teatro, después de la muerte de cada uno de estos dos escritores, procede de la distinta y aun opuesta significación de su arte dramático, pues Benavente y Valle-Inclán representan dos momentos distintos en la evolución general del teatro español: Benavente fue un dramaturgo rezagado, en su técnica, estética y temática, del teatro realista, que dominó la escena española a lo largo de toda la segunda mitad del siglo XIX; por el contrario, Valle-Inclán es un escritor muy avanzado para su tiempo; y el que, con su estética, técnica y temático, le dió al teatro español contemporaneo nuevos horizontes y perspectivas, nuevos caminos y posibilidades, siendo el gran revolucionario del teatro español del siglo XX. Gracias a él y no a Benavente, el arte dramático español cuenta con un teatro simbolista y expresionista, que se puede poner a la par del europeo, inspirado en estas dos corrientes estéticas; y si ese teatro no es hoy conocido lo bastante en Europa es culpa de la crítica española, que no lo ha sabido entender ni valorizar en todo su gran valor.

El madrileño Jacinto Benavente (1866-1953), más que un renovador del teatro español fue un *restaurador* en él de la *comedia realista,* creada en la escena española del siglo XIX por los dramaturgos de la *alta comedia* (Ventura de la Vega, Adelardo López de Ayala y Manuel Tamayo y Baus), la cual fue continuada, en forma más moderna, por los dramaturgos de la *época de la Revolución* (1869-1874): Enrique Gaspar, creador del *drama social* en el teatro español; y Eusebio Blasco, a quien le debe España una bella *comedia proverbio -moral.* Esta corriente realista, que había entrado con el *drama social* de Gaspar y la *comedia proverbio moral* de Blasco, por los firmes carriles del arte realista, con sus temas sociales burgueses, fue desvirtuada, en la *época de la Restauración,* desde 1874 hasta principios del siglo XX, por el *melodrama social* de José Echegaray, el cual, al volver al teatro español los temas del honor calderoniano, escamoteó de él los sociales de la burguesía española contemporánea, que veía con recelo cualquier tentativa seria de crítica de sus cimientos morales, económicos y sociales.

El teatro realista, que, con el noruego Enrique Ibsen, había ascendido, con pretensiones simbolistas, a la altura de los problemas trascendentales del hombre y de su vida, de su libertad de conciencia, de la libertad de la mujer de los prejuicios sociales, y se empeñaba en desenmascarar las falacias de la moral burguesa, descendió, en la última década del siglo XIX, a ras de tierra, a la altura de los temas cotidianos de la sociedad burguesa, en las obras del ruso Antonio Chejov y del español Jacinto Benavente, los cuales coincidieron en dar a su medida el tono natural y menor de la vida corriente de la clase media. La primera obra de Benavente, *El nido ajeno* (1894), pertenece al arte dramático del más puro realismo, en la presentación del carácter de sus personajes burgueses, con sus problemas de la vida matrimonial y hogareña. El diálogo natural y sencillo, la ausencia de toda elocuencia en las frases y de todo recurso y truco folletinesco en la intriga, tan frecuentes en las comedias de Echegaray, representaban una novedad para el teatro español de la época de la Restauración, que ya se había olvidado de que, esta temática, esta técnica y tono habían dominado la escena española en el breve periodo revolucionario, con Gaspar y Blasco, quienes tienen más influencia directa en la obra de Benavente de lo que generalmente se les reconoce.

Pero, mientras el ruso Chejov continuó desarrollando ese tipo de comedia realista, analizando los caracteres de los personajes de la sociedad burguesa de su tierra y, a través de ellos, los temas eternos de la vida humana, Benavente se desvió de ese camino, de auténtico realismo, atraído quizás por el fácil éxito que hay siempre tras la sátira de la gente conocida, y emprendió el de la *comedia de sátira social* de la sociedad madrileña en sus obras siguientes (*Gente conocida,* 1896, *La comida de las fieras,* 1898, etc.) y de la más reducida de las provincias españolas (*La Farándula,* 1897, *La Gobernadora,* 1901, y *El Primo Román,* 1901). Con estas comedias, Benavente inventó una fórmula fácil del arte dramático realista, basado más en el diálogo irónico, muchas veces insubstancial, que en el análisis del complejo carácter de las gentes o en la presentación de sus serios o paradójicos problemas; y, con esta fórmula, se sintió satisfecho durante algun tiempo. El éxito de esta fórmula en el teatro comercial español, del reïnado del joven monarca Alfonso XIII, fue tan grande que pronto desplazó de la escena española el melodrama de Echegaray y el *drama* de Pérez Galdós. Fue la fórmula seguida por el propio Benavente y por una falange de dramaturgos de vuelo gallináceo, que llevaron la comedia española por el sendero asenderado de lo trivial y baladí.

El propio Benavente, percibiendo el callejón sin salida, en el que había metido a su arte dramático, trató de librarse de su prisión de varias maneras; y fue justamente en estas escapadas, que hizo el dramaturgo español del cerco realista en que se había metido, en las que encontró el auténtico camino del drama; y en el que tuvo un éxito dramático de primera calidad. Su primera seria salida la hizo en 1907, con *Los intereses creados.* Llevado Benavente por las corrientes del modernismo y utilizando más símbolos, en los personajes, que figuras de la realidad inmediata y sensible, no buscó sus fuentes dramáticas en la sociedad contemporánea, española o internacional, sino en la literatura dramática de toda Europa: en la española *La Celestina;* en la italiana *Comedia del Arte;* en las farsas francesas de Moliére; y en otras muchas más, para tejer con todos estos elementos una ingeniosa intriga, presentando con agudeza sus eternos personajes, entretejiendo una diálogo de fina y graciosa ironía, libre de la maledicencia achabacanada de sus comedias de sátira social. Con *Los intereses creados,* el genio dramático de Benavente se elevó a una noble altura, la de la *farsa modernista,* que puede medirse con cualquiera de otro país y tiempo.

Años más tarde, en 1913, emprendió Benavente una nueva salida de los límites de su *comedia realista de sátira social. Llevado* entonces por los nuevos estudios de lo subsconcienste, descendió, en *La Malquerida* (1913), a las complejidades del alma humana. Buscando un fondo duro, primitivo, para este estudio de las fuerzas irracionales, que transforman el odio en amor, en el alma de una hijastra, Acacia, y arrastran al padrastro a codiciarla, en contra de todas las convenciones sociales, y a que sea, por eso, *La Malquerida,* colocó Benavente la intriga no en un medio urbano sino en otro de carácter rural. El carácter dialectal del diálogo acentúa el sentido de fuerza natural y primitiva de los personajes de la obra.

Benavente tuvo menor éxito con sus otras dos salidas: la de la *comedia de fantasía,* como *La noche del sábado* (1903) *La princesa Bebé* (1904) y *El dragón de fuego;* y la del *teatro infantil,* como *El príncipe que todo lo aprendió en los libros* (1909), aunque el teatro infantil de Benavente constituye una valiosa aportación a esta forma del arte dramático.

* * *

Ni Benavente, que veía más las debilidades y deficiencias que las virtudes de la sociedad burguesa española de su tiempo, ni tampoco José Echegaray, preocupado más por los problemas morales que por los sociales y económicos del hombre de su época, fueron los campeones de los ideales de la sociedad burguesa española decimonona. Este puesto le corresponde plenamente al canario Benito Pérez Galdós (1842-1920), creador, en la última década del siglo XIX, del auténtico drama burgués de la literatura realista española.

Pérez Galdós, firme creyente en los ideales progresistas de la burguesía española, que ascendió al primer plano en la vida del país, en la segunda mitad de ese siglo, fue el portavoz más entusiasta de esos ideales en su *drama burgués,* el cual tomó dos direcciones aparentemente distintas: la del *drama psicológico,* en *Realidad* (1892) y *El abuelo* (1900); y la del *drama de sátira social, en Las de San Quintín* (1894), *Electra* (1901) y *Marichu* (1903), pero, en realidad estas dos direcciones son dos facetas de la misma cara, que es el *drama burgués.* En las dos formas de su drama, Galdós se enfrenta, en nombre del progreso y de los ideales de la burguesía, con los obstáculos que se oponen a ese progreso: en el *drama psicológico* con los prejuicios del honor caballeresco calderoniano, cuyo último representante, en el teatro español, era José Echegaray, con su *melodrama social* (Galdós, lo mismo en *Realidad* que en *El abuelo,* defiende un nuevo sentido moral, más humano y compresivo); y en el *drama de sátira social* fustiga a la aristocracia y a la intolerencia religiosa, como obstáculo al progreso y al bienestar de la sociedad española, de base burguesa.

Galdós, en los *dramas de sátira social,* exaltó *(Las de San Quintín y Marichu)* el triunfo del hombre burgués, que se ha hecho a sí mismo con su propio esfuerzo, de quien se enamora una joven aristócrata, la cual por él desprecia todas las trabas sociales. El héroe galdosiano, de estos dramas sociales, es un joven burgués emprendedor, industrioso, dueño de alguna empresa o dispuesto a serlo. En el amor del joven burgués y de la joven aristócrata se unen el más noble sentimiento burgués, que lleva al matrimonio, y el ideal de trabajo y empresa de la nueva burguesía española. Su pareja burguesa, entrañablemente unida por el sentimiento más noble y el ideal más práctico, está a cien millas de las que son objeto de las comidillas de las comedias de Benavente o de las de los dramas morales de Echegaray.

En los *dramas psicológicos* es Galdós el expositor de una doctrina, no totalmente nueva en las letras españolas, en la que tiene origen cervantino, opuesta a la rígida moral calderoniano del honor, en favor de otra más humana y comprensiva de acuerdo con los intereses y necesidades de la vida burguesa. En *Realidad* (1892) aparece la mujer adulterina, a quien su marido quiere perdonar, si, arrepentida, confiesa la verdad de su adulterio; pero, al no hacerlo, es ella la que se condena a sí misma.

* * *

Echegaray, Benavente y Peréz Galdós, cada uno de una manera distinta, son los representantes del *drama o de la comedia burguesa española,* enmarcada dentro de los límites del arte realista, tanto en su temas, técnica como en su sensibilidad. En cambio, Valle-Inclán, desde el primer momento de su producción dramática, se esforzó en romper con ella tanto en la temática como en los ideales. El afan de asustar al burgués, que muchos críticos atribuyen a las actitudes literarias y personales de Valle-Inclán, le llevó en el drama a apartarse totalmente del tema burguéz y de su tratamiento moral o ideológico aburguesado; y, si alguna vez aparece en sus obras algun tema, como el de su primera obra dramática, *Cenizas* (1899), en la que trata un tema semejante, no se puede perder de vista que

Valle-Inclán presenta justamente ese tema para enfrentarse radicalmente con la moral y con los ideales de la burguesía europea y española.

Valle-Inclán, como la mayor parte de los jóvenes de su generación, la llamada del 98, sobre todo los más viejos de ella, nacidos en la década de los sesenta (Unanumo, Ganivet y él) fue un polígrafo. Los tres cultivaron todos los géneros literarios; pero, de los tres, fue Valle-Inclán el que concendió mayor atención y trabajo al drama.

Cuando Valle-Inclán publicó, en el último año del siglo pasado (1899), su primera obra dramática, *Cenizas,* el teatro español, que vivía en las postrimerías de la regencia de la reina Maria Cristina de Habsburgo, asistía al florecimiento del *drama* y de la *comedia burguesa de* Echegaray, Peréz Galdós y Benavente. En medio del clamor que producían estas formas del teatro burgués español, pasó un tanto inadvertida la representación, de *Cenizas,* por un grupo de profesional, el del *Teatro* artístico, en el Teatro Lara, de Madrid, el 7 de diciembre de ese año, en un acto de beneficio al propio Valle-Inclán, que acababa de perder un brazo, como consecuencia de una pelea callejera con otro escritor, Manuel Bueno.

En representación del nuevo arte dramático español del nuevo siglo fue Valle-Inclán el joven escritor que se encargó de redactar el manifiesto que la nueva *Generación de 98* lanzó al público español contra José Echegaray, máxima encarnación del arte dramático español de la *Restauración,* cuando éste recibió, en 1905, el Premio Nobel; y todas las instituciones españolas se unieron en la empresa, que creían patriótica, de honrar a su honrado hijo, aclamándolo como el gran escritor de la España de de su tiempo. Los jóvenes de la llamada *Generación del 98* aspiraban a renovar todas las letras españolas, por considerarlas la expresión más viva de la cultura de su pueblo; y en el éxito internacional de Echegaray, símbolo para ellos de una literatura hueca y ampulosa, veian un nuevo y peligroso obstáculo, que venía a entorpecer su labor depuradora de la literatura española para elevarla al nivel de la de los pueblos más adelantados de Europa.

La protesta de los jóvenes escritores, más poetas y novelistas y ensayistas que dramaturgos, podía dirigirse igualmente contra un compañero de generación, física pero no ideológica, Jacinto Benavente; pues, su labor, en el teatro, había consistido en hacer que perduraran en la escena española las formas dramáticas del realismo, -cuando ya andaban de capa caída en el resto de la Europa occidental-, salvo en las breves escapadas que hizo del cerco realista, en la farsa modernista de *Los intereses creados* y en el análisis de la subconciencia de *La Malquerida.*

III — EL TEATRO DE VALLE-INCLAN

Mientras los dramaturgos realistas, desde la época de la *alta comedia* (López de Ayala, Tamayo y Baus) hasta los de la Restauración (José Echegaray, Benito Pérez Galdós, Jacinto Benavente), pasando por los del breve periodo revolucionario Enrique Gaspar y Eusebio Blasco), escribían sus comedias para la creciente y ascendiente burguesía española, Valle-Inclán compuso todo su teatro a espaldas totalmente de ella: en contra, de una manera intencionada, de los gustos y preferencias del burgués español del siglo XX. El crítico suizo J. Borel cree que el destinatario de las obras dramáticas de Valle-Inclán no es ni la burguesía ni tampoco una pequeña minoría intelectual, sino la humanidad entera "(1), la humanidad de todos los tiempos y de todos los lugares.

Valle-Inclán, empeñado siempre, en la empresa, que el creía heroica y desinteresada, de asustar al burgués, tropezó con con serias dificultades en la publicación de sus cuentos decadentes y en la representación de sus obras dramáticas, decadentes, simbolistas y expresionistas. La historia de cada obra dramática de Valle-Inclán es un anecdotario de dificultades y fracasos.

Benavente, en el prólogo al segundo volumen de las *Obras Completas,* de Valle-Inclan, publicadas por la *Editorial* madrileña *Plenitud,* destaca en un párrafo breve, pero inteligente, la labor de dramaturgo del escritor gallego y lo que hay en su teatro de arte global: "Yo bien sé que la vulgar opinión sólo lo ha tomado en cuenta al novelista y olvidado su teatro y poesías que bastarían a darle nombre de gran autor dramático y de excelentisimo poeta. *Voces de gesta,* las *Comedias bárbaras,* lo que él calificó de *Esperpentos,* de tan personal humorismo: *La Marquesa Rasalinda,* con su gracil juego de rimas, sin caer nunca en vulgaridad ni en prosaismo.. "(1)

La incomprensión de su arte, del dramático, pues el novelesco tuvo siempre mejor fortuna, continuó aun después de la

---

(1) Jean-Paul Borel — Theatre de l' impossible. Essai surmise de dimension fundamentale du Theatre espagnole an XXe Siêde, Neuchatel, Suisse, 1963. 23

(1) Jacinto Benavente — Prólogo al segundo volumen de Las *Obras completas,* de Valle-Inclán, Madrid, 1954, XV

guerra civil española. Una de las últimas voces de la incomprensión, anclada en un fuertesentido realista del arte dramático, la expresó el novelista Ramón Sender, por otra parte, buen amigo de Valle-Inclán, en su estudio *Valle-Inclán o la dificultad de la tragedia.* Si la crítica de Sender se limitara, como parece dar a entender el título de este estudio, a mostrar la dificultad que tenía Valle-Inclán para llegar a una concepción auténtica y legítima, según el criterio de Sender, de la tragedia, todavía sería más fundada la tesis, porque Valle-Inclán no tuvo amor por las viejas categorías de los géneros dramáticos, entre ellos la *tragedia;* pero la crítica del novelista aragonés se extiénde a todo el teatro de Valle-Inclán, *tragedia, comedia, farsa* y a cuantas otras formas fue creando.

Valle-Inclán decía -nos cuenta Sender- "que el problema era distinto para él y que era una cuestión de intensidades sino de masas de color ni más ni menos que en la novela. Esto me parecía un error y la causa probable de las dificultades que su teatro encontraba en la escena. El genio poético de Valle-Inclán podía convertir ese error en una fuente de aciertos líricos, es verdad. Sin embargo de eso y de la belleza poética de *Divinas palabras,* ésta no fue nunca una obra para la escena y no podía gustar al público. Hace poco se tradujo al francés y se representó en París. La confusión del público y de la crítica han formado alrededor de esa obra una atmósfera en la que naufraga el buen gusto. Lo mismo sucedería con *Los cuernos de Don Friolera,* con el ciclo de las *Comedias bárbaras,* con *La Reina Castiza* o con *Cuento de Abril,* concebidos del mismo modo que sus novelas. La verdad es que el teatro de don Ramón no es teatro. Le sobra densidad lírica y le falta plasticidad, movimiento psicológico y ese juego de realidades contrarias entre la escena y la sala sin la cual sólo se ha podido hacer una clase de teatro: la tragedia clásica. "(1)

Los defectos que Sender le encuentra al teatro de Valle-Inclán, exceso de densidad lírica y falta de movimiento psicológico, no son privativos del arte de Valle-Inclán, y no son de-

---

(1) Ramón Sender.- Valle-Inclán o la dificultad de la tragedia, en *Exámen de ingenios. Los noventayochos,* New York, Las Américas, 1961, 87-8

fectos, sino virtudes de una estética dramática: son las virtudes o características del teatro simbolista, en el que es substancial la densidad lírica, y del expresionista, algunas de cuyas formas, como las cultivadas por Valle-Inclán, en los *esperpentos,* en los *melodramas para marionetas* y en los *autos para siluetas,* presentan psicologís enterizas, de una sola pieza, y no desmigajadas; y en estas dos estéticas dramáticas, la del *simbolismo* y la del *expresionismo,* es Valle-Inclán el supremo maestro en el teatro español, al que dejó, en estas dos estéticas, una valiosisima herencia de nuevas formas dramáticas, con las que abrió nuevos horizontes y caminos a la escena española.

Todavía hoy, pese a los esfuerzos que hace la crítica para abrirle camino al arte dramâtico valleinclanesco, separando los los abrojos y dificultades, sigue tropezando éste con graves obstáculos de incompresión. En la encuesta abierta por la revista madrileña *Insula,* entre los directores de de escena española sobre el arte de Valle Inclán, a la pregunta de si habían dirigido alguna obra del dramaturgo gallego, cinco de los seis preguntados dijeron que no (José Luis Alonso, Trino Trives, Ricardo Salvat, María Aurelia Capmany y Alberto González Vergel) y sólo uno, Alfredo Marsillach, contestó que estaba dirigiendo la presentación de *Aguila de blasón* para el *Teatro Nacional María Guerrero,* es decir, que era más obra de encargo que de iniciativa privada.

Por eso urge acometer la empresa de estudiar la obra dramática de Valle-Inclán en su amplia perspectiva a la luz de las corrientes estéticas (decadentismo, simbolismo y expresionismo) en las que se inspiró, se animó y recibió su vida artística. Los trabajos, hechos hace ya algunos años, sobre este tema, o son anticuados, como el de Agustín del Saz (1) o muy limitados, como el de Brooks(2). Hasta ahora el análisis más penetrante sobre el arte dramático de Valle-Inclán es el extenso capitulo que le dedica Juan Guerrero Zamora en su *Historia del teatro contemporáneo* (3).

---

(1) Agustín del Saz Sánchez.- *El teatro de Valle-Inclán,* Barcelona, 1950

(2) J. L. Brooks. *Los dramas de Valle-Inclán,* en Estudios dedicados a Menéndez Pidal, Patronato Menéndez Pelayo, tomo VII, 1957

(3) Juan Guerrero Zamora.- *Historia del teatro contemporáneo,* Barcelona, 1961, vol. I, 151-206

Antonio Buero Vallejo, el dramaturgo español más distinguido de las generaciones de la postguerra civil española, señala la existencia en el teatro de Valle-Inclán de dos tipos distintos de obras dramáticas: unas destinadas a la representación, y por ello, fácilmente representables; y otras de difícil o imposible representación. Buero Vallejo destaca la paradoja de que estas segundas constituyen una de las contribuciones más importantes del dramaturgo gallego al teatro español contemporáneo: "Varias son las obras dice Buero Vallejo- que Valle-Inclán escribió sin perder de vista sus posibilidades de representación y algunas de ellas fueron, en efecto, representadas sin grave dificultad.Más escribió otras cuyas dificultades de representación son grandes y, en ocasiones, insolubles "(1);" y, sin embargo, la evidencia que hoy tenemos de encontrarnos ante un gran dramaturgo no proviene tan sólo de aquellas obras de Valle-Inclán fácilmente representables sino también, y aún más, de las otras. Es ésta una paradoja tristísima: significa que, cuando Valle-Inclán alcanza el mayor desarrollo de su poder dramático, ha de resignarse a no escribir para la escena española "(2)

Buero Vallejo destaca, con aguda penetración, la gran deuda que tiene el teatro español contemporáneo con estas dos formas del arte dramático de Valle-Inclán, con el fácilmente representable y con el de difícil representación, comenzando esta deuda de una manera visible y sensible con el teatro de García Lorca: "En rigor -dice Buero Vallejo- nunca dejó de serlo (la gloria del teatro de Valle-Inclán) y al fervor por el teatro de Valle-Inclán que mostraron siempre los más lúcidos, desde que su autor nos vivía, y que influyó de modo decisivo, por ejemplo, en la extraordinaria dramaturgia lorquianense, ha sumado después el creciente entusiasmo de las promociones juveniles, que no se han cansado de proclamar en los últimos años la estricta actualidad de Valle y que ven concretamente en sus

(1) Antonio Buero Vallejo — *De rodillas, en pie, en el aire,* Revista de Occidente, Madrid, noviembre-diciembre 1966, 132

(2) Antonio Buero Vallejo.-o.c., 133

(3) Antonio Buero Vallejo.-o.c., 134

Esperpentos la más segura guía de un teatro crítico en el futuro inmediato" (3).

(1) Antonio Buero Vallejo, o.c., 134

IV — LAS FASES DEL ARTE DRAMATICO DE VALLE-INCLAN

Una de las principales dificultades con las que ha tropezado la crítica, española y extranjera, para enjuiciar debidamente el arte literario de Valle-Inclán en general, y el dramático en particular, procede de la pluralidad de estéticas que se han sucedido, unas veces una tras otra, pero en ocasiones simultáneamente, en su producción literaria. De todos los escritores, de la llamada *Generación del 98,* fue Valle-Inclán el menos apegado a las primeras formas de su producción y el más sensible a los cambios, de acuerdo con las corrientes estéticas que iban agitando el espíritu y la cultura de los pueblos de la Europa occidental.

Gran parte de los escritores de esa generación (Unamuno, Pío Baroja, Antonio Machado, Ramiro de Maeztu, Manuel Machado) apenas cambiaron, a lo largo de su carrera literaria, en la forma y en las estéticas que inspiraron sus obras. De este grupo fue, sin duda, Unamuno, el más sensible a los cambios de contenido, y poco, en cambio, a los de estilo y estética, salvo la del *surrealismo,* que inspiró sus últimas obras, y un tanto las del *expresionismo,* pero éste mas en las ideas que en el arte.

Algunos de estos escritores fueron totalmente hostiles a las corrientes *vanguardistas,* liquidador del llamado *modernismo,* en el que se habían formado e inspirado. Sólo los más jóvenes del grupo (Gabriel Miró, Pérez de Ayala, Juan Ramón Jímenez) compartieron la inclinación, que tuvo Valle-Inclán, por las nuevas corrientes literarias; y, como él, fueron con ellas evolucionando en su arte.

Valle-Inclán, tenido durante largo tiempo como el escritor representativo del llamado *modernismo* español, fue el que más se separó de él, y el que, bajo la inspiración del *expresionismo,* creó en la literatura española nuevas formas dramáticas y novelescas de extraordinario valor.

* * *

El cambio operado en la crítica española con respecto a la obra de Valle-Inclán está representada por el estudio de Guillermo Diaz -Plaja *Las estéticas de Valle-Inclán,* publicado en ocasión de su centenario (1). El sagaz crítico catalán, que en un libro anterior, *Modernismo frente a 98* (2) había asociado excesivamente a Valle-Inclán al modernismo, como si fuera el portaestandarte de esta estética en España, rectificó su antigua opinión en esta nueva obra, percibiendo la pluralidad y complejidad de las estéticas de Valle-Inclán; y también el hecho de que en la última fase de su carrera literaria, librándose totalmente del peso del llamado modernismo, llegó su genio creador a la máxima altura: "El muchacho de 1925 -dice Díaz Plaja-recuerda -inolvidablemente- en una pequeña provincia española, recién terminado su bachillerato el impacto de una revista que se llamaba *El Estudiante* y en la que aquel desmayado Valle-Inclán de las *Sonatas,* crepitaba vívido y *chisporreante,* en un relato de "tierra caliente" que se titulaba *Tirano Banderas.* Resultó que los movimientos llamados "de vanguardia" tenían, en aquel momento, su más impetuoso renovador en un asombroso escritor, "joven" de sesenta años, que tiraba por la borda toda

una sistemática estética, quedando sus naves líricas -de tan bella arboladura- para ascender a planos distintos, a nuevas cimas difíciles, a conquistas de presión y estilo, hasta entonces incógnitas e inéditas, que lo levantaban al cenit de la manipulación del lenguaje castellano de todos los tiempos (3).

* * *

Una de las primeras labores que tiene que emprender la crítica, para desbrozar el camino del buen entendimiento de las estéticas de Valle-Inclán, es el de limpiar de él el término, ayer quizás útil y hoy totalmente inservible y pertubador, de *Modernismo,* refiriéndose al arte de los escritores del 98, singularmente de los poetas.

Quizás vaya ya siendo hora de almacenar este término con el que se designó, allá a principios del siglo actual, una serie de corrientes estéticas, que inspiraban el arte de los jóvenes escritores de la llamada *Generación del 98,* desde el *decadentismo* y el *parnasianismo* hasta el más ambicioso *simbolismo.* El término *modernismo,* como un calamar, ensució las aguas de las corrien-

---

(1) Guillermo Díaz-Plaja. *Las estéticas de Valle-Inclán,* Madrid, Gredos, 1966
(2) Guillermo Díaz-Plaja. *Modernis mofrente a 98,* Madrid, 1951
(3) Guillermo Díaz-Plaja. *Las estéticas de Valle-Inclán,* Madrid, Gredos, 1966, 10

tes estéticas con su confusa significación, e hizo que perdieran sus contornos las verdaderas corrientes estéticas que acabamos de señalar: el *parnasianismo,* el *decadentismo* y el *simbolismo.* Si no hay en la literatura española buenos ni malos estudios sobre estas corrientes en general, y sobre su efecto en particular sobre un determinado escritor, se debe en gran parte a que tales corrientes fueron absorbidas por la crítica en las aguas turbias del *modernismo.*

Algunos críticos, conscientes de la función perturbadora del término modernismo, han comenzado ya esta labor de limpieza, aunque se han quedado a medio camino en esta tarea: Uno de ellos es Gustav Siebenmann, en su artículo *Reinterpretación del modernismo:* "Hay que decirlo de una vez — dice Siebenman — el término literario de modernismo ha sido poco afortunado. En efecto, desde que se empezó a usar la palabra no ha dejado de ser fuente de controversias y confusiones, y, lo que es más grave: sigue siéndolo en estos últimos años más que nunca. Es verdad que todos los *ismos,* nacidos en lo que llevamos de siglo, han suscitado controversias. Pero, al trancurrir el tiempo, los nuevos conceptos y su estilo, su estética correspondientes llegan a plasmar en definiciones vastamente reconocidas, llegaron a significar un contenido histórico más o menos definido. Basta con pensar en el *surrealismo,* el *dadaísmo,* el *expresionismo* alemán, el *futurismo* italiano, por ejemplo. En cuanto al modernismo, empero, término que viene a cumplir casi los ochenta años de vida literaria (1888), se puede observar que en estos últimos lustros se ha negado hasta su existencia. Y en seguida vislumbramos la particular complicación del asunto, debida a la fatal circunstancia que en el caso del modernismo el nombre y la cosa, el significante y el significado, se prestan ambos a la ambigüedad y al equívoco. Nos parece oportuno, pues aclarar la cuestión con esmero, orden y rigor, y ojalá no vengan a faltarnos estas virtudes" (1)

Se impone arrumbar el término modernismo para que recobren su independencia las auténticas corrientes literarias, sobre todo el *decadentismo* y el *simbolismo* que tuvieron tanta in-

---

(1) Gustav Siebenmann. *Reinterpretación del Modernismo, en Pensamiento y letras en la España del siglo XX* (colección de estudios, editados por Germán Bleiberg, leidos en la Universidad de Vanderbilt en ocasión del centenario del nacimiento de Miguel de Unamuno) Nashville, 1966

fluencia en la literatura española de principios del siglo XX. Esta falta de independencia, de haber devuelto su libertad y personalidad a estas corrientes literarias y a otras que, como el *surrealismo* y el *expresionismo,* se escapaban ya entonces al vasallaje del *modernismo,* por suponer su liquidación, se percibe incluso en la crítica inteligente y bien orientada como la de Guillermo Díaz-Plaja, quien, en su obra citada, *Las estéticas de Valle-Inclán,* emplea una terminología personal para designar lo que tiene su nombre propio en las literaturas europeas; y prefiere llamar mítico al *simbolismo* y degradador al *expresionismo.*

Por eso debemos, lograda la independencia de las estéticas avasalladas por el modernismo, emplear la terminología propia de las literaturas europeas. De ese modo colocamos a Valle-Inclan en una perspective de arte europeo; y podremos entender debidamente el valor y significado de las varias fases estéticas por las que pasó su arte en general y el dramático en particular.

Ya hemos indicado anteriormente, que Valle-Inclán fue el escritor de la *Generación del 98* más sensible a los cambios de estética, de acuerdo con la marcha general de la literatura europea. Nota común a los tres escritores más viejos de esta generación — Miguel de Unamuno (1866-1936), Angel Ganivet (1865-1898) y Ramón del Valle-Inclán (1866) —, que componen el primer grupo de esta generación, fue la de cultivar todos los géneros literarios. Ganivet murió apenas comenzada su carrera literaria, en 1898, en el año que da nombre a esta generación. Unamuno, sumamente sensible a las ideas y, a veces también, a las formas, siempre relacionada con las ideas, escapó a toda corriente estética y se mantuvo como un solitario, difícil de clasificarle en alguna de ellas.

En cambio, Valle-Inclán no sólo se abanderó en varias corrientes estéticas, a lo largo de su extensa carrera literaria, sino que es, en la literatura española, uno de los exponentes más destacados de cada una de ellas. En la producción literaria de Valle-Inclán hay tres fases muy diferenciadas; aunque, convenga advertir que Valle-Inclán, al superar una corriente literaria, no se desprende totalmente de ella sino que la incorpora, como uno de sus elementos, a la nueva.

Las tres fases del arte literario de Valle-Inclán se corresponden con tres corrientes estéticas que tuvieron una gran influencia en las letras de todos los países de Europa en las últimas décadas del siglo pasado y en las primeras del presente: dos son características del siglo XIX, y están a caballo de los dos siglos, el *decadentismo* y el *simbolismo;* la tercera, en cambio, el *expresionismo,* pertenece totalmente al siglo XX. Las dos primeras figuran generalmente englobadas en el confuso término de *modernismo,* cuyo uso convendría ir ya desterrando, por perturbador, de la terminología de las Historias de la Literatura Española; el tercero, el *expresionismo,* escapa a semejante caracterización; y supone, por el contrario, una ruptura con el llamado modernismo y entra ya, en cambio, dentro de las corrientes más avanzadas que se recogen en la literatura española bajo la rúbrica amplia de *vanguardismo.*

* * *

Como muchos otros escritores de su generación, sufrió Valle-Inclán, de joven, la influencia del *decadentismo,* que predominaba en la literatura europea, a fines del siglo XIX. En este arte los jóvenes escritores encontraban el mejor vehículo para expresar su sensibilidad exquisita y refinada; y a formar su personalidad explosiva y llamativa, contra el fondo gris del ambiente español de la época de la *Restauración.* La *pose* decadente, exquisita y en algunos casos morbosa, fue el arma de esos escritores para afirmar su honda discrepancia con la sensibilidad y la moral de la sociedad española, cada vez más burguesa y acomodaticia, de ese tiempo.

Falta por hacer, en la literatura española contemporánea, un estudio serio y detenido de la influencia de la estética decadente en el arte de muchos de los escritores de entonces, singularmente de los poetas Juan Ramón Jiménez y Manuel Machado; y de los prosistas Valle-Inclán, Azorín, Gabriel Miró y Ramón Pérez de Ayala.

En el periodo o fase decadente de su arte, el más corto de ellos, pues se limita, en la producción valleinclanesca, a la última década del siglo XIX, el escritor gallego se dedicó a escribir cuentos (*Femeninas,* 1894 — *Epitalamio,* 1897 — *Adega,* 1899); y una sola obra dramática *Cenizas* (1899), representada en el año en que se cerró el siglo, que no se imprimió hasta once años más tarde, con un nuevo título el de *El Yerno de las almas* (1910).

En esta fase, Valle-Inclán prefiere el ambiente de las

grandes ciudades internacionales (París, Roma, en los cuentos, Madrid, en el drama *Cenizas)* o tierras exóticas (México) o personajes exóticos en su propia tierra gallega (un estudiante cubano en Compostela); y sólo asoma, nebuloso y titubeante, el tema gallego en dos de los cuentos, en *Eulalia* y en *Adega,* que será el más importante en la fase simbolista de su arte.

En este periodo predomina la nota erótica, algunas veces morbosa y demoníaca. Esta nota fue la que motivó que la mayor parte de sus cuentos decadentes fueran rechazados por los principales periódicos y revistas, entre ellos los más liberales y avanzados de España.

En su fase decadente, su estilo un tanto apegado todavía al vocabulario de los naturalistas impresionistas, como Eça de Queiroz, carece del ritmo y de la melodía que tendrá en la fase simbolista; y de los vocablos, de gran riqueza expresiva y significativa, que nos ofrecerá en la expresionista. Esto se puede comprobar comparando el retrato de la *Niña Chole,* de la fase decadente, con la visión del mismo personaje que vemos en la *Sonata de Estío,* de la simbolista; y la que aparecerá en *Tirano Banderas,* de la expresionista. La comparación nos mostrará la parquedad de medios expresivos de que se servía Valle-Inclán en la fase decadente de su arte.

El arte decadente tuvo hondas raíces en los pueblos latinos, amamantado por la sensibilidad y temperamento de estos pueblos. Por eso, las influencias que pesan en este periodo sobre la obra de Valle-Inclán son las de los escritores franceses e italianos postrománticos y decadentes; y también la del portugués Eça de Queiroz y de algunos hispanoamericanos, entre ellos el mexicano Manuel Gutiérrez Nájera, cuya obra debió conocer durante su estancia en México.

* * *

Ya a principios del siglo XX, evolucionó el arte de Valle-Inclán hacia el *simbolismo.* La gran puerta de entrada que le llevó a este arte fue su visión de Galicia, que él recibió de los escritores de su tierra, novelistas, historiadores y poetas, que escribieron en castellano y en lengua vernácula; y también de las leyendas y del folklore de su tierra. Nada más lejos de la verdad el tener el arte de Valle-Inclán, de la fase simbolista, como literatura escapista, extraña a la realidad. Todo lo contrario. Es un arte muy metido en las entrañas espirituales de su pueblo: en sus leyendas, heráldica y supersticiones. Valle-Inclán, sirviéndose del arte simbolista, trató de penetrar en el alma de Galicia, en su alma eterna; y ya iniciado, a través de Galicia, en el tratamiento simbolista de mundos espirituales, se adentró en los de otros pueblos (Italia, el País Vasco, México).

El punto de partida de Valle-Inclán para superar el arte decadente, fue la visión de Galicia, que expresó en su primera Sonata, *Sonata de otoño* (1902), en *Flor de Santidad* (1904) y en el volumen de poemas *Aromas de leyenda* (1907). Si la estética decadente tiene raíces latinas, la simbolista estaba entrañablemente unida al mundo céltico, desde Irlanda a Galicia, pasando por Bélgica y Francia. Al final de la fase simbolista, nos ofreció Valle-Inclán, en *La lámpara maravillosa* (1917), un manifiesto literario de su simbolismo. En este manifiesto, que se empieza ahora a leer, expone toda la filosofía política-literaria del regionalismo gallego, campeón de los valores célticos de la cultura gallega, combinados con los principios de la estética simbolista, que para él tiene profundas raíces celtas.

En la fase simbolista, no abandonó totalmente Valle-Inclán los elementos decadentes de su viejo arte, pero éstos, en la nueva fase pasan a ser simples partes integrantes de la visión más amplia simbolista de una serie de ambientes: Galicia (*Sonata de Otoño, Flor de Santidad, Aromas de leyenda),* México, *(Sonata de Estío*), Roma (*Sonata de Primavera*) y el País Vasco (*Sonata de Invierno, novelas de la guerra carlista*).

En esta fase simbolista, el cuento ocupa un lugar más modesto; y cobra importancia la *novela corta* (las cuatro *Sonatas, Flor de Santidad, Una tertulia de antaño).* Con la novela corta, aparecen una serie de formas literarias de gran valor: unas narrativas, *novelas largas* (las tres *novelas de la guerra carlista*); otras poéticas, (*Aromas de leyenda*); y, sobre todo, una serie de obras dramáticas con una nueva terminología simbolista. En las obras dramáticas, *El Marqués de Bradomín* está unido a sus *Sonatas,* hasta el punto de que no es más que una escenificación de la *Sonata de otoño.* Otra de sus obras dramáticas de este tiempo, *El Yerno de las almas,* es casi una reimpresión de su drama decadente *Cenizas.*

Las principales novedades de Valle-Inclán en el arte dramático simbolista son, en prosa: las *comedias bárbaras,* de cuya trilogía sólo publicó dos en este periodo, *Aguila de blasón* y *Romance de lobos;* y *El embrujado,* que tituló *tragedia del valle de Salnés.* El teatro poético tuvo una gran importancia y variedad en esta fase simbolista: *la tragedia pastoril, Voces de gesta;* las *escenas rimadas de una manera extravagante, 'tituladas Cuento de Abril.*

La farsa, en prosa y en verso, es una de las principales aportaciones del arte dramático simbolista de Valle-Inclán: en verso *La Marquesa Rosalinda, farsa sentimental* y *grotesca* y la *farsa italiana de la enamorada del rey;* y, en prosa, *la Farsa infantil de la cabeza del dragón.*

* * *

En la evolución del arte simbolista de Vale-Inclán corren dos corrientes paralelas: una lírica, que va declinando, cuyos últimos ecos son las obras del teatro poético, *Cuento de abril* y la *Farsa italiana de la enamorada del Rey* y *La Marquesa Rosalinda,* asi como, en prosa, la *Farsa infantil de la cabeza del dragón;* y otra fuertemente dramática, cuya expresión más ruda son las *Comedias bárbaras* y la *tragedia del Valle del Salnés El embrujado* y que se manifestó, en el teatro poético, en *Voces de gesta,* y, en la narrativa, en las *novelas de la guerra carlista.*

En el arte simbolista de Valle-Inclán hubo, desde el primer momento, esa doble nota, lírica y dramática: la primera armoniosa, suave, meliodosa; y la otra dura, esquinada, en arista. Esta dualidad refleja para Valle-Inclán muchas veces una doble cara del mundo gallego: la suave y melodiosa, encarnada en los campesinos gallegos, sus costumbres y leyendas, tiene profundas raíces célticas; la fuerte y bárbara, cuyo símbolo es la aristocracia gallega, tiene, en cambio, un origen germánico.

En la fase simbolista, tanto en la melodiosa y suave como en la fuerte y bárbara, desaparece el individuo decadente; y, en su lugar, aparece un nuevo personaje que representa un linaje (el Marqués de Bradomín y Don Juan Manuel Montenegro) símbolo de las viejas familias nobles de su tierra, que llevan la historia y las leyendas de Galicia en sus apellidos heráldicos. Ahora el pasado, (historia, leyenda, heráldica, mito) tiene tanta importancia como el presente, que dominaba en la época decadente; pues en él, en el pasado, se puede penetrar mejor y más profundamente en el alma y esencia de las cosas, en su significación espiritual.

En esta fase simbolista, una de las principales influencias que pesaron sobre la obra de Valle-Inclan fue la de los escritores gallegos (Rosalía, Curros Enriquez, Eduardo Pondal, Benito Vicetto, Manuel Murguía etc.). José Rubia Barcia estudió con gran detalle estas influencias gallegas en la obra de Valle-Inclán (1).

Valle-Inclán es uno de los grandes escritores simbolistas europeos. Falta por hacer en la literatura española un estudio de las creaciones de esta corrienet estética en la prosa y en el verso. En ella creó Valle-Inclan visiones simbolistas de un valor imperecedero; y con ellas, una lengua melodiosa, sonora, rica en matices plástcos, en sonidos y en sugerencias, que no tiene igual en las letras en castellano.

* * *

Fue, sin embargo, en la tercera fase de su arte, en la expresionista, en la que alcanzó Valle-Inclán la plenitud y madurez de su creación; y también los acentos más fuertes y dramáticos de su arte. Gracias a las obras que compuso en esta fase, España ocupa un puesto de primera fila en el expresionismo europeo.

El expresionismo, que tiene hondas raíces germánicas y eslavas en la literatura europea, fue un arte preocupado por los valores sociales y morales, un tanto descuidados por el simbolismo, o neoromanticismo, según la terminología alemana. En Alemania había comenzado a desarrollarse antes de que estallara la Primera Guerra Mundial; y los desastres que trajo este conflicto a todos los pueblos de Europa, Alemania entre ellos, aumentaron estas preocupaciones en los escritores que seguían esta corriente estética. El arte expresionista llegó a los países latinos, en la literatura, ya terminado el conflicto europeo.

El expresionismo, fuertemente dramático, humano, gustó de las formas más expresivas, de la caricatura, de lo grotesco, que destacaban, con gran economía de elementos y con contrastes, los aspectos esenciales de las cosas y de las personas. Frente a los tonos y tintes suaves, melodiosos, vagorosos del simbolismo, el expresionismo empleó otros duros, disonantes, recortados.

---

(1) José Rubia Barcia. *Valle-Inclán y la literatura gallega,* Revista Hispánica Moderna, New York, 1955

El arte expresionista de Valle-Inclán fue producto de una doble corriente: por un lado, de la evolución de su propio arte simbolista, cada vez más cargado de sentido dramático y preocupaciones morales; y, por otro, de la influencia de las corrientes del arte europeo expresionista que se dejaron sentir en todas las formas de la creación artística, desde las Bellas Artes hasta la literatura, en la Europa de fines de la primera guerra europea.

Ya habíamos visto que se podía percibir con toda claridad la evolución del arte valleinclanesco hacia formas expresionistas, ya en la época simbolista, en las *Comedias bárbaras* y en las Primera Guerra Mundial. Estas obras muestran que Valle-Inclán es uno de los primeros expresionistas europeos por sus propios méritos. Como tuvimos ya ocasión de indicar, en esas obras los nuevos elementos expresionistas aparecen como parte de la visión simbolista, del mismo modo que, en el periodo anterior, aparecían como parte de la visión simbolista los elementos decadentes, los cuales todavía llegan en su arrastre a este tiempo de transición hacia el expresionismo.

La visión simbolista desaparece y se convierte en otra expresionista, en su técnica, imágenes y lenguaje, en algunos de los poemas de *La pipa de Kif* (1918), como el tan conocido de *Garrote vil*. Pero este arte expresionista no se enseñorea de la obra de Valle-Inclán hasta unos años después de terminado el conflicto europeo, hasta la década de 1920 a 1930, que marca la gloria y esplendor de la obra literaria del escritor gallego.

Fue esa una década de gran actividad en la producción literaria de Valle-Inclán. Escribió en ella toda su obra expresionista, en la que predomina el teatro sobre la novela; pues, de las catorce obras que compuso entonces, 10 eran dramáticas y sólo cuatro novelas: las tres de la serie *El ruedo ibérico* (*La Corte de los Milagros, ¡Viva mi dueño! y Baza de espadas,* aparecida esta última postumamente); y la novela de tema hispanoamericano *Tirano Banderas*.

El teatro expresionista de Valle-Inclán es de gran valor y variedad; pero son los *esperpentos* los que han atraído más la atención de la crítica: *Luces de Bohemia, Los cuernos de Don Friolera, La hija del capitán* y *Las galas del difunto*. Al lado de los cuatro esperpentos figuran otras cuatro distintas formas dramáticas, también expresionistas: la *tragedia de aldea, Divinas palabras;* los *autos para siluetas, Ligazón* y *Sacrilegio;* los *melodramas para marionetas, La Rosa de papel* y *La Cabeza del Bautista;* y la *Farsa y licencia de la Reina Castiza.*

Su arte expresionista corrió en gran parte paralelo a la primera Dictadura militar que padeció España en el siglo XX, la del general Primo de Rivera (1923-1930). En sus obras expresionistas fustigó Valle-Inclán las dictaduras hispanoamericanas (*Tirano Banderas*) y españolas (*La hija del capitán*); y los falsos valores de la España de la Restauración, a través de su presentación de la del reinado de Isabel II (la serie de *El ruedo ibérico* y la *Farsa y licencia de la Reina Castiza*), singularmente, el sentido español del honor, encarnado en los militares, que pasan por ser sus más fieros intérpretes, en *Los cuernos de Don Friolera.* Sus obras expresionistas son una visión social y moral, con notas políticas, del mundo hispano, en la que late el sentido crítico de la generación del 98.

En esta fase los personajes heroicos, aristócratas en la decadente y en la simbolista, son ahora gente populares: conspiradores, bandidos, gitanos, contrabandistas, chulos, matones en *El ruedo ibérico;* e indios, mestizos y otras gentes de bronces en *Tirano Banderas.* La evolución, del traslado de lo heroico de la aristocracia a las clases populares, había ya comenzado en las novelas de la guerra carlista, especialmente en la última de su trilogía, *Los gerifaltes de antaño,* en la que los caudillos más esforzados no son los militares profesionales, liberales o carlistas, sino los guerrilleros, singularmente los que acaudillan los fueristas vascos.

En la fase expresionista, además de la influencia de las corrientes europeas y de la evolución interna del arte de Valle-Inclán, hay que registrar la presencia de otras dos: la de las formas populares gallegas, especialmente de los romances compuestos en una jerga bilingüe, en parte castellana y en parte gallega, que se percibe en el esperpento *Los cuernos de don Friolera;* y otra más amplia, la de la tradición literaria española del Barroco, señaladamente de Quevedo, de Cervantes y de algunos escritores de novelas picarescas y otras formas narrativas afines a ella.

V — EL DRAMA DECADENTE: *CENIZAS*

Desde el primer momento de su carrera literaria, Valle-Inclán se abanderó a las nuevas corrientes estéticas europeas, que aspiraban a superar el realismo La primera que le atrajo fue la decadente, expresada en sus cuentos. En su primera obra, *Femeninas* (1894), recogió una serie de cuentos en los cuales, a través de varias historias amorosas, nos ofrecía una galería de retratos femeninos. El arte decadente de estos cuentos se revela en todos sus detalles y sobre todo en su sensibilidad: en su morbosidad erótica; en el ambiente cosmopolita de sus historias (Roma, París, Madrid y excepcionalmente Compostela); y los nombres aristocráticos de las heroínas (Augusta, Octavia etc).

La estética decadente fue la que guió los primeros pasos de los escritores de la Generación del 98, particularmente de Valle-Inclán, quien fue el que se dejó llevar más por esta corriente estética. En sus cuentos, sólo cuando, como en *Eulalia* (que figura en *Femeninas*) y en *Adega,* publicado ya más tarde, en los que aparece, como fondo, el campo de Galicia, se une a la corriente decadente otra nueva, el simbolismo, también de fines del siglo XIX; pero, en estas primeras obras, el simbolismo está subordinado al decadentismo. Por eso se debe tomar con cierta reserva la afirmación del alemán Gunther Heinrich (1) de que *Eulalia* es la primera manifestación de su arte simbolista; pues el tono y carácter de la obra está en su hipersensibilidad decadente, en el erotismo morboso; mientras el mundo simbolista se queda rezagado, como si fuera un discreto fondo.

* * *

Valle-Inclán no tuvo suerte con la crítica en los primeros años de su producción literaria. Gran parte de ella le fue adversa; y la favorable mostró tal incomprensión por su obra que le causó un perjuicio quizás más grave que la adversa. Este es el caso de Melchor Fernández Almagro, amigo personal de Valle-Inclán, concurrente a sus tertulias, pero quien, por temperamento y gusto por la comidilla y el mentidero, debía haber asistido a la de Benavente. Fernández Almagro, llevado de su amistad y estimación

---

(1) Gunther Heinrich. *Die Kunst Don Ramón María del Valle-Inclán,* 13-15

por Valle-Inclán, le consagró un estudio *Vida y literatura de Valle-Inclán* (Madrid, 1943), que es la fuente de valiosa información en las pequeñas cosas y de tremendos errores en las fundamentales.

Uno de los errores, que proceden de esta extraña fuente, es la de considerar el primer drama de Valle-Inclán, *Cenizas*, como un *drama burgués y realista*, cuando no es ni lo uno ni lo otro. De Fernández Almagro recogieron esta afirmación, sin someterla a un riguroso análisis literario, dos críticos más jóvenes y modernos: Agustín del Saz, en su *Teatro de Valle-Inclán* (Barcelona, 1950), que la incluyó como último aparte en la clasificación del teatro de Valle-Inclán, en el *drama burgués;* y por F. Garcia Pavón, en su artículo sobre *Cenizas, Primer drama de Valle-Inclán,* publicado en el número que la revista madrileña INSULA dedicó a Valle Inclán (num. 236-7—julio-agosto, 1966).

Tanto Fernández Almagro, como sus dos seguidores, asocian esta obra de Valle-Inclán con el teatro de Pérez Galdós, a pesar de que se separa de él y de sus ideales burgueses de una manera visible: "*Cenizas*—dice García Pavón—nada tiene que ver con el sucesivo teatro de Valle-Inclán. Fue un pionero destacado. Mejor: un parto prematuro. Por su lenguaje, tema, tipos y sensibilidad, recuerda mucho el teatro realista anterior. Tal vez sea Galdós su modelo más próximo, como apunta Fernández Almagro".(1) Pero este drama de Valle-Inclán ni es realista, ni burgués por su sensibilidad, su lenguaje, su tema y sus tipos, sino que es todo lo contrario: *antiburgués* y *antirrealista.* Valle-Inclán, que se esforzó en alejar su arte y su literatura, principalmente el drama, del arte burgués realista, se quedaría tremendamente descorazonado si hubiera podido saber que, por muchos años, la crítica la ligaría irremediablemente a unas ataduras de las que él se libró en su creación literaria.

* * *

Cenizas no es una obra extraña, descastada, en el arte de Valle-Inclán, sino todo lo contrario. Es una obra muy representativa de la primera fase de su creación literaria, profundamente decadente. Procede de la misma corriente estética que inspiró los cuentos compuestos en la última década del pasado siglo. Se

---

(1) F. Garcia Pavón. *Cenizas (Primer drama de Valle-Inclán)* Insula, Madrid, Números 236-237-110

expresa en este drama, en oposición a todo el arte realista, el triunfo del sentimiento sobre las circunstancias exteriores, y la exaltación de la hipersensibilidad hasta la morbosidad. Para Valle-Inclán, en contra de los ideales burgueses del teatro de Perez Galdós — que trató, en sus dramas de carácter social, de armonizar el amor, de un burgués y de un aristócrata, con las aspiraciones e intereses de trabajo y progreso de la burguesía — opone violentamente amor y conveniencias sociales; y el autor se inclina por el amor, que él considera la suprema aspiración de los seres humanos. Como en el romanticismo, en la obra decadente de Valle-Inclán, en *Cenizas*, el amor es tanto más noble cuanto más se enfrenta con los convencionalismos sociales y más se sacrifican por él los enamorados. Por eso el drama decadente de Valle-Inclán tiene más deudas con el drama y con la comedia romántica que con los géneros dramáticos del realismo. En *Cenizas* se enfrentó Valle-Inclán por igual con la sensibilidad, las ideas y las aspiraciones del drama burgués realista: con el *drama social,* de Pérez Galdós, con sus aspiraciones burguesas matrimoniales; con el *melodrama social,* de José Echegaray, que velaba por la santidad del matrimonio; y con la *comedia irónica,* de Jacinto Benavente, quien no se atrevió a tocar jamás en sus comedias la base de la moral burguesa, como hace Valle-Inclán en *Cenizas.*

Juan Guerrero Zamora percibe los antecedentes románticos de esta obra de Valle-Inclán; pero, en cambio, incurre en el error de considerar a Echegaray como romántico y buscar en su teatro y en la poesía de Bécquer los antecedentes del drama decadente valleinclanesco: "Puestos a buscar ascendencia al tono de estas obras (*El Yermo de las almas* y los *Coloquios románticos,* de *El Marqués de Bradomín*) ya dije que Bécquer y Echegaray quedaban patentes. Otro gran pariente debe ser nombrado, D'Annunzio, especialmente en *La Gioconda*" (1).

Pero ni el realista Echegaray ni el simbolista postromántico Bécquer son antecedentes de *Cenizas:* el teatro realista del primero, es, como ya hemos indicado, totalmente burgués, respetuoso con la moral burguesa, en todos sus principios y el de Valle-Inclán se desprende completamente de esa moral. En cuanto a Bécquer, el alto sentimentalismo idealista del poeta español del

(1) Juan Guerrero Zamora. *Historia del teatro contemporáneo,* I, 169

siglo XIX, que buscaba los grandes ideales de belleza y de pureza, está a cien leguas del amor hecho carne y pecado, aunque éste sea espíritu, de Valle-Inclán.

* * *

Las fuentes literarias inmediatas del drama decadente de Valle-Inclán proceden del decadentismo general europeo finesecular, tocado ya de afanes simbolistas, y en particular de la obra del belga Mauricio Maeterlinck (1862-1949), contemporáneo de Valle-Inclán, sólo cuatro años más joven que él, que había emprendido con cierto éxito la empresa de desprender el teatro europeo del vasallaje del drama naturalista, en el que predominaba la relación de casualidad material, de causa y efecto, y, por ello, concedía extraordinaria importancia a los factores exteriores. En contra del drama naturalista, creó Maeterlinck un nuevo drama, fontana del drama decadente y del simbolista a la vez, titulado por él de *vida íntima,* en el que el sufrimiento de los personajes, enraizado en su carácter y en sus pasiones, como en *Cenizas,* es la fuerza suprema del drama. Valle-Inclán, cuya obra *Cenizas* se publicó en 1899, editada por el mismo grupo del *Teatro artístico,* que la representó en el Teatro Lara, de Madrid, volvió a reeditarla, once años más tarde, con el subtítulo de *El Yermo de las almas* y el subtítulo, totalmente maeterlincknesco, de *Episodios de la vida íntima.*

Juan Guerrero Zamora acertó al designar *Cenizas* como *drama mórbido sentimental,* pues éstos son los dos adjetivos que califican una obra decadente: "la trama del drama *mórbido sentimental.* Por tal entiendo aquellas obras que contienen en sí el germen de ese decadentismo desesperanzado de las bohemias, de esa voluntad muerta en una noche de luna, que cantó Manuel Machado, y donde se vive en un círculo sin salida. *El Yermo de las almas* y *Coloquios románticos* pertenecen a esta especie" (1). Y más tarde todavía insiste en el carácter decadente de esta obra: "Hasta el punto de que se puede afirmar cómo lo que el dramaturgo gallego trata no es historia de amores, sino historia de pecado. Sin paganismo alguno. Sin la alegría de la carne pagana. Pero tampoco para concluir éticamente. Como un último refinamiento. Pues es indudable que, para Valle-Inclán, el pecado es

(1) Juan Guerrero Zamora, - o. c., vol.. I,, 169

como el mosto donde el amor es más añejo y profundo, como la sal para la tierra. Y, si se quiere, factor mágico y hechizante que liga indisolublemente lo que quizá el amor solo y de por sí no ligaría" (1).

El tema de *Cenizas* es la exaltación de la sensibilidad hasta la morbosidad, y del amor hasta el sacrificio, por encima de la moral religiosa y familiar. Los amantes se sacrifican el uno por el otro en aras de ese amor, superior a todos los convencionalismos burgueses: "En las primeras obras de *vida íntima* de Maeterlinck, los enamorados hacen los sacrificios más penosos para llevar una extraña felicidad al amado. Son ellos los que, dueños de su destino, tratan de hacer valer su moral y su criterio en contra de los representantes de la sociedad y moral burguesa que se esfuerzan en imponerle el suyo." (2).

* * *

Cenizas es una versión amplificada y dramatizada de un viejo cuento de Valle-Inclán, de un cuento decadente, *Octavia Santino,* que figuraba en su colección de historias amorosas *Femeninas* (1894). Valle-Inclán, que gustó siempre de repetir, en distintas circunstancias y con distinta estética, los mismos temas narrativos, amplió el cuento decadente e introdujo en él nuevos personajes para reforzar el carácter dramático de la historia, y de esta ampliación surgió el drama decadente *Cenizas,* titulado, años más tarde, *El Yermo de las almas.*

El cuento *Octavia Santino* es una historia amorosa de fuerte sabor decadente. No es una historia adulterina en la que, como era corriente en los argumentos de las novelas y de los dramas realistas, los protagonistas tienen una edad parecida o el hombre es un tanto más viejo que la mujer, sino todo lo contrario: es una historia adulterina decadente en la que la mujer es más vieja que el hombre, y para darle a un mayor carácter decadente, el hombre es un artista, un poeta, Pedro Pondal de 20 años. En esta relación amorosa, la de *Cenizas* y más tarde la de *El Yermo de las almas,* la mujer, y no el hombre, parece ser la que lleva la iniciativa erótica.

Valle-Inclán le dio al amante un apellido gallego, el de Pondal, poco frecuente en su tierra; pero que era el que por

---

(1) Juan GuerreroZamora.- o.c., vol., I, 169
(2) Margaret Dietrich. *Das Moderne Drama,* Tübingen, 1962, 155-160

entonces llevaba uno de los poetas gallegos más ilustres de Galicia, Eduardo Pondal, que tendrá una señalada influencia en su obra, particularmente en su visión de Galicia en la época simbolista.

En el viejo cuento *Octavia Santino* alterna, con la actuación de los dos amantes, la figura de un sacerdote, el cual, como una sombra, aparece como la expresión de la moral social. Pondal quiere que su amante, en estado agónico, se confiese con ese sacerdote; pero ella se niega a hacerlo, temiendo que, si el sacerdote entra en su casa, le impondrá como primera condición la de que no vuelva a ver a Pondal, cosa que ella no quiere hacer. Octavia, viendo el sufrimiento de su amante, que se desvive por atenderla, como si fuera un enfermero, le miente cruelmente, diciéndole que había tenido otro amante antes que él, esperando que de este modo él la odie y la olvide; pero Pondal, tras una breve vacilación, comprende sus motivos para contarle esta mentira y la perdona.

La historia y su final pertenecen al más típico decadentismo: mujer enfermiza agonizante, que todavia vive entregada al sueño de su amor; y amante en cuyo amor se mezcla el erotismo, el sufrimiento y el sacrificio. La fábula gira y se cierra en esta historia en torno al amor de los dos amantes, sin que intervengan en ella otros personajes, representantes de los intereses familiares en peligro o de la moral social violada.

En *Cenizas* se amplia la fábula, el argumento, y crece, con esta ampliación, el número de personajes. Incluso los principales protagonistas sufren una cierta transformación: la española Octavia Santino se convierte en la italiana Octavia Goldoni, hija de un pintor florentino y de una española muy religiosa; y su amante, Pedro Pondal, pasa de poeta a pintor, en cuyo estudio se desarrolla gran parte del drama.

Al lado de los dos protagonistas aparecen los representantes de las dos fuerzas sociales que se oponen a ese amor adulterino: por un lado, la familia de Octavia, su madre (Soledad), su hija (una niña) y su marido (Juan Manuel); y por otro, la sociedad, representada, en este nuevo argumento, por el jesuita Padre Rojas.

Hay ahora otros personajes que ven el adulterio con simpatía o con indiferencia, como: Sabela, la criada de Pondal;

María Antonia, amiga de Octavia, siempre bien dispuesta para los enamorados; y el médico José Olivares, librepensador, enemigo del jesuita en sus ideas. Otros, como la hermana de la Caridad, son personajes neutros. El drama, que, en el cuento *Octavia,* giraba en torno al amor de los dos enamorados, y a sus expresiones de amor y de dolor, de quien está dispuesto a sacrificarse por el otro, se desenvuelve ahora alrededor del conflicto entre los dos amantes, que no quieren separarse, y de la sociedad, representada por la madre de Octavia y el Padre Rojas, los cuales, en nombre de la moral, se esfuerzan por acabar con esta relación amorosa ilícita. Los esfuerzos de la madre y del jesuita fracasan ante Octavia, la cual, después de algunas vacilaciones, no está dispuesta a renunciar, en su agonía, viendo acercarse a pasos agigantados la Muerte, a la compañía de su amante. En cambio, éste, para aliviar el dolor de Octavia, asediada por su madre y el jesuita, renuncia a volver a su casa, con la esperanza de que muera más tranquila su amada. El último sacrificio de Octavia, poco antes de su muerte, al comprender que no volvería Pondal, fue entregar al fuego las cartas que guardaba de un amante de su madre, la cual, al reconocer su letra en las cartas que delante de ella quemaba el Padre Rojas, comprende la grandeza de alma de su hija y la rigidez de ella.

Valle-Inclán, en esta obra dramática, exaltó el amor más apasionado, encarnado en una relación adulterina, como el motor de los más nobles sentimientos y sacrificios. Enfrente de él se empequeñece la moral burguesa egoista de la madre y la inflexible del jesuita; y queda en la sombra, como un puro formulismo, el perdón del marido, más deseoso de mostrar su bondad que de respetar los sentimientos de su esposa.

Este mundo de sacrificios de los amantes, gozosos del amor y de la vida que se les escapaba, y temerosos de la Muerte que se les acerca, es el mismo que vemos en las primeras obras trágicas de Maeterlinck, en las cuales luchan la vida y la muerte para vencer ésta al final. Frente a la moral burguesa, que rechazaba con horror los amores adulterinos, moral respetada por Pérez Galdós, exaltada por Echegaray con entusiasmo y vista con ironía por Benavente, presenta Valle-Inclán su fe en el individualismo decadente, que ve en el amor individual, por encima de todas las normas sociales, la suprema ley y virtud de la existencia.

El amor de Octavia y de Pondal se enfrenta, en *Cenizas,* con la sociedad representada por doña Soledad, la madre de Octavia, y por el Padre Rojas, jesuita. El jesuita es a la vez el representante de la moral social y de la religiosa, y no un puro símbolo de la Iglesia.

García Pavón, en el citado artículo, despistado por el criterio de Fernández Almagro y cegado por el reflejo del arte realista que puede haber en la obra. más aparente que verdadero, no percibe la honda diferencia que existe entre el tratamiento del adulterio en el drama valleinclanesco y en el de la novela y comedia del siglo XIX, y por eso, cree que son iguales. No percibe que para Valle-Inclán el amor, la pasión sinceramente sentida, es la mayor verdad humana, sea sentida por gentes unidas en legítimo matrimonio o fuera de él; en cambio el adulterio aparece en el drama realista como algo censurable o en todo caso tolerado por las circunstancias: "Este drama anticlerical huele a teatro y novela finesecular — dice García Pavon —: adulterio, amor-pasión, jesuita sibilino, médico y artista librepensadores; y Octavia que lucha entre su amor y las pasiones sociales".

Si se reconoce el carácter decadente de la obra toma una nueva perspectiva el llamado anticlericalismo de Valle-Inclán en *Cenizas,* que no es, ni mucho menos, anticlericalismo de fines de siglo, como dice Pavón, sino una de las notas frecuentes en la literatura decadente, que se puede ver en las primeras novelas de escritores españoles de esta corirente (Azorín, Miró y Pérez de Ayala), que gustaron de buscar ambientes y personajes eclesiásticos para resaltar con más brío, en la oposición de mundo erótico y del religioso, las notas de su arte.

* * *

Una de las notas de *Cenizas* que más despistaron a Agustín del Saz y le hicieron creer que estaba ante una obra realista fue la de que, en ella, a diferencia de otras obras de Valle-Inclán (de carácter simbolista) en la que abundan los amplios escenarios de jardines, palacios y caminos, aparecía una sala: tenía con ella trazas de la *comedia urbana,* con su ficción de la *cuarta pared,* levantada para que pueda ver el público lo que pasa dentro de la casa, tan frecuente en la comedia y el drama realistas del pasado siglo. Pero este parentesco es más aparente que real, ya que el escenario de *Cenizas* nada tiene de realista y tiene todo de decadente en su tono y ambiente; y es el fondo más adecuado para los personajes y la fábula de este carácter.

Valle-Inclán empleó en *Cenizas,* su primera obra dramática, la técnica de las *acotaciones escénicas,* las cuales gozaban de gran favor entre los dramaturgos simbolistas europeos a fines del siglo XIX; y desde entonces fueron uno de los elementos constantes y esenciales del arte dramático valle-inclanesco. Estas *acotaciones escénicas* obedecían a un múltiple propósito: dar indicaciones para el escenario y sus decoraciones; crear un ambiente en ese escenario; señalar los gestos, las actitudes y movimientos de los actores; destacar los efectos escénicos, particularmente los de las luces; e introducir en la obra, para la lectura pero también para algunas posibles representaciones dramáticas, un nuevo personaje, el propio autor, en la función de narrador de sus *acotaciones escénicas,* el cual, de este modo se convierte, en el director animado de su propia obra.

El noruego Enrique Ibsen (1828-1906) había ya empleado este tipo de acotaciones en sus obras de realismo simbolista. Pero fueron los dramaturgos tipicamente simbolistas los que le dieron a esta técnica todo su valor. La difusion de la lectura de las obras dramáticas, a fines del pasado siglo, favoreció grandemente su empleo; pues estaban destinadas tanto para los lectores como para los directores de escena.

Quizás por algo más que pura coincidencia, los principales dramaturgos europeos que se sirvieron de ellas procedían de pueblos celtas. Figura en primer lugar el bretón Felipe Augusto Mateo, Conde de Villers de l'Isle-Adam (1840-1889), que la utilizó de un modo muy semejante a la de Valle-Inclán, y años antes que él, en su famosa obra *Axel* (1885); y el belga Mauricio Maeterlinck (1862-1949), máximo sol de la nueva constelación simbolista en el arte europeo, las empleó ya en su primera obra, *La Princesa Maleine* (1891). Es más que probable que Valle-Inclán conociera la obra de Villers de L'Isle-Adam; y seguro que conocía la de Maeterlinck.

En la literatura inglesa, la empleó el realista simbolista Bernard Shaw (1856-1890), de origen irlandés; pero fue el escocés James Mateo Barrie (1860-1937) el que las incorporó a sus obras dramáticas en un modo muy semejante al de Valle-Inclán.

Estas acotaciones aparecieron ya en *Cenizas* y adquirieron un mayor desarrollo en *El Yermo de las almas* (1908), nueva versión, con pocos cambios, de aquel drama. En ellas Valle-Inclán no sólo presenta el escenario sino que señala el movimiento (gestos, palabras, etc.) de los personajes y crea un ambiente espiritual, claramente decadente, con elementos plásticos, melódicos y luminosos. El propio Agustín del Saz, tan preocupado por destacar los elementos realistas de la obra, que él ve en buena parte en ese escenario urbano, no puede por menos de reconocer en él la presencia de una serie de elementos modernistas.

Estas acotaciones tienen, desde el primer momento en que aparecen en el arte dramático de Valle-Inclán, un valor simbolista. Tuvieron ese valor desde que comenzaron a aparecer en el drama moderno europeo, comenzando por los dramas de realismo simbolista del noruego Enrique Ibsen; y si en los dramas de este dramaturgo se empleaban para crear un realismo simbolista, en *Cenizas,* y en su versión *El Yermo de las almas,* aspiran a crearlo decadente.

Por eso no cala en la naturaleza y carácter de las acotaciones dramáticas el estudio de Segura Corvasi, (1) que las divide en *dinámicas,* relativas a la acción, y *climáticas,* que crean un paisaje exterior o interior; pues Valle-Inclán en las primeras, en las *dinámicas,* trata también de crear un paisaje interior presentándonos más el alma de los personajes que su acción a simple movimiento; y en las segundas, en las clasificadas como *climaticas* por Segura Corvasí, las cosas materiales adquieren vida y movimiento, gracias a esas acotaciones, como si fueran un elemento necesario de la *vida íntima* de los personajes.

Y todavía tiene menos valor el distinguir, entre las acotaciones que Segura Corvasí denomina *climáticas,* las puramente *descriptivas* de las que titula *iconográficas,* relativas al retrato de los personajes, pues estas últimas se relacionan más con la del primer grupo, con las *dinámicas,* que con las puramente *descriptivas.* Todas ellas, *dinámicas, descriptivas e inconográficas,* son elementos a la vez *dinámicos y climáticos,* que dan vida y movimiento a las personas y a las cosas.

---

(1) R. Segura Covasi. Las acotaciones dramáticas de Valle-Inclán, Ensayo estilístico. *Clavileño,* Madrid, año 7, No. 38, 1956

La presentación de los personajes, cosas o ambiente nunca es puramente descriptiva en estas acotaciones, sino que expresan siempre valores vivos, dinámicos, con trancendencia moral y social: Octavia se nos presenta como "una dama pálida, de ojos asustados, cegados por las lágrimas; su amante, Pedro Pondal, tiene "aspecto infantil, lleno de timidez, de frente más altiva que despejada, de ojos más encantadores que brillantes, de mirar melancólico"; el jesuita Padre Rojas, de "talle flaco y hueco, es una sombra luenga"; y Doña Soledad Amarante, la madre de Octavia, es "una severa magnificencia". Las acotaciones tratan de atrapar, en estos casos, los rasgos más representativos de los personajes, en su actitud, en su aspecto, en su gesto, no en su naturaleza física; y esos rasgos, en general, coinciden con los que se suelen artibuir al tipo de personaje que los tiene (la amante decadente, el amante inocente, la madre soberbia y el cauto jesuita.)

Igual procedimiento utiliza Valle-Inclán en la presentación de las cosas, que se nos ofrecen por la significación espiritual que tienen y no por su forma física. Asi vemos, al iniciarse el drama, la casa donde tiene el estudio el pintor Pedro Pondal. De la fachada de la casa, sólo vemos las ventanas y el balconaje, de colores charros, chocantes, reveladores de un gusto de nuevo rico; y del balconaje, además del color, percibimos otras cualidades también indicadoras del mismo gusto, de quien edificó la casa: "Una casa nueva, con persianas verdes que cuelgan por encima del balconaje de hierro florido, pintado de oro y negro con un lujo funerario, bárbaro y catalán". Con el mal gusto se mezcla una nota funeraria, a tono con el carácter agonizante de la enferma.

Ya dentro de la casa, las acotaciones se esmeran en recoger, con deleite decadente, aquellas cosas delicadas y exquisitas que revelan el gusto refinado del pintor que habitan en ella: "la cortina de damasco carmesí partida por franjas de tapiz, donde, en roeles de oro, y seda, están los Milagros de Santa Clara. El bordado prolijo y devoto, de toda una comunidad de monjas, cuando alboreaba el siglo XV". En esta presentación, como en un buen cuadro decadente, se mezcla lo sensual (sedas, oro, carmesí), para los sentidos, con la significación religiosa de las cosas (Milagros de Santa Clara, bordado de unas monjas del

* * *

siglo XV).

Los impresionistas literarios de la segunda mitad del siglo XIX todavía un tanto unidos a la estética realista, destacaron en sus obras las sensaciones de vista y oido, por creer que eran las que mejor recogían la realidad de las cosas, seleccionada y embellecida por el temperamento del escritor, quien expresaba, a través de ellas, su propia sensibilidad. En cambio, los escritores decadentes, que trataron de expresar más la sensibilidad o hipersensibilidad del artista que las sensaciones puramente exteriores, prestaron atención a otras sensaciones, las del olfato, tacto y gusto, por considerar que en ellas,mejor que en la de la vista y oido, se expresaba el temperamento y la sensibilidad refinada del escritor y de sus personajes.

El interés de Valle-Inclán por las sensaciones más características del arte decadente, las olfatorias y tactiles, no le impidió prestar la máxima atención a las visuales y auditivas, las cuales como ya hemos indicado, ocupan un puesto importante en estas acotaciones dramáticas, expresivas más de los valores espirituales, de las personas y de las cosas que de su forma física.

En el análisis de las sensaciones auditivas merece un capítulo aparte el papel que desempeña el silencio en este drama. En el uso del silencio en *Cenizas* muestra una vez más el escritor gallego la gran y directa influencia que tuvo Maertelinck, tanto en sus dramas como en sus ensayos, en el drama valleinclanesco. El dramaturgo belga Mauricio Maeterlinck había publicado, ya en 1896, su famoso ensayo *El silencio,* incluido en su volumen de *El Tesoro de los humildes* (1). Maeterlinck encontró en el silencio uno de los elementos más expresivos de la *vida anterior* del individuo. Valle-Inclán hizo abundante uso de las teorías de Maeterlinck, y de su presentación dramática del silencio, en su primera obra dramática *Cenizas.* Con un ambiente de silencio se abre el primer episodio o jornada de esta obra: "es una escena llena de silencio".

Este silencio, que está en el ambiente, cobra una intensa significación dramática, cuando surge en medio de la conversación de los amantes: "Hay un largo silencio entre los amantes. La enferma parece haber hallado un momento de descanso". En

(1) MacDonald, Clark. *Maurice Maeterlincñ Poet and Philosopher,* New York, 1916, 200-2

otros pasajes, de conversación entre Octavia y la criada de Pondal, el silencio es como un tanteo entre las dos almas de las mujeres; "Octavia calla, adivina una censura en las últimas palabras de la vieja, ingenua y sencilla, como el alma de las aldeas". En estas últimas palabras de Valle-Inclán, el silencio se combina con la simplicidad, la cual para Maeterlinck, era otro de los elementos de la belleza más alta. Maeterlinck dedicó, también en *El Tesoro de los humildes,* un ensayo a la simplicidad titulado *La vida profunda.* (1)

El silencio se combina en más de una ocasión con algunas de las sensaciones olfatorias decadentes; y es entonces cuando la escena recibe toda su amplia significación de arte decadente. Así ocurre en la presentación del estudio de Pondal, en las acotaciones iniciales de la obra: "Es una estancia llena de silencio con un vasto aroma de alcanfor". El fuerte e intenso olor, a hospital y a muerte, del alcanfor recibe su plenitud aromática en el total silencio de la estancia, como si las otras sensaciones pudieran restarle con su presencia parte de su extraño aroma. Con estas notas, de impresionismo decadente, recibe todo su valor y significación espiritual el ambiente, el alma de los personajes y el dinamismo de la propia fábula: en la que se presenta el eterno misterio de la lucha entre la vida, movida por el amor, y la muerte inexorable, que parece ser el castigo y encarnacion de las convenciones morales de la sociedad burguesa.

Si se compara el estilo y lenguaje de Valle-Inclán en el diálogo de los personajes de *Cenizas,* y el que aparece en las acotaciones escénicas de esa obra se percibe inmediatamente que hay una notable diferencia entre ellos, en parte por haber sido estas últimas retocadas en la versión de *El Yermo de las almas,* que es la que circula de *Cenizas.* El estilo y lenguaje de las acotaciones supone un avance en la marcha del arte del escritor gallego del decadentismo, al que pertenece en cuerpo y alma este drama, hacia el simbolismo, en el que andan ya metidas las acotaciones. Y fué sin duda la influencia de Maetelinck el principal motor que movió entonces su arte en la dirección del simbolismo.

---

(1) MacDonald Clark, o.c., 201

VI — GALICIA Y EL ARTE SIMBOLISTA DE VALLE-INCLAN. EL DOBLE MUNDO GALLEGO

Con *Cenizas,* primer drama valleinclanesco, se cerró, con el siglo (1899), la fase inicial de su arte, fertilizada por la corriente decadente, que atraía, a fines del pasado siglo, a casi toda la juventud europea. Sólo colocando a *Cenizas* en ese arte decadente, inspirado y empapado en él, bajo la influencia del belga Maeterlinck, comprenderemos la naturaleza y el carácter de esta obra, totalmente alejada del arte realista, que dominaba en la escena española en ese tiempo; y entrañablemente unida al resto de la producción literaria del escritor gallego en la última década de extinto siglo.

La fase decadente del arte de Valle-Inclán fue la más breve de todas; pues pronto fue superada en sus obras por otra estética, que andaba revuelta y a veces confundida en el arte europeo con la decadente, de mayor transcendencia en la producción literaria de Valle-Inclán: el *simbolismo,* el cual aspiraba, con un vuelo de más amplios horizontes, a darle al escritor una visión más profunda y transcendental del mundo y de la literatura. Ya habíamos visto como, en algunos de los cuentos de Valle-Inclán, de tema gallego, aparecía ya un elemento simbolista con el que el escritor aspiraba a penetrar en el espíritu de las cosas y a presentar un ambiente físico y espiritual en que vivía el hombre y la naturaleza. Pero, a partir de principios del siglo XX, los elementos simbolistas, que estaban abrumados por los decadentes, se liberan de esta servidumbre y pasan a ocupar un plano de primera importancia.

* * *

Son varias las causas que influyeron en la evolución del arte de Valle-Inclán de la estética decadente a la simbolista. De ellas se deben destacar, por su importancia, dos como principales: su *visión de Galicia* y su preocupación por los valores artísticos de su tierra y con ella del mundo céltico; y la *evolución general del arte europeo,* que llevó a la generación española nacida a las letras en castellano en el 98, a irse desprendiendo poco a poco del decadentismo, en el que se habían amamantado muchos de sus escritores, en busca de una estética de más amplios horizontes.

La visión de Galicia de Valle-Inclán procede de tres orígenes distintos: en primer lugar, tiene un *origen culto,* pues procede de la literatura gallega, en lengua regional y en castellano, que floreció en aquella tierra desde el romanticismo, y, singularmente de la interpretación que dieron a la historia de Galicia dos de los historiadores gallegos más distinguidos de la época moderna casi contemporánea: el ferrolano Benito Vicetto (1824-1876), que escribió en la época postromántica; y Manuel Martínez Murguía (1833-1923), que conoció los tiempos del realismo y del modernismo; en segundo término, de *fuentes populares,* de las leyendas y cuentos, en los que se mezcla lo natural con lo sobrenatural, tan abundantes en Galicia; y por último, en su *visión directa del mundo y de la naturaleza de su tierra.* Estas tres fuentes se combinan de una manera distinta en su visión de Galicia; pues mientras en las obras del *periodo simbolista,* como *Flor de Santidad* (1904), predominan las literarias y las de las leyendas populares, en cambio, en obras de la *época expresionista,* como *Divinas palabras* (1920), se muestra más su visión directa y dramática de las gentes populares de su tierra.

* * *

Hace años, en un artículo sobre *Valle-Inclán y Curros Enriquez,* aparecido en la *Revista Hispánica Moderna,* de la Universidad de Columbia, de Nueva York, (1) tuve ocasión de mostrar la presencia de numerosos poemas del poeta orensano Curros Enríquez en la prosa de *Flor de Santidad,* de Valle-Inclán. Mi amigo y paisano, José Rubia Barcia, profesor de la Universidad de California, en los Angeles, publicó en la misma revista un extenso estudio de las fuentes literarias gallegas en la obra de Valle-Inclán (2). Más tarde, otro profesor gallego de los Estados Unidos, Jose Amor Vázquez, estudió algunos de los elementos gallegos que aparecen en la obra de este gran escritor (3).

De las fuentes literarias recibió Valle-Inclán su visión de

---

(1) Emilio González López. *Valle-Inclán y Curros Enriquez,* Revista Hispánica Moderna, II, 1945

(2) José Rubia Barcia. *Valle-Inclán y la literatura gallega,* Revista Hispánica Moderna, New York, 1955 — *A bibliography and Iconography of Valle-Inclán,* Univ. of California, Berkeley, 1960

(3) José Amor Vázquez. *Los galicismos en la estética valleinclanesca,* Revista Hispánica Moderna. XXIV, 1958

Galicia: su amor y estimación por la lengua gallega, su reveren cia por el mundo céltico, que suponía origen de su sensibilidad artística y substrato de sus costumbres; y su cariño por las viejas leyendas, por la heráldica y por la historia, en las que, forjadas de la realidad viva y de la imaginación de su raza, se había expresado a través de los tiempos, la vida de su pueblo, de sus hijos distinguidos y también de los anónimos, que habían dejado en ella la herencia de sus acciones, verdaderas y legendarias.

* * *

En *La lámpara maravillosa* (1916), en uno de los estilos más bellos de la prosa simbolista española, salpicada de palabras gallegas arcaizantes, para darle un viejo sabor aromático de leyenda, expuso Valle-Inclán su sensibilidad y sus ideales estéticos, entrañablemente unidos al simbolismo céltico, de profundas raíces panteistas. Esa visión panteista no la recibió solamente de fuentes literarias sino también de su contacto directo con la tierra gallega, singularmente de la Tierra de Salnés, en la provincia de Pontevedra, donde nació y vivió en los primeros años y volvió a cada momento de su carrera literaria para remozar su alma y descansar en aquella tierra.

Fue la Tierra de Salnés la que le dió su profunda intuición simbolista "el deleite de lo inefable que reposa en las cosas, como un niño dormido. ¿Con qué palabras decir la felicidad de la hoja verde o del pájaro que vuela?. Hay algo que será eternamente hermético e imposible para las palabras . . ." (1) Ante la visión de las tierras de Salnés, Valle-Inclán sintió la sensación que nos hace creer que "nuestro ser parece que se prolonga, que se difunde con la mirada, y que se suma en la sombra grave del árbol, en el canto del ruiseñor, en la fragancia del heno. Esta conciencia, casi divina, nos estremece como un aroma, como un céfiro, como un sueño, como un anhelo religioso" (2). "Con esta alegoría cordinada y profunda me sentí enlazado con la sombra del árbol, con el vuelo del pájaro, con la peña del monte. La Tierra de Salnés estaba toda en mi conciencia, por la gracia de la visión gozosa y teologal. Quedé cautivo, mellados los ojos por el sello de aquel valle hondísimo, quieto y verde,

---

(1) Ramón del Valle-Inclán. *La lámpara maravillosa, Obras completas,* vol. II, Madrid, 1954, 561

(2) R. Valle-Inclán.- o.c., vol. II, 561

con llovizna y sol que reasumía en una comprensión cíclica todo el conocimiento cronológico de la Tierra del Salnés" (1).

* * *

De fuentes a la vez literarias y tradicionales populares procedía su amor por la lengua vernácula, por el gallego, que él manifestó en su prosa y poesía en lengua castellana, a la que incorporó vocablos y expresiones gallegas, para darle a la lengua hispanica más flexibilidad y belleza; en su sentido plurilingüe de las Españas (castellano, catalán y gallego); y en su tesis de que el gallego era el manatial más puro en el que debían beber cuantos aspiraban a darle a la lengua hispánica, desvirtuada por préstamos extraños, el sabor y aroma del viejo romance peninsular: "Tres romances son en las Españas: Catalán de navegantes, Galaico de labradores y Castellano de sojuzgadores. Los tres pregonan lo que fueron, ninguno anuncia el porvenir" (2).

Para Valle-Inclán, "la mengua de la raza se advierte con dolor y rubor al escuchar la plática de aquellos que rigen el carro y son coronados al son de los himnos. Su lenguaje es una baja contaminación: francés mundano, inglés de circo y español de jácara. El romance severo, altivo, grave, sentencioso, sonoro, no está ni en el labio ni en el corazón de donde fluyen las leyes" (3).

Valle-Inclán, recogiendo todo el sentir y la crítica de los nacionalistas gallegos, levanta su voz contra el Renacimiento español y más aun contra el Siglo de Oro y exalta la Edad Media, en la que lo gallego tuvo tanta influencia en la vida literaria española. En su crítica y visión de España renacentista de los Reyes Católicos y la del Siglo de Oro de los Austrias asoma toda una actitud política, de acuerdo con el nacionalismo gallego: "Era nuestro romance castellano, aun finalizado el siglo XV, claro y breve, familiar y muy señor. Se entonaba armoniosa, con gracia cabal en el labio del labrador, en el del clérigo y en el del juez. La vieja sangre romana aparecía remozada en el nuevo lenguaje de la tierra triguera y barcina. El tempero jocundo y dionisíaco, la tradición de sementeras y de vendimias, el grave razonar de leyes y legistas fueron los racimos de la vida

---

(1) R. del Valle-Inclán, o.c., vol. II, 562
(2) R. del Valle-Inclán.- o.c., vol. II, 574
(3) R. del Valle-Inclán.- o.c., vol. II, 574

latina por aquel entonces estrujado en el ancho lagar de Castilla. Y quebrantó esta tradición campesina, jurídica y antrueja, un *infante aragonés robando a una infanta castellana, para casar con ella y con ella reinar por la calumnia y la astucia.* Fernando V traía en las rachas del Mar Mediterraneo un recuerdo de aventuras en Grecia y la ambición de conquistas en Italia. Desde aquel día se acabó en los libros el castellano al modo del Arcipreste Juan Ruiz. Las Españas eran la nueva Roma. El castellano quiso ser el nuevo latín; y hubo cuatro siglos hasta hoy de literatura jactanciosa y vana" (1). "En la imitación del siglo que llaman de oro, nuestro romance castellano dejó de ser como una lámpara en donde ardía y alumbraba el alma de la raza" (2). Esa llama y esa lámpara la volvía a encontrar Valle-Inclán en la lengua gallega, en su sensibilidad, en su melodía y sugerencias.

Su exaltación del mundo gallego, símbolo para él de los valores eternos, le llevó a cantar a Santiago de Compostela, como la ciudad española por excelencia, donde no ha pasado el tiempo y se han como dormido los recuerdos de las pasadas grandezas religiosas y profanas; mientras que para él Toledo, la capital religiosa de las Españas, no es más que un museo de ruinas y de antigüedad, un osario sin vida y sin espíritu.

En esta ciudad petrificada (Compostela) — dice Valle-Inclán en *La lámpara maravillosa* — huye la idea del Tiempo. No parece antigua, sino eterna. Tiene la soledad, la tristeza y la fuerza de una montaña. Sus piedras no exhalan esa impresión de polvo, de vejez y de muerte que exhalan las de Toledo. En su arquitectura la piedra tiene una belleza tenaz macerada de quietismo; y las ciudades castellanas son deleznables y sórdidas como esos pináculos de calaveras que se desmoronaron en los osarios. Ciudades amarillas, calcinadas y desencantadas, recuerdan el todo vanidad de las cosas humanas . . . El romance es lo único que vive potente en el cerco de estas ciudades de adobe, donde acaso se encuentre algún sillar más fuerte que los siglos. Y Compostela, como sus peregrinos de calva sien y resplandeciente faz, está llena de una emoción ingenua y romántica, de que carece Toledo" (1).

---

(1) R. del Valle-Inclán.- o.c., vol. II, 577
(2) R. del Valle-Inclán.- o.c., vol. II, 577
(1) R. del Valle-Inclán.- o.c., vol. II, 600

En Toledo — sigue diciendo Valle-Inclán — cada hora arrastra un fantasma distinto, pero Compostela, inmovilizada en el éxtasis de los peregrinos, junta todas sus piedras en una sola evolación; y la cadena de siglos tuvo siempre en sus ecos la misma resonancia. Allí las horas son una misma hora eternamente repetida bajo el cielo lluvioso" (1).

De las fuentes literarias, Valle-Inclán se sirvió principalmente de la poesía en la lengua gallega, de la de los grandes poetas del siglo XIX, Rosalía Castro, Curros Enríquez y Eduardo Pondal; y de la prosa, en castellano, de dos distinguidos historiadores gallegos del mismo siglo: el ferrolano Benito Vicetto y el coruñés Manuel Martínez Murguía, el primero también novelista y el segundo crítico literario, biógrafo y polemista, cabeza visible del movimiento nacionalista gallego, en las postrimerias del pasado siglo y principios del actual.

Estos dos historiadores, Vicetto y Murguía, uno postromántico y otro positivista, convertido muy pronto al modernismo, vehemente y apasionado el uno y preciso y polémico el otro, supieron darle vida, en forma distinta, a la historia de Galicia. La relación de Murguía con Valle-Inclán era muy estrecha; pues el historiador gallego, que comulgaba en los mismos ideales que el padre de Valle-Inclán, republicano federal como él, tenía una amistad entrañable con su correligionario. Murguía, esposo de la famosa escritora gallega Rosalía Castro, prologó el primer libro de Valle-Inclán, *Femeninas* (1894), colección de cuentos y retratos de mujeres, publicado en Pontevedra, la capital de la provincia gallega de su nacimiento. En ese prólogo, Murguía saluda al joven Valle-Inclán esperando que venga a honrar las letras gallegas, como sus antepasados honraron a su patria(Galicia) en otros aspectos de la vida social (2).

Benito Vicetto, una generación más viejo que Murgía, había publicado gran parte de los volúmenes de su *Historia de Galicia* antes del nacimiento de Valle-Inclán (1866). Esta obra, en siete volúmenes, escrita por un historiador con alma de novelista, era la historia de Galicia más leída en su tierra en los años de la mocedad de Valle-Inclán, en la antepenúltima y penúltima décadas del pasado siglo. Fue Benito Vicetto quien difundió en la

---

(1) R. el Valle-Inclán.- o.c., vol. II, 600
(2) Guillermo Díaz-Plaja. *Las estéticas de Valle-Inclán,* Madrid, 1966, 18

juventud gallega de aquel tiempo, que era la de Valle-Inclán, una visión medieval, fuerte, de origen suevo-germánico, de su tierra. Como complemento de su historia, publicó, en el volumen VI de ella, la *Relación de algunas casas y linajes del Reino de Galicia,* de Vasco de Aponte, que es una de las crónicas españolas más vivas de las luchas feudales en nuestra tierra a fines del siglo XV, en los reinados de Enrique IV y los Reyes Católicos. Con ese mundo feudal, bárbaro y arrojado, Vicetto, autor de una *Historia del reino de los suevos de Galicia,* asoció el elemento germánico suevo, que formaba la base de la aristocracia de Galicia, por haber sido el pueblo suevo el que había formado en ella, antes de que se organizara en el resto de Europa una nacionalidad de origen germánico, la primera monarquía bárbara de Europa, la monarquía sueva.

* * *

Vicetto, llegó en la *Historia de Galicia* hasta la época del rey Fernando VII, en la primera parte del siglo XIX. Murguía, más estudioso de los documentos que de las crónicas y libros de heráldica, que habían sido las fuentes de Vicetto, no pasó de la Alta Edad Media, pues su historia de Galicia sólo llega al reinado de Bermudo I el Diácono, rey de Asturias (siglo VIII). La atención y estudio de Murguía se fijó en los elementos más primitivos de la etnología gallega, en los del pueblo celta, que era entonces estudiado por los mejores historiadores de Europa. Para Murguía, el pueblo celta era el substrato de Galicia, como también lo era para Vicetto; pero éste había puesto sobre ese substrato el fermento de la aristocracia germánica. De Murguía procede la visión céltica, lírica, panteista, de Galicia. De Vicetto la germánica de drama y lucha permanente entre los hombres por el poder y la fuerza. Por la obra de Valle-Inclán corren constantemente estas dos corrientes, que son como dos lados de la misma cara gallega: la céltica emorosa, amable y lírica, que tiene sus raíces en Murguía; y la arrogante suevo-germánica que procede de Vicetto. Son las dos notas gallegas, la lírica céltica y la épica germánica.

En algunas de sus obras domina casi exclusivamente la nota lírica céltica: en su volumen de poesías *Aromas de leyenda* (1907); en los ensayos de libro de estética simbolista *La lámpara maravillosa* (1916) y en la historia de *Flor de Santidad* (1904); en cambio predomina totalmente la nota épica germánica en las *Comedias bárbaras (Aguila de Blasón, Romance de Lobos* y *Cara de Plata)* y en las novelas de la Guerra carlista *(Los cruzados de la causa, El resplandor de la hoguera* y *Los gerifaltes de antaño).* En otras obras, como las *Sonatas,* convergen ambas corrientes: dominando la nota lírica en la de tema galego, *Sonata de Otoño,* y la épica, en la de tema vasco, *Sonata de invierno.*

Para Valle-Inclán como para el dramaturgo irlandés Synge(1) el fondo de Galicia es fundamentalmente pagano; un mundo pagano de hondas raíces célticas, sobre el que se ha incorporado el cristianismo. Este es el tema de *Flor de Santidad,* en la cual los elementos de la mitología céltica, vivos todavía en las leyendas y creencias gallegas, se funden con las historias medievales de santos y con la tradición cristiana; y también el de las poesías de *Aromas de leyenda* (1907).

En este punto hay una profunda coincidencia entre la visión de Galicia de Valle-Inclán y la de Irlanda de los dramaturgos irlandeses William Butler Yeats (1865-1939), y John Milington Synge (1871-1909) de la misma generación que Valle-Inclán. El poeta español Juan Ramón Jiménez, buen conocedor de la literatura inglesa y agudo crítico, señaló las semejanzas que había entre ellos y Valle-Inclán comenzando por la de pertenecer a la misma comunidad céltica en la sensibilidad y en una cierta visión semejante del mundo. Pero, en cambio, el crítico inglés J. L. Brooks, en su estudio de *Los dramas de Valle-Inclán,* rechazó esta semejanza (1), alegando que los dramaturgos irlandeses veían con simpatía las gentes de su tierra y, en cambio, Valle-Inclán las veía con espíritu satírico y con burla; pero el juicio de Brooks es totalmente infundado y apresurado y no revela un serio conocimiento ni de la sensibilidad de Valle-Inclán, en las varias fases de la evolución de su arte dramático, ni tampoco de su visión de Galicia.

Brooks divide el teatro de Valle-Inclán en dos grandes grupos: uno, que él titula *gallego y medieval,* que llega a su pleno desarrollo en *Divinas palabras* (1920) y las últimas obras no esperpénticas, como *Ligazón;* y el segundo integrado por las farsas y escenas rimadas, de las que proceden los esperpentos. Brooks, para facilitar la inclusión de todo el arte dramático de

---

(1) J.L. Brooks. *Los dramas de Valle-Inclán.* Estudios dedicados a Menéndez Pidal, tomo VII, Madrid, 1957

Valle-Inclán en estos dos grupos, dice que se puede llevar al primero *Voces de gesta,* de carácter medieval, pero no gallego (1)

* * *

Brooks reconoce que, en *Flor de Santidad,* Valle-Inclán idealiza a Galicia; y que "su regionalismo no se parece en nada al de los costumbristas, porque la región que pinta es una región idealizada. Lo que Versalles y el Oriente era para otros modernistas, un ideal soñado, eso era Galicia para él" (2). Pero Brooks, más anglosajón que celta, se detiene en este punto y niega que esa visión idealizada de Galicia, expresada en sus primeras obras simbolistas por Valle-Inclán, tenga el mismo origen que la de los dramaturgos irlandeses contemporáneos suyos: "Ese galleguismo, con sus supersticiones — dice Brooks — sus anuncios, sus ritos misteriosos bajo la luna, es lo que ha conducido a ciertos críticos a subrayar los rasgos celtas de Valle-Inclán; y sin duda hay un ambiente céltico en su predilección por los fenómenos sobrenaturales. Pero es difícil aceptar la opinión de Juan Ramón Jiménez cuando afirma que Valle-Inclán es un celta del tipo de Yeats y Synge. En toda su obra no hay ninguna semejanza con la de Yeats — la única nota común es la de que ambos reaccionaron contra sus primeros ideales en las postrimerías de su vida; y, en cuanto a Synge, éste utiliza la materia de los labradores irlandeses de una manera completamente distinta. Para Synge, estos irlandeses eran hombres de carne y hueso, gente a quien conoció a fondo y entre quienes había vivido; en sus dramas siempre representaron el papel más importante y constituyen el elemento vital de su obra. Nunca los dejó degenerar en mero coro o fondo, como los gallegos de las *Comedias bárbaras.* Valle-Inclán, al dar el papel de protagonista al pueblo de Galicia, en *Divinas palabras,* quiso satirizarlo" (3).

* * *

Por una curiosa coincidencia, la aparición del arte drámatico simbolista de Valle-Inclán, con una fuerte inspiración gallega-céltica, se produjo por el tiempo en que en Irlanda, los escritores de aquel país, poetas y dramaturgos principalmente, creaban un teatro nacional. Quizás sea más que coincidencia simple, pues

(1) J.L. Broks, - o.c., 179-180
(2) J.L. Broks, - o.c., 179-180
(3) JL. Brooks - o.c., 180

ambos son la expresión, en distintos meridianos europeos, del llamado "*celtic revival*", *Resurrección céltica,* que agitó y dió vida al espíritu creador de los pueblos célticos del Occidente de Europa. Irlanda fue el país celta que tomó la iniciativa y la delantera en esta resurrección, a fines del pasado siglo. En 1899, el año en que estrenó Valle-Inclán, en el *Teatro Lara,* de Madrid, su drama *Cenizas,* se creó en Dublin el *Teatro Literario Irlandés.* Sus fundadores fueron un grupo de escritores de aquel país (Eduardo Martyn, George Moore, Lady Gregory), persididos por William B. Yeats. Este Teatro funcionó bajo los auspicios de la *Sociedad Literaria Nacional* (1), organizada en la capital irlandesa en 1891. El *Teatro Literario Irlandés* publicaba una revista, *Beltaine,* de la que era Yeats el director (2). Este teatro, que comenzó sus funciones con la presentación de *La Condesa Catalina* (1899), de Yeats, estrenada el mismo año que *Cenizas* de Valle-Inclán en Madrid, continuó funcionando durante tres años; y de él procede el magnífico despertar del arte dramático irlandés, que colocó a Dublín entre las primeras capitales europeas en este arte. Synge fue muy pronto uno de los colaboradores de este grupo, y su primer obra dramática, *En la sombra del vallecilo (In The Shadow of the Glen)* se estrenó en ese tiempo en este teatro.

* * *

Contra la opinión de Brooks, el teatro de Valle-Inclán tiene estrechas afinidades con el de los dos dramaturgos irlandeses, Yeats y Synge. Juan Ramón Jiménez, cuyos juicios revelan una gran sagacidad en la crítica literaria, así lo entendió.

Yeats, más lírico que dramático, buscó en sus dramas lo legendario y lo mitológico del pueblo irlandés, procedente de las viejas creencias precristianas, probablemente célticas. Este mismo mundo aparece también en las obras dramáticas de Valle-Inclán que tratan un tema gallego, en el periodo simbolista, como *El Marqués de Bradomín,* y sobre todo en sus dos primeras obras del teatro poético: *Voces de gesta,* de tema vasco, en donde incorpora elementos célticos de la leyenda del Rey Artur; y en *Cuento de*

---

(1) Maurice Bourgeois, *John Millington Synge and the Irish Theatre,* London, 1913, 118-9

(2) M. Bourgeois. - o.c., 120

Abril, de tema provenzal, en el que abundan los elementos legendarios de procedencia céltica.

Con el teatro de John M. Synge, con sus dramas de campesinos y pescadores irlandeses, se relaciona la primera obra dramática de Valle-Inclán, *Tragedia de ensueño,* aparecida entre los cuentos de *Jardín Umbrio,* inspirada en su arte simbolista; y también, ya más tarde, cuando su estética había tomado formas expresionistas: *Divinas palabras;* y *Rosa de papel,* cuyos personajes y ambiente son del mundo marinero gallego.

El mundo legendario, de profundas raíces célticas, tan grato a Yeats, aparece en la novela corta de Valle-Inclán *Flor de Santidad;* y este mundo, con el de los cuentos decadentes, se incorpora a su drama *El Marqués de Bradomín,* en el que las leyendas populares céltcas (el amaestrador de mirlos, etc.) se combinan con las heráldicas (origen fantástico de la casa de Padín y de la de Montenegro).

Brooks incurre en el error de creer que *Divinas palabras* es la única obra dramática en la que aparece como protagonista el pueblo gallego; y que, en esta obra, Valle-Inclán lo presenta de una manera satírica. Ya hemos indicado que hay otras obras de Valle-Inclán en las que el pueblo gallego es también el personaje principal *(Tragedia de ensueño* y *La Rosa de papel);* y *Divinas palabras* es menos satírica quizás del pueblo gallego que algunas de Synge del pueblo irlandés. Cuando en 1902 se representó en Dublín la primera obra dramática de Synge, *En la sombra del vallecillo* (1902), el público, irritado por lo que creía una representación no ya satírica sino injuriosa del pueblo irlandés campesino, particularmente de sus mujeres, silvó estrepitosamente la obra, teniendo que intervenir Yeats para apaciguarlo y explicar que no era una obra injuriosa para Irlanda (1).

La idea que tiene Brooks de la concepción de Galicia de Valle-Inclán le correspondería mucho mejor a la del dramaturgo realista gallego Manuel Linares Rivas (1867-1944), en obras como *Cristobalón* (1920), en la que ve con satíricos ojos positivistas las más viejas leyendas y costumbres del pueblo gallego. Por el contrario, Valle-Inclán, estaba enamorado de ese mundo legendario, de pretendidas supersticiones, que no son más que viejas creencias paganas de una religión que el cristianismo sólo reprimió, sin hacer desaparecer totalmente. Valle-Inclán ve en esas

---

(1) Maurice Bourgeoi's - O. C., 152

costumbres y leyendas la expresión más auténtica del carácter de su pueblo y de su espíritu creador. Y en cuanto a la burla o sátira que percibe Brooks en *Divinas palabras,* no hay nada de eso. Se trata simplemente de la técnica del arte grotesco, empleada por el expresionismo, en busca de los rasgos esenciales de la caricatura; y en ese arte grotesco hay más humor trágico que sátira irónica.

VII — LAS PRIMERAS TENTATIVAS SIMBOLISTAS: TRAGEDIA Y COMEDIA DE ENSUEÑO

Valle-Inclán, que se despidió del siglo XIX con su última obra decadente, inició su labor en el arte simbolista con el nuevo siglo, el XX. El fondo simbolista, que vimos en *Eulalia,* la historia amorosa que se desarrollaba en Galicia, pasa ahora a primer plano, a ser una visión espiritual, que enseñorea toda la obra, en las *Sonatas,* en las cuales es el elemento integrante fundamental, quedando lo decadente subordinado a esta visión estética más amplia y transcendental. En cada *Sonata* nos da Valle-Inclán una visión de un mundo distinto: de Galicia, en la *Sonata de otoño* (1902); del Trópico americano, en la *Sonata de estío* (1903); de la Roma pontificia, en la *Sonata de primavera* (1904); y del País Vasco, en la *Sonata de Invierno* (1905). Con estas varias visiones de distintos mundos y ambientes, se combina un retrato ligeramente cambiante de un héroe, el Marqués de Bradomín, que ya no es un personaje decadente simplemente, sino el representante de una raza, de una nobleza, de una heráldica, a la vez historia y leyenda. Las *Sonatas* de Valle-Inclán constituyen una de las expresiones más bellas y felices de la prosa simbolista española, en castellano, con resonancias gallegas.

Por la misma época que escribió Valle-Inclán sus *Sonatas,* compuso los cuentos de su colección *Jardín Umbrío* (1903), la cual, en ediciones posteriores, lleva el subtítulo de *Historias de santos, de almas en pena, de duendes y de ladrones.* Dos, de los 17 cuentos de esta colección, están escritos en forma dramática: uno lleva el título de *Tragedia de ensueño* y el otro de *Comedia de ensueño.* Ambas historias, la *tragedia* y la *comedia de ensueño,* son, sin duda, las dos primeras manifestaciones del arte simbolista de Valle-Inclán y figuran entre las primeras del teatro español en general.

* * *

El espíritu renovador de los dramaturgos simbolistas europeos se extendió a todos los aspectos y formas del género dramático, que encontraron dominado por la estética realista, comenzando por la propia nomenclatura de las obras dramáticas. Los simbolistas, rechazando la terminología corriente en este género *(tragedia, drama, comedia, farsa)* crearon nuevos títulos para nuevas formas del arte dramático; y a veces remozaron, con nuevos adjetivos, los viejos títulos. Entre los títulos creados por los simbolistas para sus obras dramáticas merecen destacarse los siguientes: *Visiones, Fantasías, Juegos, Teatro de ensueño, Trilogía, Trozos,* etc. Valle-Inclán, que fue el dramaturgo español del siglo XX que creó más títulos para las nuevas formas dramáticas, siguió un camino intermedio en sus primeras tentativas dramáticas; y dio a sus dos obras breves, incluidas en la colección de cuentos de *Jardín Umbrío,* el título de *tragedia de ensueño* a una y de *comedia de ensueño* a otra, aunque el carácter de la una y de la otra no se correspondía con los viejos títulos, pues quizás era más trágica la *comedia* que *la tragedia de ensueño.* Sólo al final de su carrera de autor dramático, en la fase expresionista, acuñó Valle-Inclán el término de *esperpento,* que le daría gran renombre a su teatro.

Valle-Inclán, que había iniciado sus primeros pasos en el género dramático bajo la influencia del belga Maeterlinck, todavía siguió más las huellas del dramaturgo belga en la fase simbolista.

De Maeterlinck recibió Valle-Inclán, para los argumentos de estas historias, dos notas de distinto carácter: una claramente decadente, la *morbosidad sentimental;* y otra de tendencia simbolista, el amor por los temas imaginativos, de *ficción extraña,* con una nota de cuento infantil, en la *Tragedia de ensueño,* y de historia de bandidos, en la *Comedia de ensueño.* Estas dos obras, como certeramente indica Juan Guerrero Zamora, tienen una fascinadora belleza: "Dos piezas en miniatura: *Tragedia de ensueño* y *Comedia de ensueño,* incluidas en el libro *Jardín Umbrío* (1903), aportan nuevos ejemplos de fascinación. Allí, en la imantada convocatoria de la Muerte — que le roba a la abuela su niño — con raigambre maeterlincknesca. Aquí, un capitán de bandoleros corta a una castellana la mano por apoderarse de sus joyas, y esa mano cortada — crimen o amor — termina hechizándole como si le envolviera con una presentida caricia segada y ya imposible, y atrayéndole al morir donde quizás la caricia sea posible. Son dos nuevos ejemplos del *patetismo valleinclanesco*"(1).

(1) Juan Guerrero Zamora.- o.c., vol. I, 169-170

Esta nota patética, que Valle-Inclán recibió del decadentismo, no le abandonará nunca, sino que aparecerá, un tanto transformada, en el *simbolismo* y en el *expresionismo:* uno es el patetismo decadente, otro el simbolista y otro el expresionista. Algunos críticos, apegados a las fórmulas únicas sólo perciben el primera en su obra y no ven los dos últimos, que tienen una fuerte realidad y atractiva belleza en ella.

* * *

La colección de cuentos de *Jardín Umbrío,* incluyendo las dos breves historias dramáticas, constituyen una fase inicial, de gran interés, del arte simbolista de Valle-Inclán. En la obra del escritor gallego, lo nuevo nunca desplaza totalmente a lo viejo, sino que se funde con él. Por eso, en *Jardín Umbrío,* con las historias eróticas, de gran sabor decadente, se mezclan ahora las de santos, almas en pena, duendes y bandoleros de significado carácter simbolista, expresivo del ambiente y de la herencia espiritual de su tierra gallega. Por su temática, su tendencia a lo trágico y su mezcla de cosas naturales con las sobrenaturales, tienen un estrecho parentesco con algunos de los cuentos de las últimas colecciones de doña Emilia Pardo Bazán, máximo cuentista del realismo español, que llevó al cuento un sentido de Galicia un tanto distinto al materialista de sabor positivista de sus novelas.

Lo gallego tiene dos dimensiones, un tanto distintas en estos cuentos y con ellos en los dos breves bocetos dramáticos; unos, como la *Tragedia de ensueño,* son gallegos en su temática y elementos; y otros, como la *Comedia de ensueño,* lo son por su sensibilidad. Los dos son como ecos de las escalofriantes historias que se cuentan al calor de la *lareira* de una casa campesina, en verano y en invierno, para encoger el ánimo de los chicos y también de los grandes. Ahora Valle-Inclán presenta en ellas las viejas historias, tradicionales de su tierra, vestidas con el adorno y artificio del arte simbolista del modernismo.

Estas dos historias dramáticas, como el resto de los cuentos de *Jardín Umbrío,* fueron escritas más para la lectura que para la representación. Esta fue una tendencia que desarrolló en toda Europa la corriente simbolista en el teatro, favoreciendo la lectura de las obras dramáticas. Como ya indicamos en un capítulo anterior, las *acotaciones escénicas* utilizadas por Valle-Inclán, desde el primer momento de su carrera de dramaturgo, tenían más el propósito de ayudar al lector de la obra que al director de la misma o a los espectadores que asistieran a su representación. Son cuentos escritos en forma dramática. Pero hay entre los dos una honda diferencia desde el punto de vista de su posible representación: pues mientras la *Tragedia de ensueño* es fácilmente representable, con una gran economía de elementos presentados en un escenario de escueto simbolismo, la *Comedia de ensueño,* con sus jinetes montados a caballo, su perro que se lleva el brazo cortado de una bella dama robada y asesinada por los bandoleros, es difícilmente represntable, tanto física como espiritualmente.

Las dos obras son tragedias de una gran intensidad dramática; y el título de comedia que acompaña a una de ellas tiene un sentido de paradójica ironía más que adjetivación realista. La *Tragedia de ensueño* es como un trasunto de una vieja historia gallega, con personajes campesinos; la *Comedia de ensueño* tiene ya más un ambiente de cosa extraordinaria y extraña, y su historia de bandidos, que desvalijan y asesinan a los viajeros, puede ser de cualquier país, aunque haya en ella, como ya indicamos, un vago recuerdo de los de bandidos que se cuentan en Galicia.

La *Tragedia de ensueño* es un boceto de gran intensidad dramática, de gran economía en los personajes, en el escenario y en la trama. Yo la vi representar, con motivo del centenario del nacimiento de Valle-Inclán, en la Universidad de Columbia, de Nueva York, por un grupo de profesores aficionados al arte dramático, y me impresionó por su dramática belleza. Se combinan en ella elementos de ficción folklorica con otros de hondo sentido humano, con personajes campesinos.

Su fábula es breve. A la puerta de una casa de aldea, una vieja acuna a su nietecillo, mientras hila. Es la hora del atardecer. La luz va declinando a medida que avanza la tragedia y se acerca la Muerte. La vieja, que ha perdido sus siete hijos y no tiene en este mundo más compañía y consuelo que la de su nietecillo, hijo de uno de ellos, ve que la Muerte se lo quiere llevar también de este mundo. El nietecillo está gravemente enfermo, desde que ha desaparecido en el monte la oveja que le daba su leche. El niño se morirá si no aparece la oveja. El monótono ronroneo de la cuna es como un triste acompañamiento de la tragedia y de la marcha y avance de la Muerte.

Aparecen tres azafatas de los palacios del rey, las cuales, como si fueran un coro de una tragedia griega, cantan el dolor de la abuela; y nos cuentan sus visiones trágicas de presagios de mal agüero, heraldos de la pronta llegada de la Muerte. El dolor silencioso de la vieja, en el fondo del escenario, mientras hablan las azafatas, es una nota grave y dolorosa de bajo que contrasta con las dulces voces de las muchachas, quienes, en sus palabras de gran sentimiento y delicadeza, anuncian la Muerte. Tras las azafatas se presenta un pastor, que recita, con sus tensas y dolorosas palabras, el mismo tema. Antes de que volviera la oveja perdida, un mal viento, la Muerte, se llevó de este mundo al nietecito. El llanto de la vieja, el balido de la entristecida oveja, los lamentos de las azafatas, son como las distintas voces de un coro, que canta en torno al niño muerto en la cuna.

La lengua en que está escrita la *Tragedia de ensueño* tiene también una gran intensidad dramática, que no decae un momento, sino que va *in crescendo* a lo largo de toda esta breve obra. Cada una de las palabras de los personajes, particularmente las de la abuela, están cargadas de hondo dolor y agonizante sufrimiento; y tras ellas palpita la angustia humana ante el misterio escalofriante de la vida y el horror a la muerte, cada vez más cerca. El carácter esquemático del paisaje, el número reducidísimo de personajes, sus palabras llenas de dolor y de angustia ante el misterio de la muerte, dan una mayor fuerza trágica al drama de aldea.

* * *

En la *Comedia de ensueño* el dolor y el sufrimiento se convierten en sangre y en crueldad: el atardecer en anochecer; la respetable vieja aldeana en una miserable vieja que sirve de ama de llaves en una cueva de bandidos; y la humilde casa de aldea en una temerosa cueva de ladrones. El paisaje valleinclanesco, siempre lleno de elementos literarios, símbolo muchas veces de una realidad más viva que la puramente física, es aquí el convencional de una guarida de bandidos en las escabrosidades de la montaña.

El argumento es la historia de un capitán de una banda de ladrones, que ha asaltado en el camino a unos viajeros, y robado a unos y asesinado a otros. El capitán, deslumbrado por una sortija, que llevaba una hermosa dama, le cortó el brazo y la mano que la llevaba para no perder tiempo, y lo trae, como trofeo a la cueva. Pero el recuerdo de la bella dama le persigue de una manera obsesiva. El capitán sólo quiere volver a ver a su víctima. El brazo es su mejor recuerdo; pero un perro sarnoso se apodera del brazo y de la sortija y sale huyendo de la cueva. Tras él va el capitán, sin oir los gritos de los bandidos y de la vieja, que le piden que vuelva. El capitán, enloquecido, desaparece en la montaña tras el perro.

La *Comedia de ensueño* no tiene las posibilidades de representación ni tampoco el hondo y humano dramatismo de la *Tragedia de ensueño.* Se muestra ya en ella la tendencia de Valle-Inclán hacia lo desmesurado y desgarrado que culminará años más tarde en la forma dramática del *esperpento.* En esta obra, en la *Comedia de ensueño,* quizás por influencia de la morbosidad, tan grata a los decadentes, acentuó las notas de *crueldad* y de *sangre* que dan tono a toda esta obra; pero, pese a toda esa crueldad y barbarie, su dramatismo no toca, como en el drama de la *Tragedia de ensueño,* las fibras más sensibles del sentimiento humano.

VIII — EL DRAMA SIMBOLISTA EN PROSA: *EL MARQUES DE BRADOMIN*

La evolución del arte de Valle-Inclán es muy visible en la primera década del siglo XX; pues en ella, al lado de sus viejos amigos, el *cuento* y el *drama decadentes,* cultivó otros géneros literarios; y los antiguos recibieron una nueva estética y sensibilidad. En esta década, la narrativa se enriqueció con una serie de formas novelescas: la novela corta, y la larga; el arte dramático recibió entonces un nuevo impulso y vitalidad, y con nuevas formas, como *El Marqués de Bradomín* y las *Comedias bárbaras;* escribió también Valle-Inclán su primer volumen de versos. *Aromas de leyenda* (1907), de gran sabor simbolista, metido en las entrañas del mundo gallego legendario.

Se deben distinguir dos momentos en esta década: en los cinco primeros años de ella, a pesar de que Valle-Inclán siguió cultivando el cuento *(Jardín umbrío,* 1903, y *Jardín novelesco,* 1905), predominó la novela corta en su producción literaria. A este género pertenecen sus famosas *Sonatas* (de *Otoño,* de *Estío,* de *Primavera* y de *Invierno),* que son cuatro joyas del arte simbolista español de la época contemporánea.

En la segunda mitad de la primera década de este siglo, se operó un avance todavía más sensible en el arte literario valleinclanesco: al lado de los cuentos, de carácter decadente, repetidos muchos de ellos de otros anteriores, como los recogidos en el volumen *Historias perversas* (1907), hay en ella una variedad de formas literarias. En esta segunda parte, de la década, perdura, aunque reducida, la novela corta *(Una tertulia de antaño,* 1908); pero entonces cobran mayor importancia las formas más extensas de la narrativa y del arte dramático: las *novelas largas* de la serie *de la Guerra carlista (Los cruzados de la causa,* 1907, *El resplandor de la hoguera,* 1909, y *Los gerifaltes de antaño,* 1909). En el arte dramático, la segunda parte de la primera década de este siglo, tiene una singular significación, pues en ella compuso dos grupos de obras dramáticas distintas en su naturaleza: su primer drama extenso simbolista, *El Marqués de Bradomín* (1907), con el mismo personaje aventurero procedente de las *Sonatas;* y las *Comedias bárbaras,* que representan, dentro del arte simbolista, un avance hacia un sentido cada vez menos lírico y más dramático de su arte, y en el que asoman ya elementos desmesurados y grotescos, que caracterizaron la fase expresionista de su arte.

En este tiempo compuso también su primer volumen de poesías, *Aromas de leyenda* (1907), en las que nos da una visión lírica de la Galicia eterna, pasada, presente y futura, de hondas raíces celto-cristianas.

Las *Sonatas* y *El Marquês de Bradomín* tienen el mismo personaje central; un marqués gallego, el de Bradomín, sensual, decadente, tradicionalista y carlista, que anda por el mundo en busca de aventuras amorosas, mezcladas con otras caballerescas e incluso políticas; y así lo encontramos en Galicia, en el Trópico americano (probablemente en el de México), en Italia y en el País Vasco. En *El Marqués de Bradomín* lo volvemos a encontrar en un ambiente gallego lleno de profunda significación simbolista.

Abundan en *El Marqués de Bradomín* las notas decadentes, e incluso su argumento, la visita del amante (el Marqués de Bradomín) a una mujer casada, gravemente enferma, tiene un estrecho parentesco con el de *Cenizas.* Juan Guerrero Zamora, llevado de estas analogías, agrupa a las dos obras con el título de *"comedias mórbidas sentimentales",* a las que atribuye los caracteres del arte decadente.

Hay, sin embargo, una notable diferencia entre el arte decadente de *Cenizas* y el simbolista de *El Marqués de Bradomín:* en el primero, el héroe decadente se nos aparece solo, sin vinculación social alguna, mas que la relación amorosa que tiene con la mujer casada, único alivio en su soledad; en cambio, en *El Marqués de Bradomín,* está anclado en una historia y en una geografía, en una familia y en una tierra, Galicia. En *El Marqués de Bradomín* sus ilustres y sonoros apellidos le vinculan a las familias más linajudas de su tierra; y esta vinculación aumenta con las notas de ambiente gallego de las *acotaciones escénicas,* las cuales son uno de los elementos esenciales del drama simbolista valleinclanesco.

El Marqués de Bradomín, pese a la abundancia de elementos decadentes, no tiene este carácter estético, sino que es una obra claramente simbolista; y en ella, como en las *Sonatas,* los elementos decadentes pasan a ser simples partes integrantes de la visión simbolista.

La evolución del concepto del *héroe,* en el arte literario de Valle-Inclán, se revela de una manera sensible en la transformación del héroe decadente de sus cuentos, individualista y solitario, sin antecedentes familiares, sin historia, raza y pueblo, en el *Marqués de Bradomín,* personaje central de sus *Sonatas,* que es la encarnación de un héroe simbolista, personificación de una heráldica, de una historia, de una leyenda, de una raza, de una sensibilidad y de un pueblo, en este caso el gallego. Y este es el mismo héroe que aparece en su obra dramática *El Marqués de Bradomín.*

El héroe decadente, hipersensible y refinado, aparecía desligado de toda atadura a otras causas generales o colectivas, por las que se sacrificara voluntariamente. En cambio, el simbolista, como el Marqués de Bradomín, sin perder sus cualidades de decadente refinado y a veces morboso, vive entregado a otros ideales más altos; y estas ataduras proceden en gran parte de su historia, de su origen nobiliario que le lleva a luchar por las causas tradicionales, sobre todo por las desinteresadas y pérdidas como el carlismo. En los apellidos del Marqués de Bradomín, algunos de ellos pertenecientes al propio Valle-Inclán, revive toda la historia legendaria de las viejas familias gallegas, entrañablemente metidas en lo hondo de la Geografía y de la Historia de su pueblo. La morbosidad erótica de este héroe, en parte decadente, se supera con su devoción a las causas tradicionales desinteresadas, como la del carlismo.

Todavía en el Marqués de Bradomín, héroe simbolista, tocado de cualidades decadentes, predominan las virtudes heróicas el ánimo esforzado en la defensa de las causas nobles, sobre las bajas pasiones y el egoismo más cruel. Más tarde en la evolución de su arte simbolista, expresará Valle-Inclán el mundo heráldico gallego en nuevos héroes, más bárbaros que refinados, como don Juan Manuel Montenegro (otro de los apellidos heráldicos del propio don Ramón), que se solaza más con las campesinas que con las señoritas delicadas de la aristocracia gallega. Y esta evolución del héroe heráldico termina, en las *Comedias bárbaras,* con la presentación de los hijos de don Juan Manuel Montenegro, los cuales, con la excepción de *Cara de Plata,* pertenecen ya un mundo sin nobles cualidades, de facinerosos capaces de robar a su propio padre y de causar la muerte de su madre.

* * *

El Marqués de Bradomín es el personaje principal de sus cuatro *Sonatas* y de la comedia, *coloquio romántico, El Marqués de Bradomín;* y uno de los secundarios, simple pieza en un retablo humano gallego más amplio, en una serie de obras de este periodo: de las dos *Comedias bárbaras,* de las tres novelas de la guerra carlista, y de la narración breve *Una tertulia de antaño* (1908).

En *El Marqués de Bradomín,* cuyo subtítulo es el de *Coloquios románticos,* se funden entrañablemente los dos mundos gallegos de las novelas cortas de la primera mitad de la década inicial de este siglo: el aristocrático y sensual de la *Sonata de Otoño* (Concha, el pazo de Brandeso etc.) y el popular y acampesinado de *Flor de Santidad* (Adega, el ciego Electus, etc.), algunos de cuyos personajes reaparecen ahora y con ellos su ambiente.

Páginas enteras de la *Sonata de Otoño,* principalmente las dialogadas, pasan con sus puntos y comas a *El Marqués de Bradomín;* y, sin embargo, existe una sensible diferencia entre la novela y el drama. Este representa sin duda un notable avance en la evolución del arte simbolista de Valle-Inclán y con él en su visión de Galicia. El tema erótico, sensual, decadente, que constituía la parte principal y más extensa de la novela, se reduce notablemente en el drama; y, en cambio, aparece un mundo de personajes campesinos, tomados en gran parte de *Flor de Santidad,* que le dan a la obra una nueva dimensión humana.

El tema de *El Marqués de Bradomín,* el amante que vuelve a reunirse con su amante enferma de muerte, se relaciona no sólo con la *Sonata del Otoño* sino también con *Cenizas,* aunque hay en el tratamiento y solución de la fábula de estas tres obras una señalada diferencia. En la *Sonata* el amante, el Marqués de Bradomín, viene al Pazo de Brandeso llamado por una carta de su amante, en trance de muerte; en cambio, en *El Marqués de Bradomín* se llega al pazo y a su tierra con el pretexto de venir a Galicia a recaudar dinero y reclutar voluntarios para la causa carlista. El tema de *Cenizas* tiene más relación con el de la

Sonata que con el de *El Marqués de Bradomín,* dentro de su parentesco común.

* * *

En *El Marqués de Bradomín* se reduce la importancia del tema erótico y con él el del mundo aristocrático que le servía de fondo: desaparece de la escena la madre del Marqués de Bradomín, doña Soledad Agar y Mendaña; y pasan a ser meras sombras, que no toman forma física, las dos hermanas monjas de la amante, Concha de Montenegro y Bendaña, señora del Pazo de Brandeso. El fondo deja de ser aristocrático para convertirse en campesino: son en su mayor parte campesinos que llegan al pazo en busca de limosna: el Tullido de Céltigos, Electus, Adega, la Quemada, Cidrán de Morcego, la mujer de Morcego, el manco de Gondar, Minguiña). Otros sirven a la dama (Malvina) o al marqués (Madre Cruces).

Estos campesinos, mendicantes gallegos, que veremos reaparecer más tarde en otras obras de Valle-Inclán, de fines de su arte simbolista *(El Embrujado)* o de comienzos del arte expresionista, *(Divinas palabras),* expresan, con sus quejas, lamentos, palabras de agradecimiento, la eterna voz doliente del pueblo gallego. Son como un coro griego de suplicantes que cantan, al compás del tema doloroso del amor, el dolor de la raza y de la tierra. Los nombres germánicos de Gondar (Gundemaro) y celtas (Céltigos), con algún latino de añadidura, vinculan a los campesinos a la heráldica popular de la tierra gallega, para hacerlos como su eterna voz quejosa y suplicante.

Entre los personajes populares y los aristocráticos hay un mundo intermedio, en el que están los dos servidores del pazo: el ama de llaves, doña Malvina, y el jovencillo Florisel, paje, amaestrador de mirlos, a los que enseña ritmos populares gallegos, y, a su lado, un tanto distante en su silueta, la figura de la Madre Cruces, medianera de los amoríos del Marqués de Bradomín.

* * *

El mundo simbolista, de profundas raíces gallegas, presente en el carácter y espíritu de los campesinos y en los elementos ambientales del escenario, expresados en las *acotaciones dramáticas,* aparece de una nueva manera en la aristocracia, unida por su vida y herencia a la Geografía e Historia, real y legendaria, de

Galicia. La dueña del pazo, antigua amante del Marqués de Bradomín, doña María de la Concepción Bendaña Montenegro, Gayoso y Ponte de Andrade, está emparentada, por sus apellidos, con las familias gallegas más linajudas; y lo mismo sucede con su tío Don Juan Manuel Montenegro; y con su primo y amante el Marqués de Bradomín. Xavier Bendaña y Agar, Marqués de Bradomín, ostenta muchos otros títulos gallegos, el de Marqués de San Miguel, el condado de Barbazón y el señorío de Padín. Valle-Inclán, al crear estos títulos e historias, combina la heráldica gallega verdadera con otra de su invención, la cual más que desvirtuar la primera, parece darle nueva belleza musical y simbólica. Esto se puede ver en la historia heráldica que le atribuye al apellido Padín, de la Ría de Arosa, en uno de cuyos pueblos nació Valle-Inclán: "El señorío de Padín — dice Valle-Inclán en la *Sonata de Otoño* y repite las mismas palabras en *El Marqués de Bradomín* — se remonta hasta don Roldán, uno de los *Doce Pares,* Don Roldán, que no murió en Roncesvalles, pudo salvarse y con una barca llegó a la isla de Sálvora (a la entrada de la Ría de Arosa o de Villagarcía); y, atraído por una sirena, naufragó en aquella playa y tuvo de la sirena un hijo que, por serlo de Don Roldán, se llamó Padín, y viene a ser lo mismo que Paladín" (1). En esta historia, atribuyéndola a otro linaje, repite Valle-Inclán la fábula heráldica de los Mariño de Lobeira, originarios también de la Ría de Arosa.

El afán de vincular las familias aristocráticas gallegas con ramas alemanas, particularmente imperiales, es todavía más visible en la de la familia Montenegro: "Los Montenegros de Galicia — dice don Juan Manuel Montenegro, tío del Marqués de Bradomín y de su enferma amante — descendemos de una emperatriz alemana. Es el único blasón español que lleva metal sobre metal, espuelas de oro en campo de plata" (2).

Estos linajes están entrañablemente vinculados a una geografía gallega: a una geografía suevo-céltica, con leves añadidos latinos, que ve Valle-Inclán como el fondo cultural de Galicia: "Desde hace tres siglos es privilegio de los Marqueses de Bradomín ser recibidos en palio en las feligresías de San Rosendo de

(1) R. del Valle-Inclán. *El Marqués de Bradomín. Obras completas,* vol. I, 82
(2) R. del Valle-Inclán, - o.c., vol. I, 82

Lantañón, Santa Baya de Cristamilde y San Miguel de Leiro" (1).

El Marqués de Bradomín, unido a las novelas cortas de las *Sonatas* y de *Flor de Santidad,* fue sin duda escrita más para la lectura que para la representación, aunque, tanto o más que *Cenizas* — llevada antes al teatro que a la imprenta — tiene excelentes condiciones para ser representada. Las *acotaciones escénicas,* que la acompañan, están más destinadas al lector que al director teatral o el espectador.

En las acotaciones escénicas abundan los efectos plásticos, pero éstos tienen siempre una significación espiritual, como la cara pálida y triste de la señora del pazo, amante del Marqués; y la descripción del jardín y edificio del Pazo de Brandeso, que tienen una vejez señorial y melancólica.

Los efectos de luz, abundantes en las acotaciones, van cambiando con la marcha de la fábula. La obra comienza con un sol otoñal y matutino; y se cierra la primera jornada dando las doce, de mediodía, las campanas de la iglesia de aldea. La segunda jornada comienza con el sol, ya poniente, dorando los cristales del mirador; pero, al cerrarse esa jornada, el jardín está en sombra "y en el cielo, triste y otoñal, se perfila la luna como una borrosa moneda de plata" La tercera jornada tiene al principio una tarde otoñal y dorada; y cuando termina la obra la "tarde azul se llena de gracia mística."

Los efectos musicales tienen una gran importancia en esta obra y son de la más varia naturaleza: la flauta de Florisel, el paje del pazo, amaestrador de mirlos; el salmodiar de los mendigos, que acuden al pazo a pedir limosna; el canto de los pájaros del cielo, que están en los valladares florecidos; los constantes suspiros de la dama; el zumbido de un tábano; el tañido de las campanas; el tantaneo del bordón del ciego; el rumor de las risas de la gente campesina; el resonar de las madreñas de Florisel, en el silencio del pazo; el canto de los mirlos, que silban una riveirana gallega; los ladridos de los perros del Abad de Brandeso; y el borbcteo de las fuentes de tritones del jardín del pazo, con el que se cierra el drama.

Entre los efectos musicales, ocupa el silencio un lugar muy importante. Para Valle-Inclán, siguiendo a Maeterlinck, el silen-

---

(1) R. del Valle-Inclán, - o.c., vol. I, 82

cio es la expresión más bella del misterio: "hay un silencio largo donde se oye el rumor de un tábano en los rosales (1); "la dama calla y parece soñar" (2); "Hay un silencio. En la penumbra de la tarde las voces apagadas (de los amantes) tienen un encanto sentimental" (3); "en el silencio del anochecer, aquel ritmo (el de la riveirana, que toca Florisel), alegre y campesino, evoca el recuerdo de las felices *danzas célticas* a la sombra de los robles" (4); "De tiempo en tiempo un estremecimiento recorre el jardín y luego todo vuelve a quedarse en silencio de misterio" (5). En el silencio, como en la *noche de luar gallega,* es cuando el alma de las cosas parece hablarle a nuestro espíritu.

(1) R. del Valle-Inclán, - o.c., vol. I, 57
(2) R. del Valle-Inclán, - o.c., vol. I, 60
(3) R. del Valle-Inclán, - o.c., vol. I, 72
(4) R. del Valle-Inclán, - o.c., vol. I, 80
(5) R. del Valle-Inclán, - o.c., vol. I, 86

IX — LA GALICIA GERMANO-SUEVA: *COMEDIAS BARBARAS*

El año de 1907 es una fecha altamente significativa en la producción y en la evolución del arte de Valle-Inclán, quien publicó entonces cuatro obras de muy distinto carácter: *Historias perversas,* que es una simple refundición de sus cuentos decadentes; y otras tres obras nuevas de singular interés: el volumen de poesías *Aromas de leyenda, la* más alta expresión de su visión céltico-cristiana de Galicia: *El Marqués de Bradomín,* inspirada también en tema gallego, que no desentona con la visión lírica de la obra anterior, de las *Sonatas,* mezcla, por tanto, de lirismo céltico y sensualismo decadente; y una obra totalmente nueva en el tema y en la sensibilidad, *Aguila de blasón,* la primera de la trilogía *Comedias bárbaras,* que tiene como personaje central a Don Juan Manuel Montenegro, tío del Marqués de Bradomín, a quien vimos, de personaje secundario, en la *Sonata de Otoño* y en *El Marqués de Bradomín.* De este modo las tres obras originales publicadas en este año de 1907 coinciden, de manera distinta, en inspirarse en un tema gallego, y en mostrarnos una visión de Galicia, un tanto próxima en las dos primeras, pero ya bastante diferente, reveladora de la marcha del arte valleinclanesco hacia otras corrientes estéticas y otra sensibilidad, en las *Comedias bárbaras.*

Estas tres obras nos dan una visión distinta de Galicia: *Aromas de leyenda,* con sus ermitaños medievales, germanos y célticos, sus iglesias aldeanas, sus ruiseñores, hilanderas, campesinas que espadañan el lino, hidalgos que viven tranquilos en los viejos pazos, y peregrinantes, expresa una visión lírica de una Galicia de profundas raíces célticas, vestidas con las ramas de un frondoso cristianismo medieval: *El Marqués de Bradomín* presenta ese mundo céltico-cristiano en el fondo de la obra, mientras pasa al primer plano el sensual y decadente de su aristocracia, que vive una historia amorosa, bondadosa con los campesinos y generosa con los mendicantes; pero ya en esta obra asoma, aunque en proporciones muy reducidas, ía del hidalgo gallego, Don Juan Manuel Montenegro, que vive todavía como un señor feudal en sus relaciones con las demás gentes, con los campesinos, con los burgueses y también con otros aristócratas; en las *Comedias bárbaras,* comenzando con la primera *Aguila de blasón,* aparece una ferozmente dramática, de hondas raíces germano suevas, que trata de presentarnos, no las supervicencias célticas gallegas, sino los últimos restos de la aristocracia germano-sueva, que ha degenerado de tal modo, que su arrojo es criminalidad vulgar, encarnada en los hijos de don Juan Manuel Montenegro.

* * *

Las *Comedias bárbaras* son una estampa dramática de un mundo germano-suevo, y de aquí quizás la palabra *bárbaras;* y no del mundo céltico que habíamos visto en *Flor de Santidad,* en la *Sonata de Otoño,* en *El Marqués de Bradomín* y más aun en *Aromas de leyenda.* El tema gallego se presenta en ellas desde una perspectiva totalmente distinta a la sensual de sus historias decadentes, a la lírica simbolista de *Flor de Santidad,* de la *Sonata de Otoño* y aun de *El Marqués de Bradomín* y a la de lirismo panteista céltico-cristiano de *Aromas de leyenda.* Es una presentación de un mundo bárbaro llena de gran dramatismo. Las *comedias bárbaras* representan la evolución del arte simbolista lírico de Valle-Inclán hacia un simbolismo dramático, precursor de su arte expresionista. En la evolución del expresionismo europeo, las *Comedias bárbaras* de Valle-Inclán, publicadas antes de la Primera Guerra Mundial, son uno de los jalones más importantes; y muestran que en esta evolución influyeron factores propios, de origen español y gallego por más señas, tanto o más que el influjo de corrientes importadas de otros países de Europa.

Brooks, tan inclinado a negar el parentesco del arte dramático de Valle-Inclán con el teatro irlandés contemporáneo, particularmente el de Synge, se ve forzado a reconocer que hay ciertas concomitancias entre las *Comedias bárbaras* y alguna obra de Synge, aunque estas concomitancias no las considere de primera importancia dramática: "Claro es que se pueden notar, de vez en cuando, puntos de semejanza en la obra de ambos (de Valle-Inclán y de Synge); p. e, la lamentación general de los mendigos de *Comedias bárbaras* y el *keening* de las mujeres de una comedia (de Synge, como *Riders to the Sea*); pero, en general, parece que hay gran diferencia entre la actitud ante su obra de los escritores del *Celtic Twilight* y la de Valle-Inclán. Para los primeros, Irlanda era un país vivo, real, por el que estaban dispuestos a luchar; mientras que para éste Galicia era un ideal imaginario e inasequible" (1).

Brooks, olvidándose de que Valle-Inclán escribió varias obras dramáticas antes de componer las *Comedias bárbaras,* entre ellas algunas de tema gallego, dice que de este galleguismo extrajo Valle-Inclán el fondo de sus primeras obras dramáticas, las *Comedias bárbaras,* una trilogía compuesta de *Aguila de blasón* (1907). *Romance de lobos* (1908) y *Cara de Plata* (1922)" (1).

* * *

El primer problema que surge al analizar las *Comedias bárbaras* es el de su lugar en los géneros literarios; pues son muchos los críticos españoles, entre ellos el gallego Salvador de Madariaga (2), que las consideran novelas escritas en forma dialogada. Brooks examina las varias doctrinas, que se han formulado sobre la naturaleza de las *Comedias bárbaras,* para concluir que pertenecen al género dramático, aunque están destinadas más a la lectura que a la representación escénica: "Son piezas — dice Brooks — poco idóneas para la representación teatral, que hay críticos que las han incluido en la categoría de novelas (Salvador de Madariaga, E. Gómez de Baquero (3), Miguel Romera Navarro (4). Si este juicio yerra en una dirección, la de los otros, que comparan su estructura con la de *La Celestina,* yerra también en otra (Fernández Almagro). En *La Celestina* el diálogo contiene el argumento, siendo las acotaciones ni más ni menos que un resumen de la ación; mientras que, en las *Comedias bárbaras* hay escenas en las que las acotaciones valen tanto como el diálogo" (5).

* * *

El crítico inglés J. L. Brooks reconoce que las *Comedias bárbaras* son obras dramáticas, y que, por lo tanto, su estudio pertenece al drama y no a la novela. Así él lo hace en su estudio *Los dramas de Valle-Inclán,* en el que el análisis del arte de las

* * *

(1) J.L. Brooks, o.c., 181
(2) Salvador de Madariaga, *Semblanzas literarias contemporáneas,* Barcelona, 1924
(3) E. Gómez de Baquero. *El renacimiento de la novela,* Madrid, 1924
(4) M. Romera Navarro. *Historia de la Literatura española,* New York, 1922
(5) J.L. Broks, o.c., 182

Comedias bárbaras tiene un puesto importante (1).

Con esta opinion coincide la que, antes de Brooks, había expresado el crítico gallego César Barja, a quien se debe uno de los mejores análisis del arte general de Valle-Inclán. Barja las califica de *dramas escénicos,* escritos más para la lectura que para la representación, y, como *dramas escenificados* superan en esta carácter a *La Celestina,* a la que Barja considera más novela dialogada que propio drama: "Es cosa corriente hablar de estas *comedias bárbaras* — dice César Barja — y aun del teatro todo de Valle-Inclán, como de una clase de novelas dramáticas, novelas dialogadas, a la manera de *La Celestina* y de las modernas novelas dialogadas de Galdós. Hay, sin embargo, una gran diferencia entre las dos clases de obras. Por nuestra parte, mejor que de novelas dramáticas entendemos que han de calificarse las *Comedias bárbaras* de *dramas escénicos.* La diferencia, tomando por modelo de tales novelas dramáticas *La Celestina,* es evidente, Precisamente, lo que *La Celestina* revela es la falta de escenario y es, en este sentido, una obra primitiva. En ella el drama está por entero en el diálogo, y como tal diálogo podría representarse la obra en cualquier escenario, sin que por ello hubiera de sufrir el drama mayor cosa. Esto es lo que sería totalmente imposible con las *Comedias bárbaras.* Tanto como en el diálogo está aquí el drama en las acotaciones, en el escenario. El resumen que acabamos de dar es sólo un miserable esqueleto de la realidad dramática de las *Comedias bárbaras.* Y es que, para dar el drama completo, lo primero que habría que dar es el escenario. El escenario; es decir, las fuerzas de la naturaleza que el autor hace entrar en el drama y los estados de espíritu que bajo su influencia se producen; las visiones y movimientos que surgen en el espíritu frente a la realidad psicólogica de lo sobrenatural; las evocaciones de tales y cuales sucesos o recuerdos; el total mundo interior de los personajes tal y como se expresa en sus actitudes y en sus gestos; la total acción, en fin, de las escenas y del drama. De aquí la dificultad que habría de ofrecer la representación de estas comedias, dificultad probablemente nunca capaz de ser vencida por completo, pues trátase frecuentemente de impresiones, efectos y sugerencias que acaso sólo por medio

(1) J.L. Brooks - *Los dramas de Valle-Inclán.* En Homenaje a Menéndez Pidal, tomo VII, 1957

de la palabra es dado provocar. *Dramas escénicos,* pues, bien que, paradójicamente, más para ser leídos que para ser representados en el escenario de un teatro" (1).

* * *

En este periodo, Valle-Inclán solo publicó dos de las *Comedias bárbaras* de la trilogía: *Aguila de blasón* (1907) y *Romance de lobos* (1908). La tercera, *Cara de Plata* (1922) no apareció hasta años después, ya terminada la Primera Guerra Mundial, cuando el arte de Valle-Inclán había entrado en su fase expresionista, al que pertenece ya esta tercera novela tanto por el estilo como por su estética general. Incluso se cambia en ella el protagonista, pues don Juan Manuel Montenegro, que lo es de las dos primeras, es desplazado en la tercera por su hijo Miguel, conocido por el sobrenombre de *Cara de Plata.* En la cronología de los episodios de la trama de las tres obras de esta trilogía, la tercera, *Cara de Plata,* es la primera por orden cronológico.

Don Juan Manuel Montenegro es el héroe central de las dos primeras obras de la trilogía, pero en realidad, casi a su nivel, aparece un héroe colectivo, el pueblo gallego, representado por gentes de todas las clases sociales, particularmente las populares. El número de personajes se aumenta considerablemente en las *Comedias bárbaras:* suman 71 y una serie de voces, de otros que no aparecen físicamente, en *Aguila de blasón;* y 51, más otros indeterminados, en *Romance de lobos.*

Esa masa gallega comparte con don Juan Manuel Montenegro y sus hijos los varios papeles de esta magna tragedia de una villa gallega "de las villas silenciosas y muertas, que evocan con sus nombres feudales, un herrumbroso son de armaduras" (2).

* * *

Contra la tesis de Brooks, *Comedias bárbaras* no es la tragedia única de un sólo individuo, sino de un pueblo, de una raza, de la que son símbolos don Juan Manuel Montenegro y sus hijos; y de la que son también encarnación los personajes populares que se mueven en torno a ellos. Estos personajes populares-campesinos unos, marineros otros y mendigos los más -- son como una au-

---

(1) César Barja. *Libros y autores contemporáneos,* New York, Las Américas, 1962, 396-7

(2) R. María del Valle-Inclán, *Aguila de blasón,* 360 (*Obras completas,* Madrid, 1954

téntica masa coral, más que un coro griego, que entona, con distintas voces, los temas eternos y tradicionales de ese pueblo: su sentido de la vida, del sufrimiento en esta existencia y del misterio de la Muerte, que le rondan continuamente.

En esta tragedia de una raza, cuyas principales voces pertenecen a Don Juan Manuel Montenegro, a su mujer, a su amante y a sus hijos, están representadas todas las clases sociales, principalmente las nobles y las populares, sin que falte incluso la clase media, reducida en estas dos comedias al escribano Malvido y al propietario Ginario, a quienes trata, sobre todo al primero, con olímpico desprecio don Juan Manuel.

La historia de las andanzas amorosas de Don Juan Manuel, y su lucha contra sus hijos, que le quieren despojar en vida de sus propiedades y las de su esposa, llegando incluso al robo armado contra él, es la nota más aguda de esa epopeya colectiva, en la que cada clase social tiene un distinto papel y actitud: la aristocracia gallega, supervivencia de un feudalismo desaparecido en el resto de España, es arrogante hasta la temeridad frente a los representantes de Dios en la tierra y de la Justicia real, y más aun ante los hombres, en su mayor parte campesinos, caseros suyos, los cuales se conducen ante ella como si todavía fueran atemorizados siervos; y los resignados campesinos, habituados a su eterno sufrimiento, salvo algunos casos aislados, como los de Oliveros, hijo bastardo de don Juan Manuel y el del leproso, que mata a uno de los hijos del mayorazgo.

Rodeando ese mundo de relaciones humanas, de hondas raíces feudales, con un substrato germánico-céltico, otro un tanto sobrenatural, pero no del cielo sino de la propia tierra, más infernal que angélico: el de los poderes sobrenaturales de la bruja de Céltigos, capaz de convertir la vida en muerte; y el de la *Santa Compaña* o *Hueste,* que anda por la noche por los caminos de Galicia en demanda de nuevas víctimas que reclutar para su procesión, con la que se encontró don Juan Manuel. Con la particularidad de que, en estas *comedias,* la vida triunfa sobre la muerte contra los poderes infernales de la bruja de Céltigos, que trató de matar con ellos, al servicio de Liberata — la nueva amante de Don Juan Manuel — a su vieja amante, su sobrina Isabel; y los de la Santa Campaña, que no logró atrapar al soberbio mayorazago e incorporarlo en sus filas.

* * *

Con las *Comedias bárbaras* entra derecho Valle-Inclán en las preocupaciones sociales sobre la vida y el carácter de España que tuvieron sus compañeros de al *Generación del 98*. Pero hay una importante diferencia que le separa de ellos; y quizás por ella tardaron los críticos españoles en percibir todo lo que había del 98 en la obra de Valle-Inclán. Esta diferencia procede del distinto ángulo de su punto de vista de España, el cual es fundamentalmente gallego en Valle-Inclán; en cambio, en los otros escritores del 98 o es castellano o ven a España desde otras regiones.

Quizás también le separa de ellos su fuerte *tradicionalismo,* de raíces también gallegas, que le lleva a ver con simpatía ese mundo tradicional de tipos humanos y de viejas creencias que constituyen el substrato espiritual de su raza, ya sea el mundo de la arrogancia feudal de su nobleza, la servidumbre resignada, también feudal, de sus clases campesinas, ya el de las leyendas y creencias de su tierra que unen a unos y otros en una comunidad espiritual.

Olga Guerrero percibe cuanto hay, en las *Comedias bárbaras,* de preocupaciones sociales de la *Generación del 98:* "Todo este declinar se hace patente en la *trilogía bárbara,* expresiva del momento histórico en la región gallega, los Montenegro, como los Moscoso (de los *Pazos de Ulloa* de la Pardo Bazán) repetimos, son los últimos vástagos de esa estirpe señorial en su despreocupación más completa. Las *Comedias bárbaras* son, pues, la evocación del Mayorazgo, de la nobleza provinciana del siglo XIX, de la vida rural" (1).

Por su parte, Gaspar Gómez de la Serna ve, en las *Comedias bárbaras,* el tono de epopeya histórico-social, del final de una raza de hidalgos: "En esa serie de la guerra carlista alcanza la figura del hidalgo su máxima idealización, si se mira el patrón clásico. La de las *Comedias bárbaras* no es sino la historia del fin de una raza de hidalgos, y todos los barbarismos que ese último tipo de hidalgo lleva consigo, no hacen sino acentuar el tono epopéyico, es decir, el sentido histórico-social que semejante fin representa como interrupción de una figura humana de alto valor comunitario" (2).

---

(1) Olga Guerrero. *Sobre las Comedias bárbaras,* Cuadernos Hispanoamericanos. Homenaje a Ramón del Valle-Inclán, Madrid, julio-agosto, 1966, 199-200, 470

(2) Gaspar Gómez de la Sena. *Del hidalgo al esperpento, pasado por el dandy,* Cuadernos Hispanoamericanos. Homenaje a Ramón del Valle-Inclán, Madrid, julio-agosto, 1966, 199-200, 151

Comedias bárbaras, que tienen entre sus antecedentes más inmediatos, en la literatura de tema gallego, la novela *Los Pazos de Ulloa,* de Emilia Pardo Bazán — en la que la novelista naturalista presenta la decadencia de una casa solariega gallega y el señor que la habita por la acción del ambiente y del tiempo — es una visión de España muy característica de la *Generación del 98.* Esta visión coincide con la que tienen de España Pio Baroja y Azorín, aunque sea distinta en algunos aspectos la de estos tres escritores. La de Valle-Inclán se separa de la de los otros dos en el amor que tiene el escritor gallego por el mundo legendario y heróico que vive desplazado, sin rumbo y propósito, en la sociedad española, cada vez más burguesa del siglo XIX.

Es muy *del 98* la visión de la villa en que se desarrolla la trama de *Aguila de blasón,* la villa de Viana del Prior, nombre que esconde apenas el de Puebla del Deán, donde vivía Valle-Inclán. El escritor gallego no sólo coincide con sus compañeros de generación en ver las villas españolas como algo muerto, como "villa silenciosa y muerta", sino que, exponiendo los puntos de vista de los regionalistas y nacionalistas gallegos, ve en su iglesia barroca el símbolo de la España pretenciosa y hueca del Siglo de Oro: "la iglesia es barroca, con las naves y una colegiata de siglos ampulosos y sin emoción, como el gesto y habla del siglo XVII" (1).

Con la ampulosidad y oquedad del mundo urbano, expresión de la España del Siglo de Oro, fanfarrona y soberbia, contrasta el mundo sencillo, humilde y eterno de la cultura céltica, muy en contacto con la naturaleza misma, que es como la expresión eterna de Galicia, de sus creencias y de su manera de ser: "Sabelita está sentada a la sombra de unas piedras celtas, doradas por líquenes milenarios" (2).

* * *

Brooks, que no percibe lo que hay de colectivo en las *Comedias bárbaras,* en las que se destacan las personalidades de don Juan Manuel, su esposa, sus amantes y sus hijos, le reprocha a Valle-Inclán la falta de unidad que hay en ellas; y la culpa de este defecto al carácter colectivo de esta serie, es decir, que le reprocha a Valle-Inclán lo que es substancia y materia de su obra dramá-

---

(1) R. del Valle-Inclán. o.c., *Aguila de blasón,* 559
(2) R. del Valle-Inclán. o.c., *Aguila de blasón,* 640

tica. El crítico inglés, obsesionado por el héroe individual, le reprocha a las *Comedias bárbaras,* como principal defecto, su falta de cohesión, de unidad; y dice que sus escenas vienen a ser como distintos y separados cuadros de un retablo. Pero este reproche es doblemente infundado: por un lado, parte del supuesto de que la técnica del retablo no es adecuada para el arte dramático, lo cual no es exacto, pues esa técnica la buscará el arte dramático expresionista, Valle-Inclán, de una manera particular en esa fase de su evolución artística, y de este modo el dramaturgo gallego fue un precursor, en el empleo de esta técnica, en el arte europeo expresionista; y, en segundo lugar, cabe afirmar que en las *Comedias bárbaras* hay unidad, aunque esta no esté totalmente en la conducta de un héroe individual al modo griego, que trata de encontrar Brooks como centro de estas obras: "Parece — dice Brooks — que Valle-Inclán no estaba todavía preocupado por el teatro como había de estarlo después. Pero cuando acaba con esta época y cesa de obsesionarse por la concepción romántica del superhombre, que no obedece a ninguna ley civil, sino que se deja llevar de sus impulsos, cuando se aparta de la concepción del anarquista egoista central, pierde el móvil unificador más fuerte de su obra" (1).

Esas *Comedias bárbaras* marcan un hito importante en la evolución del arte de Valle-Inclán: en ellas no sólo transforma su visión lírica de Galicia, que habíamos visto en *Flor de Santidad* y en *Aromas de leyenda,* en una intensamente dramática, sino que se transforman también, con esta evolución, cada uno de los elementos más importantes de ese arte, comenzando por su concepción del héroe. En la evolución del héroe valleinclanesco se marca incluso una cierta diferencia en el proceso de su transformación entre la primera obra de la trilogía, *Aguila de blasón,* y la segunda, *Romance de lobos.*

Habíamos visto como el héroe decadente, de sus cuentos, individualista, y sin casta y raza, había dejado paso, en las *Sonatas,* de la época simbolista, a uno nuevo, el Marqués de Bradomín, quien, conservando todavía muchos de los rasgos del decadente, representaba ya una raza, un pueblo, una historia y una heráldica, la gallega, que le imponía ciertas obligaciones co-

(1) J.L. Brooks - o.c., 183-4

lectivas, entre ellas la de defender el tradicionalismo, que aparecía asociado con los fueristas y éstos con los carlistas.

En las *Comedias bárbaras,* el héroe don Juan Manuel Montenegro, vinculado a una heráldica y a una raza, se ve empeñado, contra su voluntad, en una lucha insensata contra sus hijos dispuestos a robarle a él y a su esposa, en vida, lo que creen ser su herencia. Don Juan Manuel ya no lucha, como el Marqués de Bradomín, su sobrino, por una causa noble y desinteresada, como la del carlismo y los fueristas, sino que gasta su energía en defenderse de los latrocinios de sus hijos. De los seis que tiene de su legítima esposa, doña María, sólo uno, *Cara de Plata,* se alista, bajo las órdenes de Bradomín, en el ejército carlista; mientras los otros se entregan, en su propia tierra, a una vida de desafueros y crímenes: don Pedrito, el mayor, es el capitán de la cuadrilla de ladrones que asaltó, para robarle, en su propia casa, a su padre, don Juan Manuel, y el que, después de lanzarle los perros a Liebrata, la molinera, amante de su padre, la forzó, como venganza, por no pagarle una renta; otros dos, el seminarista Farruquiño y *Cara de Plata,* roban el cadáver de una vieja del cementerio de la villa para vender su esqueleto; y otros tres (Mauro, Gonzalo y Rosendo) roban cuanto encuentran en al casa de su madre, apenas muerta ésta, y tratan de forzar a los campesinos, caseros de su padre, a que les paguen a ellos la renta. El arrojo y valentía de estos hidalgos, que Valle-Inclán resalta, contrastándolos con la pusilaminidad de los campesinos, no tiene ya nada de genuinamente heróico, sino de criminal en todas sus formas.

En *Aguila de blasón* los campesinos y mendigos son cobardes y pusilámines. Pero, en *Romance de lobos,* se marca ya una cierta diferencia: aparecen ya gentes populares arrojadas y valientes, que son las que predominarán cada vez más en el arte vallenclanesco, en el que los héroes populares desplazarán en valor a los procedentes de las clases hidalgas y aristocráticas. Frente a la cobardía de campesinos y mendigos, incapaces de enfrentarse con los hijos de don Juan Manuel, para defenderse a si mismos y al mayorazgo su protector, surgen ahora, en *Romance de lobos,* dos arrojados personajes, procedentes de las clases populares: uno, Oliveros, hijo bastardo de don Juan Manuel, que lo tuvo de una campesina, el cual se enfrenta valientemente, acaudillando un grupo de chalanes, con los hijos legítimos de su padre, para ser vencido por ellos; y otro es un mendigo, el leproso Pobre de San Lázaro, quien sale, en defensa de Don Juan Manuel, en la escena final de *Romance de lobos,* matando a uno de los hijos de don Juan Manuel, Mauro, que acaba de derribar muerto, de un puñetazo, a su progenitor. Esta escena final, con el triunfo del leproso, encarnación de la gente más pobre y más humilde, sobre los hijos hidalgos de don Juan Manuel, señala, en un apoteosis final, el alzamiento del espíritu de los humildes, que vencen la criminal arrogancia de las clases sojuzgadoras.

* * *

La transformación del héroe decadente, en otro más unido a la tradición de su tierra, se percibe de una manera clara en el nuevo sentido de las relaciones eróticas. Todavía en el Marqués de Bradomín, el héroe de las *Sonatas,* primera forma del arte simbolista, novelesco, de Valle-Inclán, encontrabamos todas las características del héroe decadente: su exquisitez y refinamiento, su exclusiva inclinación por las damas aristocráticas, más por las casadas que por las solteras. En cambio, ahora, Montenegro, al igual que el Marqués, don Pedro de Moscoso, de *Los Pazos de Ulloa,* de la Pardo Bazán, que tenía tratos amorosos con una campesina, se siente más atraído por las mujeres de las clases populares, campesinas en su mayor parte, que por las de la aristocracia. Dos de los hijos bastardos de don Juan Manuel, que aparecen en *Romance de lobos,* son hijos de campesinas: Oliveros, que pasa por hijo de Ramiro de Bealo; y Artensia la del Casal, que visita con frecuencia a su padre en el pazo. De las dos amantes de don Juan Manuel, que aparecen en *Aguila de Blasón,* una es de familia hidalga, su sobrina Isabel, con la que vive amancebado; y otra molinera, Liberata, que va a vivir a su pazo, al huir de él Isabel.

El sentido erótico de don Juan Manuel es profundamente feudal, como toda la concepción que tiene él de la vida. En sus tratos amorosos con las campesinas cree ejercer un viejo derecho del señor de aquellas tierras; y protege a sus amantes dándoles casa y tierras con que sustentarse a ellas, a sus maridos y a sus hijos. Algunas son verdaderamente mancebas a barraganas, al modo medieval, como su sobrina Sabelita, que vive con él, en su casa solariega. Y la misma relación feudal tiene con sus hijos bastardos, hijos de las campesinas, a quienes también protege y ayuda.

El mundo colectivo gallego es el que le da unidad a la obra; la unidad que busca Brooks en las acciones de sus personajes, sin darse cuenta que es en el mundo de las ideas, de los sentimientos y de las creencias de una raza donde hay que buscarla. Las ideas y sentimientos, la filosofía de la vida, que expresan todos los personajes de la obra, singularmente los campesinos, así como las leyendas o viejas creencias, de procedencia probablemente celta, constituyen el ambiente espiritual de su raza.

Valle-Inclán se ha esforzado, en las *Comedias bârbaras,* en ser el recreador artístico de las ideas, de los sentimientos y de las creencias de su pueblo gallego. Estas ideas y creencias, están entrañablemente unidas a las raíces históricas y geográficas de Galicia; y son como la herencia que han dejado en ella, desde los tiempos más primitivos, las razas y los pueblos que la han ido formando a lo largo de su larga historia.

Por eso sus campesinos, más que figuras individuales, son tipos representativos de su pueblo; y cuanto ellos dicen es también eminentemente colectivo: son las ideas, los sentimientos, las creencias y los temores del pueblo gallego.

Agustín del Saz percibe ese carácter colectivo; pero su desconocimiento del mundo cultural y espiritual gallego le impide ver las íntimas y entrañables raíces que tienen con su tierra cuanto dicen esos personajes; y esto le lleva a relacionarlos, fuera de ella, con la tragedia griega y con la picaresca y la mística española. "Los lamentos dolientes de los mendigos tienen el valor de los coros de la tragedia griega. Su filosofía es hermana, de la de la picaresca y de la mística al mismo tiempo" (1). Sin rechazar su probable parentesco con la tragedia griega, con las sentencias de la picaresca y con las de la mística española, en lo que tiene de común en lo humano, insistimos en afirmar, su carácter fundamentalmente gallego, por ser ese el acento que quiso darle el autor y radicar en esas ideas, en esa filosofía y en esas creencias, uno de los principales puntales de la unidad de la obra.

* * *

Los elementos gallegos, celta-suevo-cristianos, que dan unidad a la obra, en los tipos humanos y en el mundo de sus ideas, sentimientos, y creencias, no es simplemente folklórico, en el

---

(1) Agustín del Saz. - o.c., 29

sentido corriente de la palabra y todavía menos en el esotéricc que da a entender Rosa Seelman (1); sino que para Valle-Inclán esos tipos y esos elementos son los representativos y esenciales del carácter de su pueblo. Ese mundo de ideas y de creencias es el que, con gran sorpresa de Rosa Seelman, une en una unidad racial todas las gentes del país y explica "que se de en nuestro escritor la paradoja de pintar no sólo a la gente humilde: la princesa y la campesina responden a los instintos misteriosos de una creencia arraigada en poderes ocultos" (2).

Olga Guerrero percibe el fondo céltico de las mal llamadas supersticiones, las cuales no son, en realidad, otra cosa que supervivencias de viejos cultos, vencidos por el cristianismo, pero no totalmente desplazados por él: "Todo un folklorismo típicamente gallego de la más pura raigambre. Cierto que otras regiones españolas presentan también su folklore, y, a veces, tienen sus puntos de semejanza; pero sus características generales son diferentes. Las supersticiones de la región gallega son de tipo céltico" (3).

Entrambasaguas, con fina penetración, ve todo lo que hay de galaico y aun de céltico en ese mundo de creencias: "la magnífica creación, en la penumbra, de lo histórico y de lo imaginado de la literatura de Valle-Inclán, se completa con lo misterioso y lo racial de Galicia, que viene a constituir un permanente espíritu que la anima, ya con presencias de fuerte casticismo, ya con imborrables nieblas indefinidas, pero, en uno y en otro caso, con una idéntica eficiencia estética y regional" (4).

* * *

Al mundo colectivo gallego pertenecen las antiguas creencias y leyendas, unidas entrañablemente a la tradición céltica del país, sobre las cuales, algunas veces, se han superpuesto otras cristianas. Este mundo de leyendas y crencias es más abundante en *Aguila de blasón* que en *Romance de lobos.*

Del mundo puramente céltico es el episodio, en *Aguila de*

---

(1) Rosa Seelman. *Folkloric Elements in Valle-Inclán,* Hispanic Review, Filadelfia, II, 1935

(2) Rosa Selman. - o.c. 103-118

(3) Olga Guerrero. *Sobre las Comedias bárbaras,* Cuadernos Hispanoamericanos Homenaje a Ramón del Valle-Inclán, Madrid, Julio-agosto, 1966, 199-200, 47

(4) Joaquín de Emtambasaguas. *Leyendo a Valle-Inclán* (notas al margen) Cuadernos de Literatura Contemporánea, núm. 18, Madrid, 1946

blasón, de la violación de Liberata la Blanca, la molinera, amante de don Juan Manuel, por don Pedrito, el hijo mayor del mayorazgo, descrita por Valle-Inclán como un acto de supervivencia de primitivas costumbres célticas: "Bajo la vid centenaria revive el encanto de las epopeyas primitivas, que cantan la sangre, la violación y la fuerza. El primogénito siente, con un numen profético, el alma de los viejos versos que oyeron los héroes en las viejas lenguas" (1). En cambio, en la escena siguiente, en la que la curandera que cura las heridas de Liberata, causadas por las mordeduras de los perros, que le echó don Pedrito,, antes de violarla, hay ya una mezcla de paganismo celta y de cristianismo, cuando la curandera habla del poder curativo de la saliva de los perros y refiere que procede de haber lamido la sangre que Cristo tenía en los pies el día de su pasión y muerte (2); y vuelve a las leyendas celtas, despojadas de añadidos cristianos, al hablar la curandera de la ponzoña de la saliva de los lubicanes o perros lobos, y de la influencia que tiene la luna sobre la vida de estos animales (3).

Típicamente celta es el episodio del abuelo y del zagal, colocados cerca de un puente, donde hay una cruz, hacia media noche, para recoger del río el agua con la que se va a bautizar el hijo que todavía está en el vientre de la madre; y de cuyo bautizo fue la fugitiva Sabelita la madrina (4).

Las leyendas celtas se funden de nuevo con las cristianas en el episodio en que doña María, la esposa de don Juan Manuel, va en busca de la fugitiva Sabelita, la amante y sobrina de su esposo, y la acompaña en su búsqueda el Niño Jesús, a quien ve desaparecer en una cueva: "Entonces, de la sombra de los breñales, sale una doncella que hila un copo de plata, en una rueca de cristal, y, acercándose al borde de la cueva, deja caer el huso, que se columpia como una escala de luz por donde sube el Niño. Ante aquel milagro la señora se arrodilla, reconociendo en la doncella que hilaba bajo la sombra de los peñascales a la Virgen Santísima. Un rayo de luna deslumbra como la estela del prodigio; y sus ojos llenos de santas visiones, vuelven a contemplar,

---

(1) R. del Valle-Inclán, - o.c., 581
(2) R. del Valle-Inclán.- o.c., *Aguila de blasón,* 581-3
(3) R. del Valle-Inclán.- o.c., *Aguila de blasón,* 582-3
(4) R. del Valle-Inclán.- o.c., *Aguila de blasón,* 612-4

entre los floreros de azucenas, la túnica blanca del Niño Jesús" (1).

A este mundo legendario céltico pertenece también el episodio, con el que comienza *Romance de lobos,* del encuentro de don Juan Manuel con la Santa Compaña o la Hueste, la cual, por la noche, recorre en procesión los caminos de Galicia, llamando a sus filas a cuantos tienen la mala fortuna de topar con ella; y el feliz escape del mayorazgo de tan mortal peligro, así como del de las brujas que iban con la Santa Compaña (2).

Rita Posse, en sus *Notas sobre el folklore gallego en Valle-Inclán* (3), destaca los elementos importantes de este carácter que hay en las *Comedias bárbaras:* "En *Cara de Plata* . . ., aparecen como compañeros inseparables la Santa Compaña, las alulantes endemoniadas, el trasgo, brujas, condenaciones, maldiciones, luna. En *Aguila de blasón* se encuentra la única alusión de toda su obra al tema del "Bautismo anticipatorio". Alude igualmente, pero de una forma más velada, al *Lobihome,* y, en torno a esto, vuelve a surgir el fantástico mundo de la Santa Compaña, Sello de Salomón, trasgos, aparecidos, etc. Pero es en *Romance de lobos* donde encontramos una curiosa descripción e interpretación bastante personal de la famosísima Santa Compaña: es don Juan Manuel quien la ve y se siente hondamente impresionado por su terrorífica belleza; a su lado aparece una larga descripción de los diversos medios de amortajar, un magnífico ejemplo del planto funerario tomado de aquellos plantos funerarios gallegos que tenían el poder de sobornar el alma de sus hijos: nuevamente surgen los trasgos, las brujas, el mágico poder protector de la higa, la sacralidad del fuego, el vago recuerdo de los moros, el pavor de la tormenta y los medios para protegerse de ellas." (4).

* * *

Con el mundo de las viejas creencias pagano-celtas, supervivencias supersticiosas para algunas gentes, por donde anda lo sobrenatural y muchas veces asoma la Muerte, se relacionan elementos macabros, de cementerios y de sepulturas y que constituyen uno de los aspectos más bárbaros y crueles de las mismas.

---

(1) R. del Valle-Inclán.- o.c., *Aguila de blasón,* 620
(2) Rita Posse. *Notas sobre el folklore gallego en Valle-Inclán,* Cuadernos Hispanoamericanos. Homenaje a Valle-Inclán, Madrid, julio-agosto, 1966, 199-200
(3) Rita Posse, o.c., 496

Valle-Inclán, que desde el comienzo de su carrera literaria, bajo la influencia del arte decadente, había mostrado su predilección por las escenas morbosas, en las que la Muerte amenaza o es una realidad contra el sensualismo de la vida, convierte ese mundo morboso en macabro en las *Comedias bárbaras,* introduciendo en ellas no una sino una serie de escenas de este carácter: escenas repugnantes algunas veces y siempre escalofriantes, que no desdeñarían ni el pincel del flamenco Jerónimo de Bosch ni la pluma del castellano Francisco de Quevedo.

Es quizás, en estas escenas macabras, donde se percibe con mayor fuerza la evolución del arte valleinclanesco hacia las formas del expresionismo: la transformación de su simbolismo, cada vez menos lírico y cada vez más dramático, al que se incorporan abundantes elementos violentos, exagerados, contorsionados y de tremendos contrastes.

De estas escenas, una de las más repugnantes y macabras es en la que, dos de los hijos de Don Juan Manuel, don Farruquiño y *Cara de Plata,* roban, del cementerio de Viana del Prior, el cadáver, ya momificado de una vieja; y lo cuecen, para limpiar el esqueleto — que piensan vender — en la cocina de la Pichona, amante de *Cara de Plata,* mientras éste se solaza con su amiga. Agustín del Saz ve en este episodio una mezcla de elementos macabros y lujuriosos con otros procedentes de viejas supersticiones: "A esta desatada pasionabilidad (de *Cara de Plata*) se une una feroz conducta suya y la de otros segundones que nos hiere por su impúdica inhumanidad, especialmente en *Aguila de blasón.* ¡Qué escenas tan atroces en el cementerio de la Orden Tercera, donde *Cara de Plata* con su hermano don Farruquiño, seminarista de Viana del Prior, roban una momia para venderla a la sala de Historia natural del seminario, o la que da en la cocina terrosa de la Pichona, en la que se alterna una visión de mancebía con un esqueleto que salta al hervir el agua en un caldero en el que lo cuece don Farruquiño! Este naturalismo fantástico y repulsivo, estas nauseabundas visiones no están exentas de ciertos tintes negros y supersticiosos" (1).

No hay nada de naturalista en este episodio y sus escenas, sino todo lo contrario. No hay en él la exaltación de la miseria

(1) R. del Valle-Inclán. o.c. *Romance de lobos,* 653-5

(1) Agustín del Saz. o.c., 21

o de la energía, sino la presentación de un fuerte contraste entre el mundo tenebroso y misterioso de la Muerte, del más allá, con sus tintes negros, y el sensualismo morboso del más acá. Si se desean rastrear los antecedentes de este arte habrá que buscarlos en el Barroco: en la pintura de Valdés Leal y Jerónimo de Bosch.

En *Romance de lobos,* muerta ya doña María, hay varias escenas macabras ante su sepultura en la iglesia de Flavia-Longa: una en que dos de los hijos, *Cara de Plata* y don Farruquiño, andan por la capilla con el propósito de robar los últimos objetos de plata de ella; y el segundo, con gran espanto del primero, pisa varias veces la sepultura de su madre; y otra, todavía más macabra, en la que don Juan Manuel manda abrir la sepultura de su esposa para verla y prometerle, después de pedirle perdón, unirse a ella lo más pronto posible, en aquella sepultura (1).

* * *

En las *Comedias bárbaras* aparecen también algunos elementos grotescos, que son los que predominarán en el arte valleinclanesco en la última fase de su carrera literaria, en la *expresionista.* Los dos personajes grotescos tienen un papel muy distinto e importante en ellas: el bufón Don Galán se mueve en las dos y es, en varias ocasiones, el acompañante de Don Juan Manuel, como si fuera un criado o un bobo del teatro español del Siglo de Oro; y el otro, *Fuso Negro,* tiene un papel más reducido y sólo asoma en *Romance de lobos.*

Olga Guerrero registra la propensión que tiene Valle-Inclán a la caricatura, a lo grotesco, en las *Comedias bárbaras;* pero reconoce que la figura del bufón don Galán, pese a su máscara grotesca, es una visión humana" (2); y esto es justamente lo que ocurre en el expresionismo, en el cual, la caricatura y lo grotesco, sirven para afirmar más las cualidades humanas.

Don Galán, compañero del mayorazgo don Juan Manuel, con el que vive, es, con sus bufonerías y desplantes, la voz de la conciencia de su amo, quien, a pesar de propinarle algún puntapié y lanzarle alguna injuria, no deja de escuchar sus diatribas y bufonadas, tras las que se esconde, casi siempre, una gran verdad humana.

El loco *Fuso Negro* dice también, en medio de carcajadas e

---

(1) R. del Valle-Inclán, *Romance de lobos,* 600-1
(2) Olga Guerrero, o.c., 478

interjecciones, las amargas verdades. La escena de don Juan Manuel con el loco, en la cueva, cerca del mar en que aquél vive y en la que se ha refugiado el mayorazgo, que anda en busca de la Muerte, es de un grotesco trágico. *Fuso Negro,* con su lenguaje enigmático y sibilino, es la voz estridente de la conciencia de don Juan Manuel, expresada con palabras alocadas y descabelladas, aparentemente, pero que tienen un sentido profundo (1).

* * *

En las *Comedias bárbaras* predomina más el tono y el gesto violento, bárbaro, que el grotesco, más la conducta cruel, inhumana, que la frase irónica o humorística. Hay en ellas una gran acumulación de escenas violentas, crueles, inhumanas; unas en la vida, como el forzamiento de Liberata por don Pedrito, después de que sus perros le desgarraron las carnes y los vestidos; y otras entre la vida y la muerte, como la de la casa de la Pichona, en la que don Farruquiño y Cara de Plata, cuecen un cadáver momificado para limpiar el esqueleto y poder venderlo.

Esta acumulación de escenas crueles, inhumanas y morbosas hace de las *Comedias bárbaras* de Valle-Inclán uno de los antecedentes más inmediatos del llamado *tremendismo,* término con el que se denominó, por la crítica literaria española, una de las formas de la novela existencialista de la postguerra. Ningún otro escritor español supera a Valle-Inclán en la presentación y descripción de escenas de esta naturaleza, ni los del naturalismo positivista, que no desdeñaron lo más repugnante y cruel ni tampoco los del existencialismo agonizante, que vivieron después de Valle-Inclán. Sólo Quevedo, en el Siglo de Oro, se puede medir con él.

* * *

Con la violencia de las pasiones y acciones humanas se corresponde la de la naturaleza, sobre todo la del mar, el cual juega un papel de destacada importancia en *Romance de lobos.* El dinamismo de la naturaleza gallega, la exhuberancia y frondosidad de la del campo y la violencia de su agitado mar, contrastan en las acotaciones escénicas, en que aparecen presentados, con el silencio de las desiertas calles de las poblaciones (Viana del Prior y Flavia Longa). El mundo urbano, silencioso y desierto,

(1) R. del Valle-Inclán, *Romance de lobos,* 711-5

parece dormido o muerto; mientras el paisaje campesino o marítimo está siempre vivo y despierto.

El mar tempestuoso tiene una extraordinaria violencia en las escenas del viaje de don Juan Manuel, en *Romance de lobos,* de Viana del Prior a Flavia Longa, donde está muriendo su esposa doña María. La tempestad, que azota la costa, cuando se va a embarcar, le hace todavía más colérico y arrojado; le hace enfrentarse con los elementos, desafiando las iras del cielo, y forzar a los marineros, renuentes a hacer el viaje, a llevarlo en barca, la cual se hundirá con ellos, pero no con don Juan Manuel, que había desembarcado en un paraje abrupto de la costa.

Valle-Inclán emplea con gran profusión las acotaciones escénicas para dar vida al escenario en que se desarrolla la acción y también al movimiento de los propios personajes. Al principio de *Romance de lobos* una tronada anuncia, en la noche iluminada por la luna, la aparición de la temerosa *Santa Compaña:* "Retiembla un gran trueno en el aire y el potro se encabrita, con amenaza de desarzonar el jinete. Entre los maizales brillan las luces de la *Santa Compaña.* El caballero siente erizarse los cabellos en su frente; y disipados los vapores del mosto. Se oyen gemidos de agonía y herrumbroso son de cadenas que arrastran en la noche oscura las ánimas en pena que vienen al mundo para cumplir penitencia. La blanca procesión pasa como una niebla entre los maizales" (1). Valle-Inclán, siempre sensible a las sensaciones delicadas, concibe esta escena del encuentro del caballero con la *Santa Compaña* a través de una serie de sensaciones visuales y auditivas: las luces de la procesión, los gemidos y son de las cadenas, y al fondo el sonido de la tronada.

Son las escenas marítimas en las que la naturaleza adquiere su máxima violencia y grandiosidad: "Noche de tormenta en una playa . . . El mar ululante y negro, al estrellarse en las restingas, moja aquellos pies descalzos y mendigos" (2).

Estas escenas de mar tormentoso acompañan el viaje del Caballero por la ría: "una playa de pinares. En aquella vastedad desierta, el viento y el mar juntan sus voces en un son oscuro y terrible. La barca, con el velamen roto, ha dado de través en los

(1) R. del Valle-Inclán, *Romance de lobos,* 653
(2) R. del Valle-Inclán, *Romance de lobos,* 667

arrecifes de la orilla..." (1) "En las ráfagas del viento llega la voz de la campana (que toca a muerto por doña María), informe y deshecha por la distancia" (2) "el fragor del viento entre los pinos apaga los demás ruidos de la noche. Es una marejada sorda y fiera, un son ronco y oscuro, de cuyo seno parecen salir los relámpagos, Don Juan Manuel, de tiempo en tiempo, se detiene desorientado e intenta aprovechar aquel resplandor, que inesperado y convulso se abre en la negrura de la noche, para descubrir el camino. De pronto ve surgir unas canteras que semejan las ruinas de un castillo. El eco de los truenos rueda encantado entre ellas. Al acercarse, oye ladrar un perro; y otro relámpago le descubre una hueste de mendigos que han buscado cobijo en tal paraje. Tienen la vaguedad de un sueño aquellas figuras entrevistas a la luz del relámpago: Patriarcas haraposos, mujeres escuálidas, mozos lisiados hablan en las tinieblas, y sus voces, contrahechas por el viento, son de una oscuridad embrujada y grotesca, saliendo de aquel roquedo que finge ruinas de quimera, donde hubiese por carcelero un alado dragón" (3). El paisaje marino que pinta Valle-Inclán, en estas acotaciones, tiene el carácter fantasmagórico y embrujado de un dibujo del romántico francés Gustavo Doré.

La descripción del paisaje se va haciendo cada vez más expresionista, en el color y en la forma, en *Romance de lobos:* "Una costa brava ante un mar verdoso. Lomas de arena con pinares desmedrados en lo alto, y, en la bajada, un charcal salobre, donde blanquean los huesos de una vaca. Larga bandada de cuervos revolotean sobre aquella carroña, bajo un cielo gris de amanecer. En el fondo de una caverna, socavada por el mar, el viejo linajudo espera la muerte como un viejo león. Ante sus ojos nublados se ve aparecer la sombra de Fuso Negro" (4).

---

(1) R. del Valle-Inclán. *Romance de lobos,* 667
(2) R. del Valle-Inclán. *Romance de lobos,* 669
(3) R. del Valle-Inclán. *Romance de lobos,* 669
(4) R. del Valle-Inclán. *Romance de lobos,* 710-1

X — EL TEATRO POETICO: LO CASTELLANO FRENTE A LO PROVENZAL-CATALAN: *CUENTO DE ABRIL*

En 1907 publicó Valle-Inclán su primer volumen de poemas, *Aromas de leyenda,* en el que expresó, de una manera lírica, su visión simbolista de un mundo gallego de hondas raíces célticas y de fuerte tradición cristiana medieval, unida en simbiosis con ese substrato céltico. Hasta tres años más tarde, 1910, no apareció su primera obra dramática en verso: *Cuento de Abril.*

El teatro poético de Valle-Inclán se extiende por la segunda década del siglo XX, de 1910, en que compuso *Cuento de Abril,* a 1920, en que escribió la *Farsa italiana de la enamorada del rey* y la *Farsa y licencia de la Reina Castiza.* Su teatro poético está entre su obra dramática en prosa, decadente y simbolista, de la primera época, y la prosa de la fase expresionista, que comenzó justamente en ese mismo año de 1920, con *Divinas palabras,* con la *Farsa y licencia de la Reina Castiza* y *Luces de Bohemia.*

Se deben distinguir dos momentos en la evolución del teatro poético de Valle-Inclán, separados por los años de la *Primera Guerra Europea* (1914-1918), que tuvo una gran influencia en la literatura europea y en la evolución del arte literario de la llamada *Generación del 98,* en España, y singularmente en la de Valle-Inclán: una claramente simbolista, anterior a la guerra europea, a la que pertenecen: *Cuento de abril* (1910), *Voces de gesta* (1912) y *La Marquesa Rosalinda* (1912); y otro posterior a esa guerra, de transición del simbolismo al expresionismo, en el que está la *Farsa infantil de la enamorada del rey* (1920).

A diferencia del teatro en prosa de Valle-Inclán, anterior a la *Primera Guerra Europea,* escrito todo él, tanto para la lectura como para la representación, el *teatro poético* de la primera fase fue representado al poco tiempo de ser compuestas las obras por el autor: *Cuento de Abril* el 19 de mayo de 1910; *Voces de gesta,* en el Teatro de la Princesa, de Madrid, el 26 de marzo de 1912; y *La Marquesa Rosalinda* se estrenó también en ese mismo año de 1912.

* * *

Si Valle-Inclán, en sus primeros dramas decadentes y simbolistas, aspiró a superar, con una nueva estética y sensibilidad a tono con las corrientes literarias del teatro europeo, el drama realista (el *melodrama social* en todas sus formas de Echegaray, el *drama social,* de Pérez Galdós y la *comedia irónica* de Benavente), que dominaba en la escena española a comienzos del siglo XX, ahora, con su arte dramático poético, aspiró a superar el mal llamado *teatro modernista,* que rivalizó, en la primera década de ese siglo, con el *drama burgués* en las tablas españolas. El máximo representante de este teatro poético modernista era el catalán Eduardo Marquina (1879-1946), mediano poeta y dramaturgo, que cultivó un drama poético de temas épicos. Ese teatro floreció, en la segunda parte de la primera década del siglo XX, con *Las hijas del Cid* (1907), *Doña María la Brava* (1909) y culminó, en 1910, con *En Flandes se ha puesto el sol,* representada el mismo año que *Cuento de Abril,* de Valle-Inclán.

El teatro poético de Valle-Inclán era una protesta y una superación de ese arte dramático poético español, de pretensiones épicas, que estaba practicando Marquina. Este creó un teatro más en verso que en poesía, ampuloso y hueco, exaltadamente nacionalista, que buscaba los temas patrióticos para ilusionar con su sonoridad (más que con su poesía) y con sus glorias nacionales a la sociedad burguesa de la Restauración, del reinado de Alfonso XIII. Los dardos del arte dramático poético de Valle-Inclán iban dirigidos contra el teatro altisonante de Marquina, que venía a ser, en la sonoridad y en los temas, un remedo de la comedia de tema histórico nacional del Siglo de Oro.

Por eso se equivoca Juan Rogerio Sánchez (1), cuando asocia los nombres de Marquina y de Valle-Inclán como si los dos fueran, hermanados, la expresión del mismo teatro poético, que se inició en España con el siglo XX; pues la concepción del teatro poético es totalmente distinta y encontrada en ambos dramaturgos.

Agustín del Saz percibe (2) cuanto hay en el teatro poético de Valle-Inclán de protesta contra el falso arte dramático poético que dominaba en las tablas españolas por el tiempo en que él compuso *Cuento de Abril* y *Voces de gesta;* pero, yerra al creer que los dardos de Valle-Inclán iban dirigidos contra Villaespesa

---

(1) Juan Rogerio Sánchez. *El teatro poético: Valle-Inclán y Marquina,* Madrid, 1911

(2) Agustín del Saz Sánchez. o.c., 25

y no contra Marquina; pues el primero cultivó un teatro puramente lírico que no le atraía a Valle-Inclán y la obra más importante de este dramaturgo, *El alcazar de las perlas* se representó en 1911, después, por lo tanto, de *Cuento de Abril.* No, los ataques de Valle-Inclán, implícitos en su arte, eran lanzados contra un teatro de pretensiones épicas y éste era el cultivado por Marquina.

Separándose totalmente de Marquina, rehuyó Valle-Inclán los temas de heroismo patriotero, convertido ya en lugar común (El Cid, María la Brava, los capitanes españoles de Flandes) y los escenarios ya conocidos de sus hazañas, y buscó nuevos personajes más anónimos y lugares poco transitados por la épica: unas veces buscó ese heroismo en gentes infanzonas, que muestran su ánimo esforzado no en batallas sino en su carácter fiero en mundos placenteros y sensuales (*Cuento de Abril*); y otras veces lo buscó en las gentes humildes de regiones que no figuran en la épica tradicional castellana, como el País Vasco *(Voces de gesta).* Quizás, como un desafío al catalán Marquina, que trataba las glorias nacionales en sus dramas épicos, escogió Valle-Inclán un tema provenzal, con personajes y ambiente provenzal, pariente del catalán, para su primera obra dramática poética, *Cuento de Abril.*

* * *

El carácter innovador, experimentalista, del arte dramático de Valle-Inclán es todavía más visible en su teatro poético que en el compuesto en prosa; pues cada una de sus obras dramáticas poéticas aspira a ser un género dramático distinto. César Barja señala certeramente este carácter experimentalista: "Por el momento hemos de hacer mención de tres obras publicadas seguidamente de las tres *novelas de la Guerra carlista,* las tres en verso. En el orden de su aparición: *Cuento de Abril* (1910), *Voces de gesta: tragedia pastoril* (1912), *La Marquesa Rosalinda* (1912). No existe entre estas tres obras la relación cíclica que por razón del tema y en parte de sus caracteres, existe entre las de los grupos anteriores. Son, por el contrario, tres obras completamente independientes, tan independientes, como entre sí pueden serlo: un *drama poético,* o un *poema dramático — Escenas rimadas de un modo extravagante,* lleva de subtítulo *Cuento de Abril* — desarrollado en un medio de lirismo y amor provenzales; una *tragedia pastoril,* desarrollada en un ambiente de guerra, de sacrificio y de venganza, en una Castilla heróica; y una *comedia ligera,* una *Farsa sentimental y grotesca* — subtítulo de *La Marquesa Rosalinda,* resultante del espíritu extranjero, provenzal, allí, francés aquí, que inspira las dos piezas, precisamente en contraste en las dos con el espíritu castellano" (1).

Por su parte Ramón Pérez de Ayala, sagaz crítico del teatro de Valle-Inclán, ve en estas tres obras tres de los arquetipos del arte dramático de Valle-Inclán; con la particularidad de que el cuarto corresponde a otra de las obras del teatro poético, *La enamorada* del rey, publicada ya en un periodo posterior (1920). Pérez de Ayala descubre toda una sistemática en el arte dramático valleinclanesco, con la que el autor se propone crear cuatro arquetipos, y estos cuatro arquetipos, unidos a su teatro poético, serían: *Voces de gesta* para la *Tragedia* ("la necesidad obrando como fatalidad dentro de cada individuo, en forma de pasiones); el *Drama poético,* representado ahora por *Cuento de Abril* ("la necesidad obrando como fatalidad dentro de cada individuo, en forma de *visión integra* de la vida"); *La Marquesa Rosalinda,* como *Farsa* (la necesidad obrando dentro de cada individuo, en forma de *rutina,* de instinto habitual . . . . cada personaje es una marioneta con un hilo que la mueve"); y, finalmente, la *Comedia infantil* (Ayala señala en este caso *La cabeza del dragón,* como "la *máxima libertad* del espíritu ante el mundo absurdo y ridículo) (2) pero, desde el punto del teatro, poético, podía colocarse en este cuarto extremo de la clasificación la *Farsa infantil de la enamorada del rey.*

* * *

Las dos primeras obras en verso de Valle, *Cuento de Abril* (1910) y *Voces de gesta* (1912), distintas en su carácter dramático, tienen, sin embargo, en común el responder a un sentido plural de España; y esta pluralidad constituía entonces un elemento esencial de su arte dramático; pues el tema principal de *Cuento de Abril* está justamente en su afán de mostrar el contraste entre el sentido duro y austero de la vida de los castellanos y el más placentero y humano de los provenzales, unidos estrechamente a los catalanes; y la médula de *Voces de gesta,* tragedia pastoril, está en la exaltación de las viejas costumbres patriarcales del

(1) César Barja, *Autores contemporáneos,* New York, 1964, 403-4
(2) Ramón Pérez de Ayala. *Las máscaras,* Madrid, 917-9

País Vasco, holladas por gentes extrañas, de otras partes de España, invasoras de su suelo y opresoras de su pueblo.

Valle-Inclán, que llevó a sus obras en prosa el tema gallego, se alejó aparentemente de él y de una manera total en las en verso; y, sin embargo, el mundo gallego es el que inspiró tanto el *Cuento de Abril* como las *Voces de gesta.* Valle-Inclán, que se había esforzado en expresar, en sus dramas en prosa, el carácter de los personajes, el paisaje y las tradiciones dramáticas de su tierra, buscó para sus obras en verso otros escenarios con otros personajes; pero, al hacerlo, trasladó a las tierras lejanas personajes y temas que había recibido de la tradición, mas de la literaria que de la popular, de Galicia.

Agustín del Saz se apresura a señalar las influencias foráneas que encuentra en el *Cuento de Abril:* y destaca como principal la de Rubén Darío (1). Pero tan importante o más que ella es la influencia de las fuentes literarias gallegas, particularmente la del historiador Benito Vicetto y la del poeta Eduardo Pondal, el cual la tendrá todavía mayor en el carácter, tono y personajes de *Voces de gesta.*

* * *

El tema central del poema dramático, *Cuento de Abril,* el viaje de un rudo y fiero infante castellano a la Provenza para casarse allí con una delicada princesa, es un trasunto, cambiado más el tiempo que el lugar, de una vieja historia de la Galicia sueva, contada por Benito Vicetto en su *Historia de Galicia:* es el viaje del rey suevo Rechiario, que llegó a dominar gran parte de la Península Ibérica, a Tolosa, residencia a mediados del siglo V de los reyes visigodos, que eran dueños del sur de Francia y de la parte oriental de España — para casarse en Tolosa con una princesa goda: "La monarquía goda en las Galias iba haciéndose más poderosa de día en día; y Rechiario, para asegurar más y más la conquista de España, envió una embajada a Teodorico, rey de los godos, pidiéndole una hija en matrimonio. Teodorico accede. Rechiario, entonces, reune un ejército; y cuanto terreno mediaba entre la frontera de Galicia y Tolosa, todo lo saquea, llevando por delante de sí los ganados y lo que encontraba de valor rindiendo estas preseas en la Corte goda a los pies de su novia" (1).

---

(1) Agustín del Saz. - o.c., 18

(1) Benito Vicetto. *Historia de Galicia,* vol. II, 221-2

La oposición del carácter entre el bárbaro rey suevo, señor de Galicia, y la delicada y refinada princesa goda de la Corte de Tolosa, se transforma en el poema de Valle-Inclán, en *Cuento de Abril,* en la de un rudo infante castellano y una amable y sensual princesa provenzal, de la misma zona del sur de Francia que la princesa goda.

* * *

El otro episodio de fuentes gallegas utilizado en *Cuento de Abril* es el de la cacería del trovador provenzal Pedro Vidal, enamorado de la Princesa, por los sabuesos del infante castellano. Pedro Vidal, arrepentido por haber besado dormida a la princesa y creyendo que ésta estaba irritada de su conducta, se había ido a las montañas, donde, disfrazado de lobo, hacía penitencia; y allí, en ese disfraz, lo encontró la jauría del infante, que andaba cazando jabalíes y los perros lo atacaron, destrozándole su piel de lobo.

Este episodio procede de la tradición heráldica gallega; y el propio Valle-Inclán nos lo cuenta en su *Sonata de Otoño,* atribuyéndole esta hazaña al capitán Alfonso de Bendaña, de la época de los Reyes Católicos, fundador del mayorazgo de Brandeso, antepasado del Marqués de Bradomín y de una de sus primas, amante suya, protagonista con él de la Sonata: "Aquel capitán, que en los Nobiliarios de Galicia tiene una leyenda bárbara. Cuentan que, habiendo hecho prisionero, en una cacería, a su enemigo el Abad de Mos, le vistió con pieles de lobo y le soltó en el monte, donde el Abad murió atarazado por los perros" (1).

La influencia del poeta gallego Eduardo Pondal es más indirecta: no está en ningún episodio concreto sino en la figura y el carácter del rudo infante castellano que procede directamente de las estampas de los viejos guerreros celtas que gustó de presentar Pondal en varios de sus poemas en lengua vernácula.

Como observa Juan Guerrero Zamora (2) *Cuento de Abril* es la expresión de "los movimientos oscilatorios" de Valle-Inclán entre el mundo de influencias galas, de tendencia lírica, que ve expresado en *La Marquesa Rosalinda,* y el de "firme garfio de

---

(1) R. del Valle-Inclán, *Sonata de otoño,* 169

(2) Juan Guerrero Zamora. *Historia del teatro contemporáneo,* 3 vols., Barcelona, 1961, vol. I, 163

nuestra raza", de carácter épico, que produjo *Voces de gesta.* Pero debemos advertir que ese segundo extremo de ese movimiento oscilatorio no está en la gesta castellana, sino la céltica, la leyenda del Rey Artur, encarnada en el nombre de Ginebra, y también la gallega de la poesía de Pondal.

* * *

En los abundantes elementos de procedencia parnasiana francesa es donde está el carácter modernista que Agustín del Saz artibuye a esta obra (1). "A la figura teatral de Bradomín, expresivo de lo más genial de su obra total que son las *Sonatas,* con más acusados caracteres modernistas *Cuento de Abril* (1910), que pertenece integramente al teatro poético. Dividida en tres actos, sus decoraciones son otra vez jardines de rosas, divinas encantadas (bocas, cabelleras de llamas, senos de fragancia) y fuentes. Los lectores de Rubén Darío podemos recordar el *jardín azul y sonoro,* las abejas de oro, las gentiles rosas de Francia, los aleteos de un beso, la alta estirpe de los madrigales; la gaya poesía y tanto motivo dieciochexco francés, como minué, buqué lírico, pavo real y laurel rosa y las fuentes "hilando sobre las barbas limosas de los tritones, en el oro matinal" etc. A esto, se une una estructura poemática, desde su preludio: "la divina puerta dorada del jardín azul os abre su vara encantada", mezclada con las sensaciones cuya expresión fue el modernismo" (2).

Pero no son los elementos parnasianos los que dan carácter a *Cuento de Abril,* sino los de naturaleza simbolista, a los cuales están subordinados los anteriores. Los elementos parnasianos están utilizados en este poema dramático o drama en verso con el propósito de presentarnos, en su espíritu, ambiente y materia, dos mundos distintos y hasta encontrados, que son trasunto a la vez de las dos Españas, las cuales, con su distinto sentido de la vida, poco importa si por línea directa o a través de la poesía española se vienen enfrentando a lo largo de los siglos: la lírica, blanda y sensual, encarnada en la Provenza, emparentada con Cataluña; y la dura, épica y ascética de Castilla: "Los personajes — dice Agustín del Saz — son dos psicologías geográficas: la princesa de Imberal, con su urraca sobre el hombro, repite el estribillo de la vieja canción Pierres y Magelón. Es una personificación de la Provenza. Frente a ella el infante de Castilla, ascético y varonil, de barbas

---

(1) Agustín del Saz, o.c., 14

(2) Agustín del Saz, o.c., 18

monjiles, ojos profundos, de mirada violenta para las azafatas que se le cruzan en la marcha, armas y capuz, mitad guerrero y mitad fraile . . . Infante que sigue los arrebatos de la pasión pero que a su paso deshoja las rosas de los rosales. La princesa provenzal no se deja ganar por la pasión castellana, sino por el trovador Pedro Vidal, que, en sus jardines de laureles y mirtos, es celebrado por su buena gracia para decir locuras. Este trovador provenzal representa lo muelle, lo vicioso y blando. El castellano es lo duro, lo pasional y lo rectilíneo" (1).

Juan Guerrero Zamora ve en *Cuento de Abril* la confrontación de dos culturas: la provenzal (princesa de Imberal, universo sonriente, gaya ciencia, cortes de amor, trovadores y juegos florales, madrigal y rondel); y la castellana (el Infante, asceticismo, sequedad, celoso recato)" (2).

Al presentar la confrontación de estas dos culturas, la castellana y la provenzal, que bien podía ser la catalana y quizás también la gallega, expresa Valle-Inclán uno de los temas predilectos de la *Generación del 98:* el del carácter de España, que él ve en su pluralidad; y más aún en la oposición del sentido ascético castellano y el sensual de la periferia. Y, en esta pugna, Valle-Inclán se inclina sin vacilación por lo lírico y sensual, en esta fase de su arte dramático. Basta leer *La lámpara maravillosa,* uno de los más brillantes manifiestos del arte simbolista escritos en cualquier lengua, para comprender donde estaba el corazón y la simpatía de Valle-Inclán en esta pugna, en el periodo en que compuso el *Cuento de Abril.* Años más tarde, en la fase expresionista de su arte, se producirá una mayor aproximación a lo castellano.

Las palabras de Juan Guerrero Zamora de que, en *Cuento de Abril,* Valle-Inclán vacila entre lo lírico y lo épico hay que referirlas a la estética y no a los valores morales: "Además en la escala de la valoración estética — dice Guerrero Zamora — lo bronco y lo lírico marcan, en el autor, los extremos positivos y negativo respectivamente, que a su vez se caracterizan según su xenofilia o su casticismo integral. Y el sentimiento de *Cuento de Abril* oscila visiblemente entre hacerse prosélito del infante adusto

(1) Agustín del Saz, o.c., 18
(2) Agustín del Saz, o.c., 18

o trovador de la Infanta florida, dramatizándose así esa ambivalencia típica de Valle de que venga hablando" (1).

La tendencia a la ironía caricaturesca, que florecerá en todo su esplendor en la última fase del arte de Valle-Inclán, en la expresionista, asoma en esta obra de una manera timida todavía; y asoma en la visión de Castilla, como país enclaustrado en su religiosidad y asceticismo, en el diálogo entre el Infante y la Princesa:

Infante

"Señora, nuestras fiestas
nunca son tan galanas.
Las Fiestas de Castilla
son como nuestras madres castellanas.
Vísperas y sermón,
plática en el estrado,
en la vasta cocina gran matanza
de aves y corderos.
Una hoguera en la plaza, y una danza
honesta de pecheros.
Y, al recalarse de las procesiones,
un auto de juglares en la iglesia,
donde se representa algún misterio
de Nuestra Santa Religión Cristiana,
y el Pecador, la Muerte, el Diablo
aparecen de bulto . . .

Infanta. Bien sabéis describillas.
para no ser galanas,
Infante, vuestras fiestas castellanas.
¡Rezo y sermón! ¡Mantillas
y encapuchados! ¡Villanesca bulla!
En un mismo cortejo
mezclado don Antruejo
y la Madre Cogulla . . ." (2).

* * *

(1) Juan Guerrero Zamora. o.c., vol. I, 166
(2) Ramón María del Valle-Inclán, *Cuento de Abril*, en *Obras completas*, Madrid, Aguilar, II, 314-5

Valle-Inclán, amante de las más antiguas tradiciones y leyendas, era un incansable innovador, preocupado siempre por expresar lo viejo en nuevas formas, desde el punto de vista y la sensibilidad de una nueva estética.

Este mismo espíritu innovador informa la versificación de sus obras poéticas y dramáticas. El catalán Eduardo Marquina, enamorado del teatro español del Siglo de Oro, empleó en general las formas métricas de ese teatro en el suyo modernista. "Junto al fondo general de romances, redondillas, quintillas y décimas — dice Tomás Navarro — Marquina utilizó con frecuencia el octasílabo rimado en forma de silva en *La alcaldesa de Pastrana, Las flores de Aragón, Por los pecados del rey* y *En Flandes se ha puesto el sol*" (1). Sólo rara vez se salió de esta norma para emplear formas métricas más modernas: "La obra en que aplicó más ampliamente la métrica modernista fue *El rey trovador,* donde, sin abandonar los romances y redondillas, hizo intervenir eneasílabos dactílicos trocaicos, decasílablos compuestos, dodecasílabos, y series mezcladas de hexasílabos, eneasílabos y dodecasílabos con rimas repetidas e insistentes a modo de salmodia" (2).

Por el contrario, Valle-Inclán tuvo, desde el primer momento en que escribió para el teatro poético, el empeño de emplear nuevas formas métricas; e incluso subtituló su *Cuento de Abril, Escenas rimadas de una manera extravagante.* Tomás Navarro, registrando estos esfuerzos de Valle-Inclán, dice que "en sus obras dramáticas, modificó profundamente la versificación tradicional del teatro. A su *Cuento de Abril* lo presentó con el subtítulo de *Escenas rimadas de una manera extravagante.* Aparte del preludio, en cuartetos eneasílabos, y de algunas escenas en alejandrinos, la versificación de esta obra se desarrolla en silvas de versos flutuantes en que predominan los ritmos de la muiñeira y del arte mayor" (3). Tomás Navarro resalta con agudeza el ritmo gallego (muiñeira y arte mayor) de las innovaciones métricas de Valle-Inclán en *Cuento de Abril.*

Valle-Inclán, que volvió a lo primitivo y a lo medieval en la temática, empleó también, de acuerdo con la misma tendencia,

---

(1) Tomás Navarro. *Métrica española,* Syracuse, New York, 454

(2) Tomás Navarro. *Métrica española,* Syracuse, New York, 1956, 455.

(3) Tomás Navarro. - o.c., 455

formas poéticas de la Edad Media: "Pero, en lo que toca a este último punto (las innovaciones métricas de carácter medieval) — dice Juan Guerrero Zamora — es más característico *Cuento de Abril,* que no en balde transcurre en la Provenza. Al igual que en la tragedia pastoril anteriormente citada (*Voces de gesta*) prevalecía el ritmo heroico-dodecasílabo, aquí priva, modernamente acrisolada, la canción del siglo XV, las combinaciones acentuales de arte menor, la herencia,en fin, de los trovadores, de los siglos XII a XV" (1).

A diferencia de las otras obras en verso, en las cuales las acotaciones escénicas están compuestas, como el resto de ellas en verso, en *Cuento de Abril* están en prosa: "*La Marquesa Rosalinda,* y *La enamorada del rey* (como *Voces de gesta* y la *Farsa y licencia de la Reina castiza*) tienen las acotaciones en verso — dice Guillermo Díaz-Plaja — lo que ha obligado a los directores de escena, para no perder el valor estético de la misma, a inventarse un personaje marginal, suerte de trujimán o dueño del retablo que, a uno de los lados del escenario, dice, en voz alta, dichas acotaciones" (2).

Las acotaciones escénicas sirven para acentuar el carácter más lírico que dramático, según acertadamente advierte César Barja. Es en ellas donde está, quizás más que en el diálogo ese mundo parnasiano modernista: "Hay en esta obrita — dice Barja — un sentimiento tan lírico, tan delicado y tan finamente humorístico; un sentimiento tan de poesía y de cuento de una princesa y un trovador, que hacen de ella un verdadero encanto" (3).

Todas ellas forman un rico mosaico de piezas preciosas parnasianas: "Tiene el jardín la gracia pensativa de los cipreses y la fragancia de las rosas"; "cerca de la fuente donde abre su cola el pavo real"; las "azafatas acechan escondidas en un soto de laurel rosa"; "la princesa camina por un sendero entre altos mirtos. Lleva birrete con plumas y sobrevesta ginovesa, recamada por bellotas de ambar"; "todas las azafatas asoman riendo. Vienen por los senderos del jardín. Son siempre ninfas de una alegoría. Y parece que pliega los ropajes una brisa de primavera" etc.

---

(1) Juan Guerrero Zamora, o.c., vol. I, 165
(2) Guillerom Díaz-Plaja, o.c., 216
(3) César Barja, o.c., 404

XI — EL TEMA EPICO: *VOCES DE GESTA*

La nota épica, discretamente representada en *Cuento de Abril,* en la figura del Infante castellano, enseñorea toda su segunda obra dramática en verso, *Voces de gesta* (1912), representada, en un teatro de Valencia, el 26 de mayo de 1912. Cuantos han estudiado el teatro poético de Valle-Inclán se han apresurado a atribuir un origen puramente castellano a esta nota épica (Agustín del Saz, J. L. Brooks, César Barja). Sólo Juan Guerrero Zamora percibe, sin insistir mucho sobre él, el origen y el ambiente vasco de esta *tragedia pastoril* (1).

Pero conviene advertir, al comenzar el estudio de la fase épica del teatro de Valle-Inclán, que *Voces de gesta* no es castellana ni en su sensibilidad literaria, ni en sus personajes principales ni siquiera en el lugar en que se desarrolla la acción del poema dramático. El origen de este drama épico no es castellano; pues el lugar en que se desarrolla la trama es el País Vasco-navarro, los personajes principales son en gran parte de este país asi como el ambiente, y, procede, como *Cuento de Abril,* de una visión plural de las Españas. Con la diferencia de que, mientras en éste se enfrentaba la lírica Provenza con la épica Castilla, ahora en *Voces de gesta,* se enfrentan dos Españas épicas: la primitiva, de raíces populares, del País Vasco-navarro; y la aristocrática, de posible origen castellano y cortesano, encarnada en las tropas invasoras del País Vasco.

Guillermo Díaz-Plaja encuentra en *Voces de gesta* "la concepción extraña de una vaga Castilla, acogida al roble floral"; pero que manda desde la historia, desde la Muerte (2); y César Barja afirma la misma vinculación de esta obra a Castilla, diciendo que "*Voces de gesta* nos traslada de este ambiente de lirismo provenzal y galantería amorosa francesa (de *Cuento de Abril)* a un ambiente de Castilla heróica" (3).

Y, sin embargo, desde el primer momento del poema dramático, Valle-Inclán expresa claramente, para quienes lo quieran

---

(1) Juan Guerrero Zamora, o.c., vol. I, 164
(2) Guillermo Díaz-Plaja, o.c., 64
(3) César Barja, o.c., 406

ver, las raíces vasco-navarras de esta tragedia pastoril: el árbol foral, del primer verso de la ofrenda, que precede la obra, no es otro que el *Gernikako arbola,* el árbol de Guernica, del himno vasco, pues éste es el único árbol foral que hay en España. Y bajo este árbol foral, como si fuera el bardo del País Vasco, Valle-Inclán ofrenda su poema a todos los representantes más característicos del mundo vasco: a los pastores que escuchan temblando las gestas de sus *versolaris;* a las dulces abuelas que hilan al sol en el campo de los *pelotarís;* a los patriarcas que acuerdan las guerras pasadas y en la lengua materna aun evocan las glorias de viejas jornadas, mirando a los nietos tejer el *espatadanzaris* (1.) País Vasco, más Navarra que las Provincias Vascongadas, con sus hayedos, sus quebradas y sus pastores del Monte Araal.

* * *

Voces de gesta es la escenificación idealizada, desligada de las ataduras más del tiempo que del espacio, del tema de las *novelas de la guerra carlista.* Valle-Inclán gustó de escenificar los temas principales de sus novelas en serie: el de las *Sonatas* lo llevó al teatro en *El Marquês de Bradomín;* el de las *novelas de la guerra carlista,* en *Voces de gesta;* y el de la serie de *El ruedo ibérico,* en la *Farsa y licencia de la Reina Castiza.* Con la particularidad de que, mientras en las dos primeras series y temas, la escenificación es posterior a su presentación novelesca, en la última la escenificación precedió a la narrativa.

Según Carlos Seco Serrano, en *Valle-Inclán y la España oficial* "todavía en 1911 (el año antes de la aparición de *Voces de gesta),* el escritor proyecta varios volúmenes nuevos para ampliar la serie de la guerra carlista; en 1912 estrena *Voces de gesta,* idealizada escenificación del ciclo" (2).

El tema de la última guerra carlista, desarrollada en el último tercio del siglo XIX, se llenó de los detalles vivos de la *intrahistoria,* tan grata a los escritores de la *Generación del 98,* en las *novelas de la guerra carlista,* de Valle-Inclán; pero en *Voces de*

---

(1) Ramón del Valle-Inclán, Obras Completas. vol. I, 103
Guillermo de Torre desvincula *Voces de gesta* de todo tiempo y espacio, en *Valle-Inclán o el rostro y la máscara,* en *La difícil universalidad española,* Buenos Aires, 1965, 121

(3) Carlos Seco Serrano. *Valle-Inclán y la España oficial,* Revista de Occidente. Madrid, noviembre-diciembre, 1966, 213

gesta el tema se desprende de su cargamento de realidad histórica, de las anécdotas de esa guerra y de sus personajes, para aparecer en forma de una fantasía alegórica en la que intervienen personajes fabulosos y legendarios de la época europea, de raíces más célticas que germanicas.

* * *

Si la geografía de *Voces de gesta* es fácil de precisar, los personajes de su fábula pertenecen al mundo fabuloso de las epopeyas, mezcla de su historia, de literatura y de ficción, de toda Europa, y llevan los nombres de conocidas figuras legendarias.

Valle-Inclán, que había novelado las guerras carlistas en su trilogía de *Los cruzados de la causa, El resplandor de la hoguera* y *Los gerifaltes de antaño,* en la que reconstruyó el ambiente y algunos de los personajes reales que intervinieron en este conflicto armado de las guerras civiles españolas del siglo XIX, mezclando en su narración la realidad con la ficción, nos da, en *Voces de gesta,* una visión totalmente legendaria de la guerra carlista, uniéndola, en los nombres de los personajes y de algunos de sus actos, a las fábulas épicas, caballerescas y religiosas, germánicas, célticas y mediterráneas, de toda Europa.

Los pastores del Monte Araal, que llevan los nombres de personajes de las más famosas leyendas europeas y españolas, son personajes de la más pura ficción, con la ambición de que sean tipos representativos de ese mundo foral, que lucha contra el invasor de su tierra: Ginebra, la pastora que es forzada por el capitán de las fuerzas invasoras, lleva el nombre de la esposa del Rey Artur, el campeón del pueblo celta, a comienzos de la invasión de las Islas Británicas por los bárbaros germánicos; Tibaldo tiene el de los reyes de una de las Casas reales, la de Champaña, que rigió los destinos de Navarra en la Baja Edad Media; Oliveros, el de uno de los caudillos del ejército de Carlomagno, que fue derrotado en el paso navarro de Roncesvalles por los vascos, según la versión popular vasca de este episodio; el zagal Garín tiene el del penitente que fundó, en la lejana Alta Edad Media, el santuario catalán de Monserrat; y Gundián lleva el de uno de los ermitaños que aparecen con más frecuencia en *Aromas de leyenda,* el libro de poemas de Valle-Inclán de su fase simbolista, en los que trató de expreasr el alma legendaria de Galicia.

El Rey Carlino, el personaje más desdibujado de la obra, no lleva nombre alguno de personajes de la epopeya europea caballeresca o religiosa; pero esto no es obstáculo para que sea un pálido remedo de la figura del Rey Artur, de la historia y de la leyenda celtas. Huidizo, tanto en su conducta como en su carácter, sus contornos se esfuman en tanto que se acusan con toda nitidez los de los pastores del Monte Araal, que son los verdaderos protagonistas, más que el Rey Carlino, de esta tragedia, la cual, por esa razón, lleva el título de pastoril. Como en la realidad de las guerras carlistas, cuyos principales protagonistas fueron las masas campesinas vasco-navarras, y el rey Carlos y sus descendientes huidizas sombras, en el mundo de la ficción legendaria valleinclanesca es el pueblo vasco-navarro, representado por sus pastores, el que ocupa el primer plano de la obra, y del que es como un bardo, a la sombra del árbol foral, Valle-Inclán.

César Barja contrasta el carácter secundario del Ray Carlino ante la fuerza que muestran sus súbditos que le defienden: "Como en un poema épico y trágico, asistimos ahora a la lucha heroica de un héroe contra su destino. Perseguido del suyo, vaga errante por el monte el rey Carlino, viviendo como otro cabrero, resistiendo y sufriendo los ataques a él y las violencias y ultrajes a sus súbditos de otro rey. Más grandes y más heróicos son aun el sentimiento de lealtad, de abnegación y de sacrificio de sus súbditos, los pastores, hombres y mujeres, y la lucha que por su rey sostienen. Uno de estos pastores, Ginebra, es la heroina de la tragedia. Robada y bárbaramente mutilada por los soldados del rey enemigo, logra, al fin de diez años de espera, cortar la cabeza al que fue su deshonra y su verdugo, y por otros diez años marcha, arrastrándose, ciega como la han dejado, por los caminos del monte, en busca del rey Carlino, para presentarle la cabeza enemiga que consigo lleva. Encuéntralo al fin, derrotado y vencido, pero resplandeciente y triunfante de nobleza y de humanidad" (1).

* * *

Voces de gesta es un avance más en la evolución del héroe valleinclanesco del individual, de exquisita y luego de fiera individualidad, hacia otro de carácter colectivo. Todavía en las *Comedias bárbaras,* el héroe individual e individualista don Juan Manuel

---

(1) César Barja. o.c., 406-7

Montenegro, destaca su personalidad y conducta dentro del coro general de las voces típicas del pueblo gallego, siendo muchas veces como un solista que canta mientras se oye en el fondo el murmullo de las voces de la masa coral. Ahora, en *Voces de gesta,* el rey Carlino deja de ser un solista para ser su voz una de las más apagadas de la masa coral que canta esta tragedia pastoril.

Guillermo Díaz-Plaja registra la tendencia creciente de Valle-Inclán a substituir el protagonista individual por el colectivo en el que, según dice el crítico español, culminará el arte valleinclanesco (1); pero no percibe que este proceso se inicia y madura antes de la fase expresionista, sobre todo de la aparición de *La Corte de los milagros,* en la cual Díaz Plaja, va a expresarse el héroe colectivo. Este héroe, iniciado débilmente en las *Comedias bárbaras,* hizo su franca aparición en *Voces de gesta,* cuyo auténtico protagonista es un conjunto de pastores, defensores de las libertades forales y, por lo tanto, tradicionales de su pueblo.

Juan Guerrero Zamora percibe este carácter limitándose a registrarlo más que a destacarlo: "Su transcurso (el de *Voces de gesta),* el que va de la bucólica a la épica. Los cabreros que azuzaban a sus mastines contra el lobo, terminan azuzándolos contra el hombre. La pastora que hilaba su copo de lana junto al abuelo Tibaldo, ya parida — su hijo se llama Garín — y nuevamente enfrentada, con el paso del tiempo, al capitán que la humilló, levantará su brazo de venganza como Judith y marchará en la compañía del rey vencido. Ningún refinamiento, ninguna sutilidad civilizada. El tono entrañable que Valle-Inclán consigue es el de una cultura arcaica pero integra, inconcreta — pues no se localiza, a pesar de sus resonancias puramente ibéricas comunicadas por una serie de vocablos vascos: *pelotaris, versolaris, espata-danzaris* —, pero maciza, elegiaca — la épica valleinclanesca es siempre de tipo legendario, de lo cual su pátina, y se produce como brutal alteración de una paz eglógica, de lo cual su timbre de melancolía —, pero recia. Cada personaje cumple su función argumental rotunda y naturalmente, con una fatalidad que es la de la sangre o la del temperamento de modo que a todos, verdugos o víctimas, conviene una misma elevada esta-

(1) Guillermo Díaz-Plaja. o.c., 167

tura, deonde caben sentimientos redondos — odio, amor, venganza, fidelidad — pero no segregados cerebralmente ni mezquinos" (1).

La principal influencia que pesó sobre Valle-Inclán en la composición de esta tragedia pastoril no fue ibérica o castellana, como dicen algunos críticos españoles, sino céltica; y procede de Macpherson — el escritor escocés creador del falso Ossian, en el siglo XVIII —, a través del poeta gallego Eduardo Pondal (1835-1917). De Pondal proceden tres de los elementos más importantes que encontramos en *Voces de gesta:* el sentido de que el rey es el caudillo de las clases populares, patriarcales, campesinas; la combinación de égloga y épica; y el papel de guerrero que le asigna a la mujer.

Carballo Calero señala estas tres características de la obra de Pondal. En cuanto a la primera, al sentido aristocrático de la épica y al sentido popular del caudillaje, destaca las diferencias que hay entre el poeta gallego y la épica tradicional, desde Homero a Ossian: "Los modelos épicos de este lírico heroico. El hombre oscuro no cuenta para ellos . . . Pero Pondal exalta en su obra a una clase de grandes elevados por sus hazañas guerreras o sacerdotales — guerreros o profetas — no parece que el simple nacimiento confiera grandeza, aunque parece implícitamente contenido en la ética pondaliana la idea de que lo natural es lo que el heroismo florezca en los linajes esclarecidos. Pero mientras en Homero y en Ossian se lucha por intereses aristocráticos — hermosas princesas, solios reales o alianzas dinásticas, en Pondal la lucha se emprende o se convoca para el servicio del pueblo, que es la raza de Breogán. Morir por la patria oscura, pero noble, y capaz de llevar la luz a la caduca Iberia es un ideal del grande. La aristocracia, pues, está al servicio de la raza" (1).

Este sentido de la aristocracia al servicio de la raza, de su pueblo, que ya asomaba de una manera extraña en las relaciones de don Juan Manuel con los campesinos, en *Comedias bárbaras,* aparece en todo su vigor en *Voces de gesta,* donde el rey Carlino es un caudillo, más nominal que real, de su pueblo de pastores.

En Pondal está esa fusión de mundo bucólico y épico, apenas iniciado en *Cuento de Abril,* y llevado a una íntima fusión en

---

(1) Juan Guerrero Zamora, o.c., vol. I, 163-4

(1) E. Carballo Calero. *Historia de Literatura Gallega,* 1608-1936, Vigo. 1963, 249

Voces de gesta: "Por otra parte — dice Carballo Calero, refiriéndose a Pondal — lo eglógico y lo cívico no están en Pondal perfectamente diferenciados en unidades poématicas, siendo que frecuentemente aparece el primero como fondo del segundo" (1).

Y, por último, en Pondal aparece la mujer como un tipo guerrero al lado del hombre; y también la que, en una ética primitiva, expresa de la virilidad masculina, como ocurre con Ginebra en *Voces de gesta,* tanto en su papel guerrero como en el de ser forzada por el capitán del ejército invasor: Carballo Calero registra estos dos tipos femeninos en los poemas de Pondal: "la heroina ossiánica, la virgen guerrera, la doncella cazadora o la que tañe el arpa bárdica" (2); y otros tipos femeninos de la joven sencilla y la adolescente ansiosa (3).

* * *

A diferencia de *Cuento de Abril,* en el que las acotaciones escénicas estaban en prosa, en *Voces de gesta* están en verso. Tomás Navarro señala una distinción entre el verso del diálogo y el de las acotaciones: "Este tipo mismo de verso (silvas de versos flutuantes en que predominan los ritmos de la muiñeira y del arte mayor), dilatado a veces por medio de 'medidas compuestas, domina en *Voces de gesta,* al lado de acotaciones en metros regulares y de una escena en pentasílabos ternarios" (4).

Juan Guerrero Zamora anota con gran detalle las innovaciones métricas de Valle-Inclán en *Voces de gesta,* innovaciones características del modernismo español e hispanoamericano: "Este modo de composición métrica, irregular — de la *Ofrenda* que precede a *Voces de gesta* — basada aparte de la rima — principalmente combinada por cierto: A-A-B-C-B-C- C-B-C-D ADDA, — únicamente en los acentos, fue contemporáneamente iniciado por Rubén Darío, y desplegado a sus más ricos extremos por todos los poetas de la escuela modernista, especialmente por los hispanoamericanos Silva, Santos Chocano y Lugones. La mayor parte de su obra está escrita según el paradigma del metro heroico español (el dodecasílabo de Juan de Mena) que marcara el Pinciano: dos hemistiquios hexasílabos con acentos principales en

(1) E. Carballo Calero. - o.c., 274
(2) E. Carballo Calero. - o.c., 285
(3) E. Carballo Calero. - o.c., 286
(4) Tomás Navarro. - o.c., 454

quinta y undécima sílaba . . . Junto a él, el metro se lanza al exadecasílabo, combina — también como Juan de Mena — endecasílabos y dodecasílabos, se cruzan en descendencia francesa los versos de nueve con los alejandrinos y se rinde tributo a los *dacires, layes* y *canciones . . . .*" (1).

A esto se debe añadir que el dodecasílabo y el eneasílabo dactílicos, son dos de las formas de versificación preferidas por la poesía gallega en lengua vernácula; y que el dodecasílabo fue empleado ampliamente por Pondal.

(1) Juan Guerrero Zamora. - o.c., vol. I, 165

XII — LA FARSA EN EL TEATRO DE VALLE-INCLAN

Se pueden registrar tres periodos en los esfuerzos que hizo Valle-Inclán para introducir una nueva terminología en el arte dramático español: el primero, bajo la influencia de la corriente *simbolista,* se extiende por la primera década del siglo XX, en la que mostró mayor actividad que cualquier dramaturgo de su tiempo en la búsqueda de una *nueva terminología* para sus obras dramáticas; el segundo, de *transición, del simbolismo al expresionismo,* se extiende por la segunda década de este siglo (1910-1920), en la que Valle-Inclán creyó encontrar en la vieja forma dramática de la *farsa* el término más adecuado para su teatro, dándole a ese término una variedad de sentidos; y otro tercero, bajo la clara influencia de la *estética expresionista, que se extiende* por la tercera década del siglo, en el que acuñó el nuevo término de *esperpento* para designar su nueva concepción del arte dramático.

En la la primera fase, Valle-Inclán fue el escritor dramático que inventó mayor número de nuevos términos, de acuerdo con el arte simbolista europeo, empeñado en renovar el teatro desde sus raíces y formas ya establecidas; en el segundo empleó ya unicamente el término tradicional de *farsa* para designar no una sino varias formas dramáticas; y, en el tercero fue el inventor de un término nuevo, el de *esperpento,* que sería lo más característico de su teatro.

* * *

En la segunda fase de esa evolución, que coincide con su marcha del arte simbolista al expresionista, Valle-Inclán empleó exclusivamente el término de farsa para sus obras dramáticas; y en este género recogió obras de distinto contenido: en primer lugar, empleó este término para designar su primera contribución al *teatro infantil español* — cultivado por aquel entonces por algunos de los dramaturgos españoles más notables (Jacinto Benavente, Manuel Linares Rivas, etc.) — con su *Farsa infantil de la cabeza del dragón* (1910); la utilizó, en segundo término, en *La Marquesa Rosalinda* (1912) para componer una farsa, en el sentido tradicional de la palabra, añadiéndole como adjetivos los de *sentimental* y *grotesca;* en tercer lugar, para expresar un tipo nuevo de farsa, ya vecina del esperpento, mezclada de mundo infantil de la primera y del erótico grotesco de la segunda, en la *Farsa italiana de la enamorada del rey* (1920), en la que los personajes acentúan el carácter de muñecos del teatro de marionetas o de guignol, que ya se había iniciado, discreta y moderadamente, en las farsas anteriores; y, en cuarto y último, ese mismo año de 1920, de gran significación en la evolución general del arte de Valle-Inclán y, en particular, del teatro, compuso la *Farsa y licencia de la Reina Castiza,* que pertenece ya a la estética expresionista y que, por lo tanto, está más cerca del esperpento que la *Farsa de la enamorada del rey,* en la que hay, como un residuo del teatro infantil simbolista, el cual desaparece totalmente en esta última fase.

* * *

Dos son los elementos, encontrados en su carácter, que sirven de común denominador a las varias farsas valleinclanescas, elementos que van cambiando en su relación y proporción y a veces incluso en su carácter con el avance de su arte: uno *trágico* y otro *cómico;* con la particularidad de que el elemento cómico va predominando a medida que avanza su arte, mientras el trágico se va diluyendo, hasta perder casi su carácter en la *Farsa y licencia de la Reina Castiza.* Con la llegada del esperpento, fase última de la farsa valleinclanesca, recibe ésta un nuevo sentido de gran originalidad y valor en la historia de la farsa europea, y se cambian, en favor de lo trágico, las relaciones que hasta entonces existían en las farsas valleinclanescas entre lo cómico y lo trágico; pues mientras en la antigua farsa, la que estudiamos en este periodo, predominaba lo cómico, en el esperpento lo trágico será la nota más importante a la que quedará subordinada la cómica, y esta nota no procederá de fuentes entretenidas, risibles, divertidas, tenidas por su naturaleza como cómicas, sino, por el contrario, de raíces trágicas (personajes, actitudes, situaciones, diálogo, etc.) los cuales resultan, aunque no lo sean, por el contraste o la paradoja, más humorísticos que cómicos. El humor grotesco es la nota característica de los esperpentos; y este humor es muchas veces, como en *Las galas del difunto* y *La Rosa de papel,* sombrío por naturaleza. El predominio de lo cómico sobre lo trágico separa la farsa valleinclanesca de este periodo simbolista, o de transición del simbolismo al expresionismo, del esperpento, típico de su fase expresionista.

* * *

El elemento cómico, cada vez más grotesco, es el común denominador de estas cuatro farsas; elemento que se va acentuando a medida que avanza su arte del simbolismo al expresionismo. En la *Farsa infantil de la cabeza del dragón* predomina el mundo de pura ficción, fantástico, de cuento infantil, de claro carácter simbolista; quedando reducido lo cómico a la figura del bravo, del valentón, que se atribuye la muerte del dragón, matado por el principe Verdemar.

En *La Marquesa Rosalinda,* que lleva el subtítulo el de *farsa sentimental y grotesca,* lo cómico tiene un mayor alcance: está de nuevo en los matones, en los asalariados espadachines, alquilados por el celoso marqués, para asustar, más que para matar a Arlequín, el amante de su esposa, la marquesa Rosalinda; pero se extiende ya esta nota a la mayor parte de los personajes: al marido, al amante acobardado, a la erótica marquesa y a la turbada Colombina, segunda amante de Arlequín, etc.; y afecta a las situaciones dramáticas y a los temas tratados en el diálogo; singularmente al del honor, piedra angular del teatro tradicional español, desde el del Siglo de Oro hasta el de Echegaray, en el siglo XX, que ve irónica y humorísticamente Valle-Inclán.

Más tarde, en la *Farsa italiana de la enamorada del rey,* el mundo de la leyenda erótica (Casanova) y de la novela cervantina *(El Quijote,* la hija de la ventera, Maese Pedro) convive con el de los personajes grotescos que son remedo de la realidad histórica española del siglo XVIII y XIX, representados entre otros por el rey (Carlos IV) y el general Fierabrás. Mientras en los primeros elementos, en los de *El Quijote, se conserva un tanto, ya* muy diluido, el carácter infantil, en los segundos va entrando ya Valle-Inclán en el mundo grotesco del esperpento.

La última de las cuatro farsas, *La farsa y licencia de la Reina Castiza,* tiene ya un franco carácter grotesco en cada uno de sus elementos. Su arte expresionista, desde el lenguaje hasta sus personajes caricaturescos, le hacen hermana, casi gemela, del esperpento. En realidad, el esperpento, que dominó la producción de Valle-Inclán en la última fase de su carrera literaria y de su vida, no es más que la culminación de la farsa, que dominó su arte en la segunda década de este siglo; farsa que fue marchando, cada vez con paso más seguro, hacia esa maduración final, máxima encarnación del teatro de lo grotesco en lengua española.

Sus farsas están estrechamente unidas a su teatro poético; pues de las cuatro, tres están en verso *(La Marquesa Rosalinda, Farsa italiana de la enamorada del rey* y *Farsa y licencia de la Reina Castiza)* y sólo una en prosa (la *Farsa infantil de la cabeza del dragón).*

V

XIII — LA FARSA INFANTIL, EL TEATRO INFANTIL DE LINARES RIVAS Y EL DE VALLE-INCLAN. *LA FARSA INFANTIL DE LA CABEZA DEL DRAGON*

No se puede explorar ni comprender la evolución del arte dramático de Valle-Inclán sin tener presentes los dos polos en torno de los que se movió: por un lado, las corrientes generales del teatro europeo, de fines del siglo XIX y principios del XX, singularmente del simbolista, a las que el dramaturgo gallego fue más sensible que los demás escritores dramáticos españoles; y, por otro, el teatro español de su tiempo, en el que pesaba excesivamente la tradición del drama realista, cultivado por tres de los dramaturgos más notables de ese tiempo: José Echegaray, Benito Pérez Galdós y Jacinto Benavente. Con este teatro de naturaleza realista luchaba, no con mucha fortuna, el poético, de pretensiones modernistas, cuyo máximo representante era el catalán Eduardo Marquina.

Valle-Inclán, siempre sensible a las demandas y exigencias de las nuevas corrientes literarias y siempre dispuesto a superar el arte ya establecido, bien fuera el de los demás o el suyo propio, ensayó en sus farsas varios caminos para dar con un nuevo arte simbolista dramático español.

El primer camino que buscó fue el de la *farsa infantil,* al que pertenece su *Farsa infantil de la cabeza del dragón,* representada a principios de marzo de 1910. Dos factores habían influido en que Valle-Inclán anduviera por este camino: en primer lugar, el interés, que primero el teatro simbolista y más tarde el expresionista, habían despertado por el teatro de marionetas en todos los países de la Europa occidental singularmente en Alemania e Inglaterra; y, en segundo término, la aparición, hacía unos meses en la escena española, de una de las primeras obras de su teatro infantil, *El caballero lobo* (1909) del dramaturgo gallego Manuel Linares Rivas (1867-1938).

* * *

En España fue el gallego Manuel Linares Rivas el maestro del teatro infantil bajo el signo simbolista realista. Su primera obra de este carácter, *El caballero Lobo,* representada en el *Teatro Español* de Madrid, el 22 de enero de 1909, más de un año antes de que Valle-Inclán estrenara la *Farsa infantil de la cabeza del dragón,* es una de las obras maestras de este género.

El propio Valbuena Prat, para quien Linares Rivas, es un simple discípulo del arte dramático de Benavente, se ve obligado a reconocer que el dramaturgo gallego supera a su titulado maestro en varias formas de su teatro, entre ellas en el infantil: "no es extraño que, en algunos casos, un evidente discípulo, como Linares Rivas, le supere en vigor y cortado efectismo, ya en teatro de tesis, como *La garra,* ya en la vuelta a los motivos infantiles, como *El caballero Lobo,* ya en la sátira de la vida humana, a base de los muñecos de guiñol, en *Almas brujas,* tres obras que acaso sean de lo mejor de comienzos del siglo" (1).

Linares Rivas no era un discípulo de Benavente. Su teatro, más metido en el drama realista que el del autor de *Los intereses creados* (1907), es una exaltación de la vida burguesa, que rara vez aparece en las obras del dramaturgo madrileño. Sus obras son una sátira de los obstáculos o prejuicios que se oponen a que la sociedad española se ponga al nivel de la burguesía europea, a la que él ve como modelo: por eso en *El abolengo* (1904) combate, al modo galdosiano, los prejuicios de clase; y en *La garra* (1914) la ausencia de divorcio en la legislación española, que él considera como un obstáculo para la buena marcha de la familia.

La misma exaltación de la vida burguesa, que se manifiesta en sus comedias, de la vida urbana generalmente, se expresó también en su primera obra del teatro infantil, *El caballero Lobo* (1909), contada como una fábula por una abuela a su nieta; pues en ella el lobo, en lugar de comerse a una linda cordera, de la que se ha enamorado, se casa y vive feliz con ella, y tienen un tímido lobezno; y, al final, cuando el lobo, inducido por el zorro, trata de serle infiel a la cordera, haciendo una escapada de su casa una noche para pasarla con una loba, termina por renunciar a su aventura ante la actitud resuelta de su esposa, la tímida cordera, apoyada por un fraterno amigo, el oso. *El caballero Lobo* es un canto, en forma de teatro infantil, con los animales tomando el lugar de las personas, de las virtudes de la vida conyugal.

---

(1) Angel Valbuena y Prat. *Historia de la literatura española,* vol. III, 414 (sexta edición, Barcelona, 1960)

Los dos dramaturgos gallegos más notables del siglo XX, el compostelano Manuel Linares Rivas y el pontevedrés Valle-Inclán, realista el primero y simbolista el segundo, cuando empezó a escribir el teatro infantil, vieron desde puntos de vista, distintos y aun encontrados, el mundo gallego, particularmente el campesino, con sus leyendas y supersticiones. Para Linares Rivas, aristócrata, positivista y progresista, ese mundo campesino representaba una de las formas más bajas y menos poéticas de la civilización: sus campesinos nunca se elevan a un plano superior con sus problemas, ideas e ilusiones, ni sus leyendas y supersticiones constituyen un tema de mágica belleza. Si Linares Rivas utilizó, en *El caballero Lobo,* la fábula infantil fue para servirse de ella desde el punto de vista del realismo simbolista, y presentar una nueva forma de la comedia moral burguesa, a la que era muy aficionado; y si en el diálogo de sus personajes, burgueses disfrazados de animales, se desliza alguna belleza es porque el dramaturgo se deja llevar por la herencia del cuento popular de su tierra.

Para Valle-Inclán el mundo legendario, de cuentos y leyendas de su tierra, formaba parte de una de sus herencias más queridas; y lo llevó a su obra literaria como una de las materias más importantes de ella. Y este mismo amor que sintió por el mundo de cuentos y leyendas gallegas lo tuvo por el más universal de los cuentos infantiles de todos los países.

En la *Farsa infantil de la cabeza del dragón* se sirvió Valle-Inclán de dos fuentes principales; de los *cuentos universales,* a los que añadió el toque personal de su genio creador; y de las *fuentes literarias cervantinas,* en las que predominaba la farsa: del *Quijote* y de las *novelas ejemplares.* A estas fuentes cervantinas pertenecen algunos de los personajes de la *Farsa infantil de la cabeza del dragón.* A partir de esta farsa se servirá con frecuencia Valle-Inclán de fuentes cervantinas, particularmente del *Quijote,* de donde proceden, en la *Farsa infantil de la cabeza del dragón:* el rey Magucián, el rey Micomicón, Maritornes; y de las novelas ejemplares, principalmente de *Rinconete y Cortadillo,* fuente del tipo de bravo bufonesco.

La *Farsa infantil de la cabeza del dragón* se representó con personajes vivos, con actores, el año 1910; pero con ella había iniciado ya Valle-Inclán su tendencia a convertir sus obras dramáticas, singularmente las farsas, en obras para el teatro de marionetas. Es tan claro el carácter de teatro de marionetas que tienen la mayor parte de las farsas de Valle-Inclán, que el autor incluyó la *Farsa infantil de la cabeza del dragón,* escrita en prosa y otras dos compuestas en verso, la *Farsa italiana de la enamorada del rey* y la *Farsa y licencia de la Reina Castiza,* en el volumen X de su *Opera Omnia,* que lleva el título de *Tablado de marionetas* (1926). De las farsas, sólo *La Marquesa Rosalinda* quedó fuera de este volumen, porque esta obra se relaciona más con la *Comedia del arte* italiana que con el teatro de marionetas.

El teatro simbolista, con su marcada predilección por los tipos representativos, más que por las individualidades, favoreció en toda Europa el desarrollo del teatro infantil de marionetas; y Valle-Inclán, siempre sensible a las corrientes artísticas que agitaban la Europa de su tiempo, fue uno de los primeros dramaturgos españoles que se incorporó a esa corriente. Su *Farsa infantil de la cabeza del dragón* pertenece de los pies a la cabeza al teatro infantil. Toda ella, desde los personajes hasta la trama rezuma el espíritu de una fábula infantil. En cambio, el teatro infantil de Linares Rivas, representado por *El caballero Lobo,* lo es sólo en apariencia; pues su realidad es totalmente adulta y burguesa. Sus personajes son sólo infantiles en el disfraz de animales, salvajes y domésticos, pero no en su auténtica personalidad; y su tema es también totalmente burgués, es una nueva forma de la comedia moralizadora, característica del teatro de Linares Rivas.

* * *

Para componer la *Farsa infantil de la cabeza del dragón,* utilizó Valle-Inclán elementos procedentes de dos fuentes distintas, de los cuentos infantiles, de carácter fantástico; y de la parte también fantástica del mundo caballeresco de *El Quijote,* con ciertas añadiduras del mundo de la realidad manchega del inmortal libro cervantino. Al mundo tradicional de los cuentos infantiles pertenece la primera parte de la farsa, en la que los príncipes Ajonjolí, Pompón y Verdemar, hijos del rey Magucián, juegan a la pelota en el patio de un palacio "de diamante, de bronce o de niebla", en cuya torre está encerrado un duende, que recobra la pelota perdida por cada uno de los principales y a quienes promete devolvérsela si le dan su libertad, promesa que no cumplen los dos mayores y sólo mantiene el más joven, Verdemar. El duende, agradecido, promete ayudarle en cuantas empresas le necesite.

A partir de ese momento, con el fin de la primera jornada, se incorporan al mundo infantil elementos de otra procedencia, de los libros de ficción caballeresca, singularmente *El Quijote.* Caballeresca es la empresa que acomete el príncipe Verdemar de librar de la muerte a la Infantina a quien su padre, el rey Micomicón, tiene que entregar al dragón para librar a su reino de ser destruido por el monstruo.

En esta parte caballeresca de la *Farsa infantil* se sirve Valle-Inclán, ampliamente de los personajes del Quijote: por un lado, de los de pura ficción, de la ficción, dentro de la ficción de los episodios del hidalgo manchego, inventada por la bella Dorotea para sacar a don Quijote de Sierra Morena, donde se había refugiado para hacer penitencia por Dulcinea — a esta ficción pertenecen los dos reyes que figuran en la farsa, Magucián, padre de los tres príncipes; y Micomicón, padre de la infantina, que va a ser devorada por el fiero dragón; y, en segundo término, el mundo de la realidad manchega, en la que vive el propio don Quijote, a la que pertenecen Maritornes y el ventero. Y a estos dos mundos quijotescos, de distinta naturaleza, se le añade un tercero, en el que se funden personajes cervantinos de *Rinconete y Cortadillo* con otros de la novela picaresca, como el bravo Esplandián (aunque en su nombre haya resonancias caballerescas de Esplandián, el de las *Sergas,* compuestas por Garci Rodríguez de Montalvo) y los rufianes que le ayudan en su ataque frustrado contra el príncipe Verdemar en la venta. El elemento grotesco está en este bravo y en el general Fierabrás, nombre también quijotesco, cnodecorado por las batallas ganadas contra la filozera.

Las acotaciones escénicas, menos abundantes que en otras obras dramáticas de Valle-Inclán, sirven para reforzar tanto al carácter infantil como el de farsa de esta obra.

XIV — LA FARSA SENTIMENTAL Y GROTESCA: *LA MARQUESA ROSALINDA*

Sólo dos años separan la *Farsa infantil de la cabeza del dragón* (1910) y *La Marquesa Rosalinda, farsa sentimental y grotesca* (1912); pero, en cuanto a la naturaleza y carácter de ambas farsas hay un abismo entre la inocente e ingenue farsa infantil y la refinada y rococó de *La Marquesa Rosalinda,* donde vemos los salones elegantes del mundo aristocrático europeo del siglo XVIII.

Valle-Inclán no incluyó esta farsa en su *Tablado de marionetas,* como si su fábula fuera más adecuada para ser representada por actores vivos que por muñecos; y perteneciera más a la *Comedia del arte* que al *teatro de marionetas.* A pesar de lo cual Juan Guerrero Zamora, curioso estudioso del teatro de Valle-Inclán, al que dedicó un importante capítulo en su *Historia del teatro contemporáneo,* nos dice que los personajes de *La Marquesa Rosalinda* son "títeres, marionetas, pero de bazar, y sus arlequines, en consecuencia, no son los arquetipos puros y gráciles de la *Comedia del Arte* en su época mejor, sino aquellos en quienes degeneraron ,intrigantes de torpes embrollos a quienes Goldoni salvó, con la sal mediterránea, de su verbo, pero que, aclimatados a la Feria francesa, fueron a dar a la *Opera cómica*" (1).

Guillermo Díaz-Plaja percibe, por el contrario, la estrecha vinculación de *La Marquesa Rosalinda* a la *comedia del arte* restaurada por el simbolismo en el teatro europeo: "El tema de la restauración de las máscaras de la commedia dell' arte en el simbolismo europeo — dice Díaz Plaja — es el más importante de lo que a primera vista parece. Probablemente fue Verlaine su máximo vulgarizador; y, a través de él, llegó a Rubén Darío, que espolvoreó de Pierrots y Colombinas todo el modernismo hispánico: en el teatro, "el tinglado de la antigua farsa" fue restaurado, como es bien sabido, por el Benavente de *Los intereses creados.* Pero, ¿cuáles fueron las etapas y cuál el hondo sentido de esta restauración" (2).

---

(1) Juan Guerrero Zamora, o.c., vol., I, 157-8

(2) Guillermo Díaz-Plaja. - o.c., 217

Buscando Díaz-Plaja todavía una mayor vinculación de esta obra de Valle-Inclán a la "commedia dell- arte" dice que "las máscaras de la *commedia dell' arte* se restauraron exactamente en la Venecia del siglo XVIII, el siglo de estas farsas de Valle-Inclán" (1).

César Barja toma un camino intermedio, entre la tesis de Guerrero Zamora, la cual relaciona *La Marquesa Rosalinda* con el teatro de marionetas, y la de Díaz-Plaja, que lo vincula a la *"commedia dell' arte"*, viendo en ella una grave comedia que el humor y la ironía transforman en divertida farsa en la que abundan las personajes del teatro de marionetas: "Otro elegante minué — dice César Barja — y otro lírico buqué, en el tono menos infantil del cuento y más grave de la comedia, es *La Marquesa Rosalinda.* No se tome en serio esto de la grave de la comedia. Ya el autor la subtitula *Farsa sentimental y grotesca;* y en esto consiste el encanto de la obra: en la gracia y el humor con que en ella se quiebra la seriedad de la comedia y el drama. Nada llega aquí a tomar un aire grave y serio. Todo está finamente sentido, pero nada está seriamente sostenido. Es decir, todo está sostenido en el justo medio entre un querer ser serio y un acabar por ser alegre; entre un principio de drama y un final de divertida y moderada farsa. Situaciones, diálogo, la misma realidad dramática de los caracteres, todo se resuelve en esa común nota de un alegre y fino humorismo. De los caracteres, varios son ya figuras convencionales: Arlequín, Colombina, Pierrot, etc., — y todos ellos oscilan entre una realidad humana de figuras vivas y una realidad — o irregularidad — poéticas de marionetas" (2).

Barja, arrastrado por la fina ironía y el gracioso humor que emplea Valle-Inclán en esta obra, no percibe lo que hay en ella de melodrama, de tragicomedia, de nota triste mezclada con la cómica, representada, en primer lugar, por la patética figura de la marquesa y también por cuantos convierten el noble sentimiento del honor en una mercancía, desde Arlequín hasta su coima Colombina, sin olvidarnos de la tragicómica figura del marido burlado.

En la *farsa sentimental y grotesca* de *La Marquesa Rosa-*

(1) Guillermo Díaz-Plaja. - o.c., 218
(2) César Barja. - o.c., 405

linda y en la *Farsa italiana de la enamorada del rey* gustó Valle-Inclán de introducir, como uno de los elementos principales y característicos de su farsa, el teatro dentro del teatro: una compañía de actores de la *commedia dell' arte* (Arlequín, Colombina, Pierrot, Polichinela) en *La Marquesa Rosalinda;* y el retablo de Maese Lotario en *La Farsa italiana de la enamorada del rey:* "Hallamos, en efecto — dice Díaz-Plaja — farsantes en *La Marquesa Rosalinda* — un carro de farsantes italianos, Colombina, Pierrot, Polichenela, entran bailando asidos de las manos — en *La enamorada del rey* es también un farandulero italiano, Maese Lotario, quien muestra sobre le escena su "teatro dentro del teatro"; y hasta en *Los cuernos de Don Friolera* hallamos la caricatura escénica de la acción, en el Bululú y sus Cristobitas, contrapuntando la terrible y grotesca tragedia de los celos del protagonista" (1).

Díaz-Plaja concede tanta importancia a la presencia, en estas dos farsas, del elemento del teatro en el teatro, que le atribuye el ser la principal razón de que Valle-Inclán así titulara a estas dos obras dramáticas: "Sobre la escena — dice Díaz-Plaja — hay, pues, dos escenas; y acaso ahí radica la calificación de farsas con que se bautizan una y otra. Teatro, adrede, descarado, mostrando las bambalinas de los disfraces, enseñando el juego, bien con unas acotaciones que, por lo brillantes y poéticas merecen ser dichas en alta voz, bien por las indicaciones secundarias que los *"meteur's - en - scene"* — Arlequín, Maese Lotario — se encargan de transmitir al público, para situarlo constantemente en el plano lúdico, en el que el autor se mueve. No menos significación tiene el hecho de la condición italiana de uno y otro personaje" (2).

Con *La Marquesa Rosalinda* vuelve Valle-Inclán al teatro poético; y, a partir de esta farsa, el verso, y no la prosa, será el instrumento literario de su producción dramática.

* * *

La farsa de *La Marquesa Rosalinda* marca un nuevo paso en la marcha del arte general de Valle-Inclán del simbolismo, que dominó en la literatura europea en el periodo del siglo XX anterior a la Primera Guerra Mundial, al expresionismo, que se

---

(1) G. Díaz-Plaja, - o.c., 165

(2) G. Díaz-Plaja, - o.c., 216-7

impondría en las letras de los pueblos occidentales después de terminado el gran conflicto que ensangrentó Europa.

El mundo ingenuo de la *Farsa infantil la cabeza del dragón,* que se desarrolla en un ambiente imaginario, fantástico; el lírico de *Cuento de Abril,* que tiene por escenario la Provenza medieval; y el trágico de *Voces de gesta,* con su escenario de fieras montañas y pastores primitivos; todos estos tres mundos, tan distintos en su naturaleza, ceden su puesto al refinado y supercivilizado de la Europa francesa del siglo XVIII. En las tres obras anteriores, el ambiente y el tema estaban íntimamente trabados, se correspondían el uno con el otro en su naturaleza (la ingenuidad de los amores del principe Verdemar con la Infantina, con el escenario totalmente fantástico de castillo de neblina; el amor sentimental y sensual de la princesa Imberal con el paisaje muelle de la Provenza; y la figura trágica de Ginebra, en *Voces de gesta,* con la naturaleza salvaje de las montañas del País Vasco). Pero ahora, en *La Marquesa Rosalinda,* hay un tremendo contraste entre el escenario y el tema: entre el delicado ambiente de refinada belleza rococó, de jardín de Versalles o de Aranjuez, con su mundo aristocrático de damas y galanes, y los falsos valores humanos que representan cuantos personajes se mueven en él, sin omitir la marquesa que se ha enamorado de un Don Juan barato, sin sentimiento ni particular atractivo.

La Marquesa Rosalinda es una visión irónica de los grandes valores tradicionales del teatro español, el honor y la honra, que sería quizás el tema más importante, en su tratamiento irónico-grotesco, del arte expresionista español (Valle-Inclán, Pérez de Ayala, Jardiel Poncela, Gabriel Miró), tanto en la novela como en el drama.

Benavente, en su farsa *Los intereses creados* (1907), la obra maestra de su teatro, se había servido de los personajes de la comedia del arte para presentar una comedia de sátira social en la que triunfan los intereses sobre los sentimientos; pero, al propio tiempo, nos hizo ver que hay un sentimiento, el amor entre gente joven, que puede vencer a los intereses. Valle-Inclán, alejado de la sátira social y de todo proposito moralizador, se esforzó en presentar, sobre un fondo rococó, que invita al amor, la vaciedad de ese sentimiento en un marido celoso y un amante temeroso, y la figura patética de la enamorada esposa infiel, la cual, cogida entre los celos y el miedo, termina por ser recluida en un convento.

* * *

La Marquesa Rosalinda no es una obra decadente, como dice Juan Guerrero Zamora, al afirmar que "en sus versos campea una fina ironía hacia el ámbito decadente" (1). Su mundo es totalmente simbolista con un ambiente rococó como fondo: un ambiente dieciochesco de Versalles francés o del Aranjuez español. No hay en ella una sola nota decadente, a no ser que se confunda lo refinado con lo decadente, pues no hay en ella hipersensibilidad exquisita, ni gusto por lo morboso; y el refinamiento está más en las cosas, en el ambiente, que en las personas. Falta en ella, en sus personajes, delicada exquisitez.

Por el contrario, sobre un mundo bello de ambiente aristocrático rococó, versallesco, dieciochesco, se teje una historia vulgar de unos amores adulterinos, en los que con un sentido que se acentuará en la novela y en el drama expresionistas, se ve la falsedad de los valores sentimentales: al amante Arlequín tratando de eludir las consecuencias perjudiciales de sus amores adulterinos; y sólo la esposa infiel es la que está dispuesta a arrostrar todas las consecuencias de su infidelidad.

Valle-Inclán tituló a esta *farsa sentimental y grotesca,* pero los elementos sentimentales son muy limitados y los grotescos bastante extensos. El aspecto sentimental sólo aparece en la Marquesa Rosalinda que vive unicamente para su amor y se sacrifica por él. Ella es la única figura patética de la obra; y la procede más del melodrama, con el que está emparentada también la farsa, que de la comedia del arte.

Más allá de la enamorada marquesa, enamorada de Arlequín, que juega con todas las mujeres, principalmente con las casadas, como Colombina y la propia marquesa, todos los demás personajes son más o menos grotescos: lo es Arlequín, en su cobardía e intrigas para librarse de los matones encargados de matarle o de asustarle; lo son los valientes, nueva versión del *miles gloriosus,* que ya habíamos visto en el bravo y los rufianes en la *Farsa infantil de la cabeza del dragón;* lo es particularmente el marido celoso, tolerante con los devaneos de su esposa, y ofen-

---

(2) Juan Guerrero Zamora. - o.c., vol. I, 157

dido ahora, al ver que compromete su honor averiado con los que tiene con un titiritero.

El tema del honor injuriado, que exige sangrienta venganza, del marido engañado por la esposa infiel, que será el tema único del esperpento *Los cuernos de Don Friolera,* joya del arte dramático expresionista de Valle-Inclán, aparece aquí, en forma más modesta, expresado por la propia Marquesa Rosalinda al describirle a su amante, Arlequín, los celos feroces de su marido y atribuirlos a una serie de factores que forman el carácter castellano: unos físicos (el clima) y otros espirituales (el mal de ojo, los autos de fe de la Inquisición, y las comedias de Calderón, etc):

Rosalinda

Pero así no podemos seguir. A mi marido
le entró un furor sangriento que nunca había tenido.
¡No sé que mal de ojo le hicieron en España!
¡Es Castilla que aceda las uvas del champaña!
¡Son los autos de fe que hace la Inquisición!
¡Y las comedias de don Pedro Calderón!

(Arlequín, más prosaico, ve en la comida, combinada quizás con el sol, la principal causa del sentido español calderoniano del honor; y así se lo dice a su amante).

Arlequín

Yo mejor lo atribuyo al cambio de manjares:
¡La sobreasada de las Islas Baleares!
¡El marisco gallego que es de tanto deleite!
¡Y ese queso manchego tan metido en aceite!
¡Y el de Burgos! ¡Y aquel vino rancio y espeso
que reclama la boca tras de morder el queso!
¡Y el jamón y los embutidos de los charros!
¡Salamanca, con sus doctores y sus guarros!
Y Côrdoba y Navarra! ¡Y Lugo y Candelario!
¡Y el pimentón, que en Francia es algo extraordinario'
¡Y el sol!

Rosalinda

¿El sol?
¿El sol?" (1).

Para concluir Arlequín que la causa principal del feroz

(1) R. del Valle-Inclán. - o.c., vol. I, 278-9

sentido del honor español es el sol; y coincidir en su opinión *la Marquesa Rosalinda.*

La Marquesa Rosalinda, que es la farsa poética más bella del teatro español moderno y contemporáneo, pertenece ya a un arte simbolista que cada vez se va llenando de más elementos expresionistas, tanto en el contenido como en la forma. Habíamos indicado ya, como una nota característica de esta tendencia, la preocupcaión por los valores morales representativos del carácter español, como el del tema del honor, que es el más constante del teatro español de todos los tiempos y como tal hondamente representativo de la manera de ser del español. Esa misma evolución del arte valleinclanesco hacia el expresionismo se puede percibir también en la creciente importancia que va teniendo en su arte dramático lo grotesco y con él el gesto y la actitud exagerados y enfáticos, la caricatura que trata de captar el rasgo esencial del personaje.

Esta búsqueda del gesto y de la actitud exageradas y enfáticos, tan característico del expresionismo, no es entendida en su justo valor artístico y estético por algunos críticos, como Juan Guerrero Zamora, quien le achaca a esta farsa el defecto de que "no hay (en ella) ni asomo de frescura, de lozanía natural, de pasión espontánea, de sentimiento hondo" (1); pues el crítico incurre en el error de atribuirle a Valle-Inclán lo que está en la naturaleza del arte que él emplea en esta farsa; y lo que él supone son defectos son por el contrario virtudes artísticas de su arte dramático simbolista, ya empapado de elementos expresionistas.

Por otra parte, la pasión y sentimiento que Guerrero Zamora no ve en la farsa, o por lo menos en forma espontánea, está claramente presente en ella, hasta el punto de que este sentimiento y pasión adquiere tono melodramático en la figura de la Marquesa Rosalinda.

Valle-Inclán busca en esta farsa el rasgo esencial, el gesto enfático, la actitud exagerada; y no el preciocismo que le atribuye Guerrero Zamora. No es "un libro de jardinería en el que las pasiones, sentimientos y jardines han sido parcelados y tapados en primorosas simetrías concertadas con cupidos de escayola" (2);

---

(1). Juan Guerrero Zamora. - o.c., vol. I, 157
(2) Juan Guerrero Zamora. - o.c., vol. I, 157

pues no hay parcelación sino concentración en la presentación del carácter de los personajes, sobre todo el de la protagonista, la Marquesa Rosalinda: son personajes quintaesenciados en su carácter de tipos de la farsa de la *commedia dell'arte.*

El único preciosismo que se puede encontrar en esta farsa no está en los personajes ni en su conducta sino en el exterior, en las cosas, en el escenario "en el jardín métrico de mirto y ciprés, con cisnes y rosas" (1), que sirve de contrapunto, como fondo y contraste, a esta farsa funambulesca.

No es tampoco cierto, como afirma Guerrero Zamora, que del preciosismo psicológico, sólo podían resultar figuras de porcelana. Tales son los personajes de *La Marquesa Rosalinda*" (2). No hay tal preciosismo psicológico ni son figuras de porcelana, sino personajes típicos quintaesenciados de una farsa con ribetes expresionistas: son quintaesenciados la esposa infiel, nueva o vieja Madame Bovary que sueña con un amor que no encuentra en su marido; y el amante, profesional en aventuras amorosas en todas las tierras, por donde pasa su carro de comediantes de la farsa italiana, que busca más el dinero que el amor; y el marido engañado, que se siente más engañado al ver la baja condición social del amante de su esposa; y los espadachines, profesionales del valor, que comercian con su espada vendiéndola al mejor postor, al marqués o a Arlequín, según le convenga. La farsa se mueve entre los profesionales del amor (Arlequín y un tanto Colombina) y los del valor (los espadachines alquilados por el celoso marqués) y la ansiedad e insatisfacción erótica de la marquesa, que se deja seducir por los oropeles y palabrería del comediante de la farsa, que representa una en el tablado y otra en su propia vida.

* * *

Uno de los méritos principales de *La Marquesa Rosalinda* es su mundo poético, su versificación y su visión poéticas, tan distintas a las que expresó Valle-Inclán en el volumen de poesías de *Aromas de leyenda* (1907), en el poema lírico-dramático *Cuento de Abril* (1910) y en la tragedia pastoril *Voces de gesta* (1912).

---

(1) Ramón María del Valle-Inclán, *Obras Completas*, vol. I, *La Marquesa Rosalinda*, Jornada Segunda, 247

(1) Juan Guerrero Zamora. - o.c., vol. I, 157

En las formas métricas, *La Marquesa Rosalinda* se acerca más a las del modernismo hispánico que sus otras obras dramáticas poéticas compuestas anteriormente (*Cuento de Abril* y *Voces de gesta*); "Mas ajustado al repertorio modernista — dice Tomás Navarro —, *La Marquesa Rosalinda* ofrece un variado conjunto de cuartetos, silvas y pareados en eneasílabos, endecasílabos, alejandrinos, octosílabos con pie quebrado, dodecasílabos polirrítmicos, dodecasílabos de seguidilla, hexasílabos, etc. . . ." (1).

Las formas métricas del modernismo no se emplean ya para representar un mundo amable, lírico, parnasiano o simbolista, sino otro distinto: un mundo contorsionado por el humor y la ironía. Mundo de apariencias que no son sino una simulación de lo que pretenden ser o una contorsión de su auténtica naturaleza, un tanto semejante al que se ve en algunos poetas hispanoamericanos postmodernistas, como el uruguayo Julio Herrera Reissig y el colombiano Luis Carlos López.

En este estilo poético, de ingeniosa gracia y atractiva belleza, se deslizan ya numerosos vocablos y frases idiomáticas que dominarán totalmente en la fase expresionista de su arte, como la descripción que hace de la aparición en escena de Arlequín, en una acotación escénica.

Viene a lo lejos un caballero.
El viento riza sus gayas plumas,
y la chorrera, que finge espumas,
y la lanzada del coletero.

Con petulancia muestra el chapín
en una mano toda brillante
de falsas joyas. La otra, en el guante,
se ciñe el puño del espadín.

Tiene el empaque del perulero,
del currutaco la pantorrilla,
los ojos negros, en donde brilla
la mofa astuta del condotiero.

Del estudiante vistió la loba,
lució en tablados su genio ático,

(1) Tomás Navarro. *Métrica Española*, Syracuse, New York, 1956, 455
(2) R. del Valle-Inclán. - o.c., *La Marquesa Rosalinda*, 234

y en un castillo del Adriático
estuvo preso con Casanova . . ." (2)

El mundo poético de *La Marquesa Rosalinda* está a medio camino entre el de ingenuo simbolismo arcaizante de *Aromas de leyenda* (1907) y los poemas, ya en su mayor parte expresionistas, de *La pipa de Kif* (1918).

(1) R. del Valle-Inclán - o.c., *La Marquesa Rosalinda,* 134

XV — LA FARSA ITALIANA: *LA ENAMORADA DEL REY*

Tras los años de gran actividad literaria, en el periodo que precedió a la Primera Guerra Mundial, los cuatro de la propia guerra (1914-1918) representan un silencio en la producción de Valle-Inclán en los géneros literarios creativos (novela, drama y poesía); pues la única obra narrativa que publicó en ellos, *Eulalia* (1917), era una versión de uno de sus cuentos decadentes.

En los cuatro años que duró la Primera Guerra Mundial la principal labor de Valle-Inclán se encaminó no al simple descanso sino a la meditación y a la depuración de su arte simbolista en busca de nuevos caminos para él, de acuerdo con las corrientes estéticas, singularmente del expresionismo, que comenzaba a campear en las literaturas europeas. Fueron años para el salto, iniciado ya lentamente en el periodo anterior, del simbolismo, de raíces líricas y célticas, al expresionismo, dramático y germánico, que en España tomaría un carácter más ibérico que céltico.

En los años de la Primera Guerra Mundial, Valle-Inclán sólo publicó dos obras: una, fruto de sus meditaciones sobre los problemas de la estética simbolista, *La lámpara maravillosa* (1916), verdadero manifiesto de esta estética, desde el punto de vista de un pantesismo célticogalaico, escrito en una de las prosas más bellas de la literatura española contemporánea; y otro *La media noche* (1916), *visión estelar de un momento de guerra,* en la que recogió sus impresiones del frente de batalla en Francia, adonde fue invitado por los aliados.

Tras de la inactividad de esos años, en la obra creativa, dramática, novelesca y poética, volvió Valle-Inclán, con redoblada energía a su labor literaria: al año siguiente de la guerra publicó su segundo volumen de poemas, *La pipa de Kif* (1919) heraldo de su arte expresionista; y un año más tarde, en 1920, año de gran trascendencia en la evolución general de su arte y en particular del teatro, en el paso del simbolismo hacia el expresionismo, se entregó en cuerpo y alma a la producción dramática. En ese año, de 1920, publicó sus dos últimas obras dramáticas en verso: la *Farsa italiana de la enamorada del rey* y la

Farsa y licencia de la reina castiza; y escribió entonces en prosa su gran obra expresionista, *Divinas palabras,* en las que volvió al tema gallego, que había olvidado en sus obras en verso, colocando en primer plano, como principal personaje de carácter colectivo, el pueblo gallego, de campesinos y mendigos, que ya habíamos visto aparecer en las *Comedias bárbaras;* y, en prosa también, su primer esperpento, *Luces de Bohemia.*

* * *

En la *Farsa italiana de la enamorada del rey* convergen los tres mundos más característicos de la farsa valleinclanesca: el de la corte, en este caso la española, del siglo XVIII, tema predilecto del modernsimo afrancesado; el de las ventas, procedente más del Quijote que de las novelas picarescas, que ya habíamos visto aparecer en la *Farsa infantil de la cabeza del dragón;* y el del retablo de farandaleros italianos, que habíamos visto en *La Marquesa Rosalinda.* Y, a estos tres mundos, se deben añadir otros dos, que hasta ahora no habían asomado en sus obras dramáticas, incluyendo en ellas las farsas: uno que tendrá una creciente importancia en su fase expresionista: las referencias satíricas a temas sociales y políticos de la actualidad española; y otro la presencia del propio Casanova, procedentes de las *Memorias* de este aventurero.

Juan Guerrero Zamora señala la convergencia de dos de estos cuatro elementos en la *Farsa italiana de la enamorada del rey.* Son dos elementos totalmente encontrados: el de la refinada corte dieciochesca de estampa modernista; y el de las ventas de trajinantes y titiriteros: "La *Farsa italiana de la enamorada del rey* — dice Guerrero Zamora — incluida en el *Tablado de marionetas,* contiene dos líneas divergentes que, por un momento, se buscan, enfrentan y comparan, para que así su divergencia resulte más honda y substancial. De un lado, la corte del siglo XVIII, con luces y comparsas de opereta; de otro, la venta española de encrucijada" (1).

Por un lado, vemos una pintura de un palacio modernista, donde vive el rey del que se ha enamorado la pobre niña de la venta:

---

(1) J. Guerrero Zamora. - o.c., vol. I, 160

"Un jardín, Una logia. Fuentes jónicas.
Sombras moradas y amarillo el sol.
Jardines de un palacio: arquitectónicos
jardines, como pinta en Rusiñol,
Tras de la griega columnata, ondula
un tapiz italiano, y ante él
una azafata a don Facundo adula
y le sonsaca, pero el viejo es hiel . . ." (1)

Y, en contraste con esta estampa, la de una venta, en una encrucijada de un camino en Castilla:

"Sobre la cruz de los caminos llanos
y amarillentos, una venta clásica:
cosarios, labradores, estudiantes
sestean por las cuadras y pajares.
Entre los sayos de estameña parda
cantan verdes y granas pastoriles.
El patio de la venta es humanista
y picaresco, con sabor de aulas
y sabor popular de los caminos:
tiene un vaho de letras del Quijote . . ." (2).

De nuevo, en la *Farsa italiana de la enamorada del rey,* presenta Valle-Inclán el contraste entre el mundo refinado, afrancesado de una Corte y el castellano, sobrio y adusto, que había ya aparecido en un *Cuento de Abril;* con la diferencia de que entonces el contraste estaba más en el espíritu que en las cosas mismas presentadas, porque el mundo castellano, encarnado en el infante de Castilla que visitaba la Provenza para casarse con la princesa Imberal, era evocado por éste en las lejanas tierras del sur de Francia, que eran las únicas descritas en el poema dramático.

* * *

En la *Farsa italiana de la enamorada del rey,* muy entrada ya en el arte expresionista, todo es caricatura desde la pintura de la Corte hasta lo absurdo del amor, encarnado ahora el amante no en un profesional del amor, sin sentimiento, como Arlequín, sino en un vejete caduco y enclenque.

---

(1) R. del Valle-Inclán. *Obras completas,* vol. I, 332
(2) R. del Valle-Inclán, o.c., vol. I, 316

La tendencia creciente a la caricatura y a lo grotesco en el arte dramático de Valle-Inclán se pone de manifiesto comparando los personajes, las actitudes, las situaciones e incluso el escenario de *La Marquesa Rosalinda* y los de la *Farsa italiana de la enamorada del rey.*

En la primera, la enamorada marquesa no era un personaje inocente, sino una mujer con larga e insatisfactoria experiencia amorosa, que buscaba fuera de su casa el amor que no encontraba en ella; mientras que, en la *Farsa italiana,* la enamorada Mari-Justina, hija de los venteros, es una inocente incauta doncella, sin malicia, que sueña con el rey como la gran ilusión de su vida, como si el rey encarnara cuanto hay bello en este mundo. Y Arlequín, el amante de la marquesa, era un tipo arrogante, petulante y atractivo; mientras que el rey es un tipo totalmente grotesco: es un viejo chepudo, estevado y narigudo, falto de las condiciones más mínimas para despertar el amor de cualquier persona.

La máxima expresión de lo grotesco está en esta obra, en la farsa italiana, en el propio amor: el amor que siente la inocente doncella por el rey como la más bella ilusión se desvanece y se convierte en horror, en repugnancia, cuando la hija de la ventera se encuentra ante la presencia física del vejete canijo que es el rey, objeto de su amor. El amor de la marquesa por el farandulero arrogante, profesional del amor, se transforma ahora en un amor totalmente absurdo e imposible: en el de una niña enamorada que sueña con la mayor ilusión de su vida, con el amor encarnado en el personaje más sublime, y lo ve convertido en un guiñapo, casi preludio de la muerte. La gran ilusión de la vida se convierte en la gran desilusión, tratando uno de los temas del arte expresionista español, el del vacío y absurdo del amor, que trataría con mayor extensión Pérez de Ayala en algunas de sus novelas expresionistas.

La deformación de lo grotesco no sólo toca a los personajes sino que alcanza a las propias cosas, que habían quedado fuera de ella en *La Marquesa Rosalinda:* "Por otra parte — dice Guerrero Zamora —, la pintura de la Corte es decidida deformación y cada personaje una caricatura, un esguince en el que se satirizan no extranjeros usos abstractos, sino tipos españoles y especialmente una clase especial de palaciegos latinoparlistas, de los que

Valle-Inclán — o Bradomín — va a valerse enseguida para dejar expresa la estética de ese momento suyo, a la que se le está abroncando la voz" (1).

* * *

Los elementos cervantinos, tomados particularmente del *Quijote,* cuya presencia habíamos registrado en la *Farsa infantil de la cabeza del dragón,* reaparecen, aun con más fuerza, en esta nueva farsa italiana. Ahora no proceden, como lo eran en la *farsa infantil,* de la parte fantástica, de auténtica e imaginada novela de caballerías, inventadas en el propio *Quijote* como el episodio de princesa Micomicona, sino que son personajes más modestos y humildes, de la vida diaria, de los que andan por las ventas en los varios episodios de *El Quijote* y otros, como Altisidora, son ya del mundo de la opereta, entre bufa y seria, inventada por el Duque para hacer vivir a Don Quijote la ilusión de encontrarse en un mundo totalmente caballeresco.

Al mundo de las ventas cervantinas, llenas de una ilusión humana que falta en las ventas y mesones de la novela picaresca española, pertenecen: la hija de los venteros, Mari Justina, la enamorada del rey; los venteros; Maese Lotario, remedo de Maese Pedro, el del mono y el retablo; y la tropa de cuadrilleros. Al de los episodios entre bufos y serios, de la casa del Duque, la doncella Altisidora.

Al mundo literario del Quijote pertenece también el Caballero del Verde Gabán, que está en la venta y espera asistir a la presentación del retablo de Maese Lotario.

De procedencia quijotesca es también el palacio del Duque de Nebreda, remedo de los episodios de la casa del Duque, en la Segunda Parte del *Quijote,* donde también vive Altisidora, y adonde va, desde la venta, Maese Lotario con su retablo, para entretener al rey, a quien ha alojado el Duque.

Para que todavía sea mayor la vinculación de los elementos de esta farsa con el *Quijote,* Valle-Inclán nos dice que la venta estaba, como la de *El Quijote,* en el camino manchego de Montiel.

* * *

El elemento literario italiano tiene una creciente importancia

---

(1) J. Guerrero Zamora. - o.c., vol. I, 161

en estas farsas de Valle-Inclán. Su amor por Italia, patria de la pintura y de la música, artes favoritas del dramaturgo gallego, se aumentó en esta época con el amor que sintió por la cuna de la *commedia dell' arte* y del teatro de fantoches. Díaz-Plaja destaca la condición italiana de la farsa de *La Marquesa Rosalinda* y de ésta que lleva esa condición de italiana como adjetivo: "No menos significación — dice Díaz Plaja — tiene el hecho de la condición italiana de uno y otro personaje (Arlequín, en *La Marquesa Rosalinda,* y Lotario en la *Farsa infantil de la enamorada del rey).* Al estudiar las Españas de Valle-Inclán hemos señalado la misión de contraste que una Provenza o una Italia — convenientemente sofisticadas — tienen, para intentar una visión de Castilla, adusta y grave, incapaz de desdoblamientos farsescos" (1).

En esta farsa son italianos: Lotario; el caballero Seingalt, nombre que encubre al propio Casanova; y Musarelo, criado de este último.

Maese Lotario es trasunto del Maese Pedro, que aparece, con su retablo, en la venta, en la *Segunda parte del Quijote,* pero Valle-Inclán se esfuerza en subrayar la condición italiana de este personaje, a quien "le interesa (por eso) distanciarle del personaje cervantino, haciéndole real y efectivamente italiano" (2).

El elemento italiano tiene una gran importancia en esta obra: "vale la pena insistir — dice Díaz-Plaja — en la nota italiana de *La enamorada del rey,* no sólo por su valor de significación, por contraste, sino por los elementos de documentación que procura. Junto a Maese Lotario, que habla en italiano, se encuentra, expresándose en la misma lengua, el caballero Casanova, cuyas peripecias españolas recoge Valle-Inclán en sus *Memorias,* desde su talla física y su nombre de *Aventuros* hasta la pintoresca zarabanda en que anduvo metido por contravenir la pintoresca disposición que regulaba la forma como debían llevarse cerrados los pantalones" (3).

Las escenas en italiano entre Lotario y Casanova, el Caballero Seingalt, en la venta, recuerdan las que tienen en el mesón, en la primera jornada de *Don Juan Tenorio* de Zorrilla,

---

(1) G. Díaz-Plaja, o.c., 217
(2) G. Díaz-Plaja, o.c., 223
(3) G. Díaz-Plaja, o.c., 224-5

Don Juan, Ciutti y el hostelero Butareli.

El mundo italiano ha ido desplazando poco a poco el francés en la obra dramática de Valle-Inclán; y en las farsas fue donde culminó este proceso.

* * *

En la *Farsa italiana de la enamorada del rey* ya no estamos en una corte de un escenario fantástico, como el de la *Farsa infantil de la cabeza del dragón,* ni en una un tanto internacional, entre Versalles y Aranjuez, como la de *La Marquesa Rosalinda,* sino en la genuinamente española de Carlos IV, con algunos toques del de Carlos II: "la implantación de la obra en un jardín dieciochesco — dice Díaz-Plaja — con un Borbón — Carlos III o Carlos IV, según se mira — como contrafigura de la protagonista, la dulce niña que se ha enamorado — o ella lo cree así — del Rey" (1).

Como indica Guerrero Zamora "ya no estamos en Versalles, sino en el romancero, en las cantigas, en las leyendas populares" (2); es decir, estamos en España, en la Corte española, enclavada en la tradición literaria e histórica.

De este modo entró en la farsa valleinclanesca la presentación irónica y grotesca de la Corte española, que será la nota más importante de la *Farsa y licencia de la Reina Castiza* y de la serie de *El ruedo ibérico.*

Maese Lotario, el cómico italiano, es el intermediario entre la venta, con su niña enamorada, y la corte, con su rey viejo, estevado y narigudo: "Maese Lotario maquina entrar en el Real palacio — dice Díaz-Plaja — con su retablo de titiritero, para hacer llegar, por medio de sus coplas, los sentimientos de la muchacha a la real persona, consiguiendo que al anciano monarca se enternezca, nombrando su consejero a Maese Lotario" (3).

Hay en esta farsa referencias a problemas literarios de la actualidad española: a la Academia de la Lengua; a la lucha de escuelas estéticas; e incluso a enemigos personales, literarios, de Valle-Inclán.

La situación en ese vago siglo XVIII — dice Díaz-Plaja — permite, en cambio, aludir a la Real Academia Española, fundada

---

(1) G. Díaz-Plaja, o.c., 223
(2) J. Guerrero Zamora, o.c., vol. I, 161
(3) G. Díaz-Plaja, o.c., 223

como es sabido, por Felipe V al comenzar esta centuria" (1).

En la Corte se entabla una polémica entre el cortesano don Facundo y Maese Lotario sobre el empleo del verso alejandrino (2). Don Facundo, llamado a veces don Furibundo, es un remedo de Julio Casares, crítico que se ensañó con Valle-Inclán buscando más que las fuentes de sus obras los excesivos préstamos que creía tomados de otros escritores. Casares, académico de la lengua, fue secretario perpetuo de la Real Academia Española.

* * *

La versificación de *La enamorada del rey* marca un nuevo avance en la nacionalización de las formas métricas empleadas por Valle-Inclán, pues al lado del alejandrino, cuya prosapia española reclama el dramaturgo gallego, figuran numerosas canciones populares de singular gracia y finura cantadas por el titiritero Maese Lotario: "La versificación de *La enamorada del rey* — dice Díaz-Plaja — ha perdido en valores orquestales — en comparación de *La Marquesa Rosalinda,* verdadera fiesta mayor, como hemos dicho, del Modernismo español" (3).

Valle-Inclán, en la polémica entre don Facundo y Maese Lotario defiende el origen hispánico del alejandrino español, que él ve, siguiendo en parte a Menéndez Pidal, ya empleado en el *Poema de Mío Cid.* Fuera o no un metro del *mester de juglaría* español, lo cierto es que echó raíces en el *mester de clerecía* hispánico: "Pero en la *Farsa italiana de la enamorada del rey* — señala Guerrero Zamora — hay, aparte del *mester de clerecía,* otra afluencia demostrativa de cómo la balanza valleinclanesca se está inclinando hacia el lado español: la canción popular" (4).

Valle-Inclán recrea en estas canciones las formas populares utilizadas en las comedias del Siglo de Oro, principalmente por Lope de Vega. Una de las *mayas,* de carácter lopesco, es una de las danzas que Maese Lotario ofrece al rey. Guerrero Zamora opina que, "a pesar de su texto folklórico español, tienen (estas mayas) un indudable aspecto de Arcadia italianizante con sus zagales y pastores en coro y enlazados" (5).

---

(1) G. Díaz-Plaja, o.c., 223
(2) R. del Valle-Inclán. *Obras completas.* vol. I. *La enamorada del rey,* 347
(3) G. Díaz-Plaja, o.c., 225
(4) Juan Guerrero Zamora, o.c., vol. I, 162
(5) Juan Guerrero Zamora, o.c., vol. I, 162

La evolución de la farsa valleinclanesca hacia las formas del arte expresionista se revela también en la lengua cada vez más cargada de expresiones populares, incluso de *argot,* que tienen gran valor significativo. El estilo de Valle-Inclán se va cargando cada vez más de vocablos duros, violentos, llenos de significación, usados por las clases más duras y populares: "De la venta llegan palabras del pueblo — dice Guerrero Zamora — planto, blululú, mengues, dornajo, cadira — en esa amalgama particular del autor galaico, quien, más tarde, echando en su crisol grupos consonánticos de Galicia — pl —, germanías de todas las regiones, acepciones mágicas, andalucismos y galicismos, *argot* madrileño y voces arcaicas con agridulce sabor a Celestina, lograría uno de los más bellos, jugosos, tangibles y castizos estilos que hayan honrado a nuestra literatura. Maese Lotario, titiritero, lleva un saco cargado con esas palabras y a componer versos de arte mayor y menor se dedica" (1).

Este estilo, esta lengua amalgamada, de que habla Guerrero Zamora, es ya un tanto la del expresionismo que caracterizará la última fase de la producción literaria de Valle-Inclán tanto en la poesía, como en el teatro y la novela.

---

(1) Juan Guerrero Zamora, o.c., vol. I, 161

XVI — LA TRAGICOMEDIA: EL TEMA GALLEGO. *EL EMBRUJADO*

Gustó Valle-Inclán de cultivar al propio tiempo distintas formas en su drama y en su novela. Por eso, por la época anterior a la *Primera Guerra Mundial,* en la que andaba metido en el teatro poético, compuso una obra dramática en prosa, *El embrujado,* la cual, al imprimirse años más tarde, en el volumen del *Retablo de la avaricia, la lujuria* y la *muerte,* llevaba el subtítulo de *tragedia del valle de Salnês,* es decir, de la tierra en que nació y vivió Valle-Inclán sus años mozos. Volvió en ella al tema gallego de hidalgos y campesinos, que había quedado fuera de su teatro poético. Estos hidalgos y campesinos forman una unidad de vida, movidos por la avaricia, la lujuria y la muerte.

Valle-Inclán trató de llevar esta tragedia de aldea a los teatros comerciales madrileños; pero allí esta obra dramática encontró la misma resistencia con que habían tropezado años antes, en la última década del siglo XIX, sus cuentos decadentes, que fueron rechazados por los periódicos y revistas más avanzados de España. Rechazado de los teatros comerciales, *El embrujado* fue leído (26 febrero 1913) en una reunión en el Ateneo, de Madrid.

Años más tarde, terminada ya la *Primera Guerra Mundial,* y cuando Valle-Inclán había entrado ya claramente en las formas del arte dramático expresionista, reimprimió *El embrujado,* con otras obras ya de esta estética, en el volumen *Retablo de la avaricia, la lujuria y la Muerte,* en el que incluyó *El embrujado, Ligazón, La Rosa de papel, La cabeza del Bautista* y *Sacrilegio* (1927).

* * *

El embrujado, unido a las otras cuatro obras dramáticas de este *Retablo* por el papel que juegan en él los tres poderes que mueven a la Humanidad (la avaricia, la lujuria y la muerte), pertenece a un arte dramático distinto a las otras cuatro obras que lo acompañan en este volumen; unido más a su producción dramática del periodo simbolista que a la del expresionista, a la que corresponden las otras; pues *El embrujado* es una obra de personajes humanos y humanizados por esos tres poderes, mientras que las otras cuatro esos tres poderes las convierten en muñecos de un *melodrama de marionetas (La Rosa de papel* y *La cabeza del Bautista)* o de *autos para siluetas (Ligazón y Sacrilegio).*

César Barja destaca la principal diferencia que separa *El embrujado* de las otras cuatro obras dramáticas del *Retablo:* "En la tragedia *El embrujado*, pieza de resistencia del volumen, la influencia místico supersticiosa, que ya encontramos en la restante literatura regional del autor y de la cual es todavía esta obra continuación. *El embrujado,* es decir, el hombre esclavizado por el espíritu del pecado de la carne, víctima de la mujer que lo ha seducido y hechizado y que lo retiene preso en la cadena infernal de un embrujamiento, al que el pobre hombre no es capaz de sustraerse. En esa lucha, entre la conciencia y la fatalidad del pecado, poder al fin triunfante, está la tragedia" (1).

* * *

El ..embrujado es una obra fundamental trágica. *Tragedia del valle de Salnés* la denomina Valle-Inclán, quien, años más tarde, en 1920, titularía *tragedia de aldea* a *Divinas palabras. Pastoril* había denominado, en cambio, la *tragedia* de *Voces de gesta,* de su primera época simbolista, que se movía en un mundo de fantasía poética en el que participan personajes de las leyendas caballerescas europeas.

En el término *de aldea,* así como en su equivalente *del valle de Salnés,* palpita en la nueva tragedia de Valle-Inclán, a diferencia de la tragedia pastoril, todo un mundo existencialista, dolorosa e intensamente humano, que bulle en el simbolismo dramático de Valle-Inclán y más aun en el expresionista, muchas veces cubierto por la preocupación del autor por la elaboración artística. Es esta elaboración artística, siempre presente en la obra de Valle-Inclán, la que ha despistado en ocasiones a algunos críticos, haciéndoles creer que la caricatura valleinclanesca no opera sobre una realidad humana sino sobre un mundo literario, lejanamente humano.

El motor que anima *El Embrujado* es, como en la tragedia, el de las grandes pasiones que arrastran el alma humana en contra de las normas sociales y de sus propios intereses y los llevan a su destrucción y a la muerte. En estas pasiones el amor es concupiscencia y tiene un papel secundario comparado con la avaricia. El amor es lujuria y hechizamiento, encarnado en Anxelo, el

---

(1) César Barja, - o.c., 408

embrujado, enamorado locamente de la Galana, amante e inductora del asesinato del hijo de Pedro Bolaño, el hacendado a quien trata de convencer de que su hijo lo es también del joven asesinado para sacarle dinero al rico abuelo.

Más fuerte que el amor, mezcla de lujuria y de hechizamiento, es la avaricia de la madre que comercia con el amor que tiene por el niño Pedro Bolaño, quien lo deja ir, vencido por la avaricia; y la de la madre la cual tiene con Pedro Bolaño una lucha titánica para convencerle de que el niño es su nieto y que sólo se lo da si recibe parte de la hacienda del rico hacendado. Estas dos avaricias encontradas causan la muerte del niño.

Juan Guerrero Zamora destaca el carácter eminentemente trágico de *El embrujado*: "La trilogía bárbara *(comedias bârbaras)* se supera en dos nuevas obras: *El embrujado* y *Divinas palabras.* Todas ellas constituyen el teatro rural valleinclanesco, que pudieramos situar en la misma línea que *La figlia d'Iorio,* de D'Annunzio, las tragedias de García Lorca y la obra de Synge, con las que comulga por la recreación poética del idioma y la versión naturalista del ruralismo. *El embrujado,* subtitulada por el autor, *tragedia del valle de Salnés,* desarrolla temâticamente un pecado capital hasta ahora sólo apuntado en sus piezas: la avaricia, de la que hablé como una de las obsesiones de Ghelderode. Es por la avaricia por lo que La Galana instiga la muerte del hijo de don Pedro Bolaño, para hacerse pasar por amante suya y florida en un nieto del hacendado" (1).

Es la avaricia de la Galana, quien le trata de vender al hacendado su presunto nieto y se lo lleva de nuevo a su casa, al ver que no logra sacarle el dinero a Bolaño; y es la de éste que prefiere desprenderse del nieto y devolverlo a la casa de su madre: "y al cabo, un criado leal, Malvín, roba el hijo del lugar en que su madre se junta con aquellos que efectuaron la muerte de su supuesto amante, es alcanzado por un tiro y muere revelando la verdad, y a su muerte se junta la del niño" (2).

* * *

Las pasiones de esta tragedia de aldea, unida a la tierra gallega, a la tierra del valle del Salnés, se llenan de notas de la tradición céltica. El amor es, como en la vieja leyenda céltica de

---

(1) J. Guerrero Zamora, - o.c., vol. I, 174
(2) J. Guerrero Zamora, - o.c., vol. I, 175

Tristán e Iseo, un hechizo del que es imposible desprenderse; pero lo que, en la leyenda, era una noble pasión es aplicado ahora a uno de los personajes de la relación amorosa, a Anxelo, el embrujado, como una pasión baja. El mundo sobrenatural, casi siempre presente en las obras gallegas de Valle-Inclan, expresión de un mundo de viejas creencias célticas, vuelve a aparecer ahora en torno al *Embrujado:* la Galana más que enamorar hechiza a su amante Anxelo, asesino del hijo de Pedro Bolaño: "Semejante desarrollo — dice Juan Guerrero Zamora (el de la historia de *El embrujado)* — no es sino la fatalidad de unas pasiones humanas, pero Valle-Inclán, comienza siempre donde la intriga, cerebralmente enredada — lo es la que urde Rosa Galana — adquiere poderes sobrenaturales y brujos, con los que su *pathos* trágico se especifica como la red que traza una madeja de hechicería. La Galana es aquí la hechicera, y los esbirros de su plan asesino, maleficiados por su poder, quizás con mal de ojo que los ata a su mano, a la que seguirían, como así lo dicen y hasta parecería que lo hacen al final de la obra, hasta los mismos infiernos" (1).

* * *

El embrujado es una tragedia en la violencia de las pasiones que se ensoñorean totalmente del alma de las pobres criaturas humanas; y, en el final del drama, con la muerte de niño disputado por la madre real y el supuesto abuelo. La disputa de un niño volverá a ser uno de los temas de *Divinas palabras;* pero en esta fase, dominada por el arte expresionista, el niño no será un tipo normal sino monstruoso.

Tragedia lo es también en el fondo humano de la obra: en los varios grupos de gentes, que, como nuevos coros griegos van contando en sus palabras el tema y las fases del drama: "De este modo — dice Guerrero Zamora — mientras a ras de tierra van los caracteres — trapaceros, taimados, huidizos, rumiando desconfianzas — el murmurio coral de las hilanderas, que hilán en la solana, de los criados, que se calientan al calor de la lumbre, de los chalanes que van al río y de los pagadores del Foral de András, eleva en el aire la bruma propicia para las lujurias y los encantamientos" (2).

---

(1) J. Guerrero Zamora, - o.c., vol. I, 175
(1) J. Guerrero Zamora, - o.c., vol. I, 175

El coro de las gentes populares (hilanderas, criados, chalanes, etc.) nos cuenta, como en la tragedia griega, lo que ha ocurrido o está ocurriendo en otros lugares, relacionado con el drama. Gracias al coro, la geografía de *El embrujado* puede tener una mayor unidad de lugar que las *Comedias bárbaras* y *Divinas palabras:* "Con respecto a las *Comedias bárbaras* — dice Guerrero Zamora — *El Embrujado* supone un nuevo orden dramático más prieto. Aquellas y *Divinas palabras* se estructuran dinámicamente, en una multiplicidad de cuadros rápidos que arrastran otros tantos lugares de acción y otras tantas acciones diferentes; en la *tragedia de Salnés,* tres jornadas solamente se consumen — con título respectivamente de *Georgicas, Anima en pena* y *Cautiverio* — y sólo tres lugares de acción. Hay, pues, una condenación en núcleos fundamentales del argumento, sirviendo los coros para complementarlos en sus informaciones. En las *Comedias bárbaras,* en cambio, el coro permanece pasivo y en actitud de planto: su voz era sólo bruma y llovizna que daba a la piedra, a la obra, un tinte oscuro de humedad y liquen. Aquí, el coro es substituyente — como el griego —, narrador de acciones no escenificadas, venteador de rastros de verdad y, a la vez, como allí, bruma tendida" (1).

* * *

Las dos tragedias aldeanas, *El embrujado* y *Divinas palabras,* tienen como denominador común, entre otras cosas, en el argumento, la disputa sobre un niño, normal en la primera, entre su presunto abuelo y su real madre; disputa entre tíos en *Divinas palabras,* en las que el niño es ya un monstruo bobo e hidrocéfalo. Y justamente en la comparación de este tema y del niño objeto de la disputa es en donde se ve el avance del arte dramático de Valle-Inclán de las formas del simbolismo, cada vez más dramático, hacia el expresionismo, dramático por naturaleza; pues *El embrujado,* compuesto probablemente a fines de 1912, pertenece plenamente a la fase simbolista de su teatro, cada vez más trágico y humanizado en su dolor, como se puede ver en las *Comedias bárbaras;* en cambio, *Divinas palabras,* compuesta ya después de la *Primera Guerra Mundial,* cuando el expresionismo se enseñoreaba de la literatura de los pueblos europeos, entre ellos el español, pertenece a este arte: a un arte deformado, mons-

(1) J. Guerrero Zamora, - o.c., vol. I, 175

truoso, grotesco a veces, que no estaba presente en *El embruja*

Esta evolución se registra también en el estilo, princip mente en el lenguaje de las dos obras, *El Embrujado* y *Divi* *palabras,* que era galleguizante y arcaizante en la primera; y, cambio, en la segunda el lenguaje gallego se combina con o totalmente distinto, el de rompe y rasga castellano, característi del arte expresionista valleinclanesco, desde *El ruedo ibéri* hasta los esperpentos. Analizando el lenguaje de *Divinas palabr* dice Guerrero Zamora que "el vocabulario es el mismo que *El embrujado;* pero en esta tragedia no forma parte alguna germanía y el castellano importa, transforma o inventa sólo lleguismos" (1).

(1) J. Guerrero Zamora, - o.c., vol. I, 178

XVII — EL ARTE DRAMATICO EXPRESIONISTA DE VALLE-INCLAN

El año de 1920 marca un hito de extraordinaria importancia en la evolución general del arte de Valle-Inclán, singularmente en el dramático; pues en ese año apareció la *Farsa italiana de la enamorada del rey,* con la que se cerró su fase simbolista, ya muy cargada de elementos expresionistas; y se publicaron *Divinas palabras, Luces de Bohemia* y la *Farsa y licencia de la Reina Castiza,* las primeras en prosa y la tercera en verso, que son ya claras formas del arte expresionista español, que cultivará el escritor gallego hasta su muerte y que constituye el periodo más productivo y brillante de su carrera literaria.

Hemos visto ya como, la evolución del arte valleinclanesco del simbolismo, lírico al principio y dramático más tarde, hacia el expresionismo, hondamente dramático y más humanizado, se produjo en su obra de una manera paulatina, apareciendo poco a poco la corriente expresionista un tanto envuelta y confundida con su simbolismo para desprenderse luego de él y superar en su florecimiento a aquél. En este sentido se deben tomar las palabras de Guillermo de Torre: "cuando se dice que, entre las dos direcciones de la renovación literaria española del 98, Valle-Inclán representa la vertiente modernista, aun limitando en su obra el alcance de esta fase hasta 1920, no se acierta más que parcialmente. Porque, ya en sus inicios, Valle-Inclán no era, dicho con rigor verbal, un modernista, sino todo lo contrario, un arcaizante: con más exactitud, un modernista arcaizante (1).

Pero el propio Guilermo de Torre reconoce, en este mismo estudio, que el año de 1920 marca un hito de enorme importancia en la división de estas dos corrientes (simbolismo, más que modernismo, y expresionismo): "aquello que salva o eleva a Valle-Inclán, aparte del sentimiento estético superior que siempre manifestó, estriba — a partir de 1920, aproximadamente, esto es, de los versos de *La Pipa de Kif,* de la tragicomedia *Divinas palabras* y del esperpento la *Farsa y licencia de la Reina Castiza* — en que acierta a situarse en una perspectiva distinta a la del

---

(1) Guillermo de Torre. *La difícil universalidad española,* Madrid, 1965, 121

asombro retrospectivo o la reconstrucción histórica: consiste en que mira el mundo de soslayo u oblicuamente: en suma, con ojos irónicos. Nos descubre la ironía como contrapunto de la trágico" (1).

* * *

El arte expresionista de Valle-Inclán se manifestó primero en el teatro que en la novela. Todo lo contrario de lo que había ocurrido antes, en el pèriodo de su arte simbolista, en el que la novela había precedido al teatro, y éste vino como un arrastre de la narrativa. Quizás no fuera totalmente ajeno a este cambio, operado en el arte valleinclanesco en favor del teatro, en el periodo expresionista, el hecho de que esta corriente estética estaba dando por entonces a Europa y a los Estados Unidos uno de los momentos más brillantes de su arte dramático moderno.

El expresionismo, que floreció en España en la década de 1920 a 1930, fue la manifestación artística de la agitación que inquietaba a los intelectuales europeos, entre ellos a los españoles, en ese tiempo. España, que había escapado a la *Primera Guerra Mundial,* no se había sustraído, en cambio, a la intensa agitación social y política que sintió toda Europa como consecuencia de la guerra, iniciada con la Revolución rusa en 1917.

Carlos Seco Serrano percibe el hondo cambio que se produjo entonces en el arte de Valle-Inclán y lo asocia a los cambios políticos y sociales que por esos años se operaron en España: "Porque en el nuevo Valle-Inclán también hay, junto a la evolución de los medios expresivos, un profundo cambio en cuanto al asunto y en cuanto a la intención. Diríase que, de súbito, el escritor ha descendido de sus abstracciones neorrománticas al plano de las realidades más agresivas, más incitantes. Entonces, en la segunda fase del reinado de Alfonso XIII, lo que va de 1913 a 1923: iniciada con la decisiva descomposición de los partidos dinásticos, el impacto de la guerra mundial acelera el proceso y lo complica con una profunda conmoción en las estructuras económicas y sociales. En 1917, la doble crisis — la política y la social, la debilitación de la "España oficial" y el empuje creciente, incluso violento, de la España real — se manifiesta ante tres hechos: la agitación del ejército a través de las Juntas militares; la asamblea de parlamentarios, promo-

(1) Guilerom de Torre, o.c. 147

vida por Cambó; y la huelga revolucionaria desencadenada por el socialismo y la C. N. T. Y, en los años que siguen, al paso que la vieja política del "turno pacífico" queda rebasada por las nuevas realidades, la historia profunda gira en torno a dos conflictos: el social, que arde sobre todo en Barcelona, agitada por la tensión entre el sindicato único, cenetista, y la Federación patronal; y el colonial, que se desarrolla en el recién nacido Protectorado marroquí" (1).

* * *

En esa agitación del ambiente político, social e intelectual de España sufrieron una grave crisis los valores y principios en que descansaba la sociedad burguesa española del siglo XIX, en la que nunca había creído y con la que jamás había simpatizado Valle-Inclán. Si en el periodo simbolista se había alejado totalmente de ella para buscar su inspiración artística en mundos completamente distintos, principalmente el arcaizante, céltico-galaico, de su tierra, ahora en el expresionista, cargado de preocupaciones sociales, se vuelve violentamente contra ella y sus principios, bucea en la miseria de sus falsos valores; y se sirve, en su ataque, de los instrumentos que pone en sus manos el arte expresionista.

Rubia Barcia, citando a Alfred Stern, señala la función del escritor (expresionista) que denuncia en este tiempo los falsos valores de la sociedad en que vive, en busca de los grandes y eternos ideales de la humanidad universal: "La axiología moderna — dice Rubia Barcia — postula que la obra de arte es el lugar ideal de ficción para el interjuego de toda clase de valores; y que incluso el valor estético de la obra de arte misma es el producto de este interjuego en contacto o en contra del mundo físico-causal incambiable, el cual aparece como sin valor. Arte es la actividad humana más valiosa y sus aspectos axiológicos muestran que es más que un juego que va con la vida, pues es su aspecto ideal axiológico (2). Si nosotros aceptamos esto, el autor satírico tendrá que estar por encima de todos los valores y ser el personaje independiente o extraño (el mal ciudadano, para las autoridades) que era Valle-Inclán. Pero todavía hay más. La función de oponerse eficientemente al "orden social estable-

(1) Carlos Seco Serrano.- o.c. 214
(2) Alfred Stern. *Philosophie du rire et des plueurs,* Paris, 1943, 133-4

cido" requiere el privarse uno de las necesidades más inmediatas y urgentes, de identificarse con su país y con sus compatriotas, porque "si la sátira aspira a degradar los valores colectivos de un cierto grupo o los individuales de una determinada persona, es para producir el triunfo final de los valores universales de la humanidad" (1), los cuales han sido suplantados u ofuscados por los valores colectivos o individuales. En resumen, la sátira es, por eso, capaz de unir a los humanos en un plano más alto, el plano de los valores universales" (2).

Muchos textos de Valle-Inclán — añade Rubia Barcia — se pueden citar para mostrar claramente que éste era su objetivo y sus requisitos se habían ido expresando en su vida, en su obra de arte y en su conciencia estética, haciendo de él, después del descubrimiento del esperpento, el primer satírico español con un mensaje universal, un mensaje al cual subordinó incluso su vida personal . . ." (3).

Esa universalidad de su mensaje es una de las características del arte expresionista. Por eso con razón indicó el crítico suizo Jean P. Borel que el destinatario del arte de Valle-Inclán no era la burguesía en general, ni tampoco una minoría intelectual sino toda la humanidad (4).

* * *

Se suele denominar, sin fundamente alguno, el arte de los primeros periodos de Valle-Inclán como escapista; pero no lo fue en ningún momento. No hay en toda su carrera literaria, como apresuradamente afirman algunos críticos, una fase inicial de "arte por el arte"; sino que, desde el primer momento de ella, su obra tuvo un claro propósito antiburgués, contra la moral y los principios en que descansaba la sociedad española de la Restauración, aunque su protesta se manifestó de una manera distinta en cada periodo.

En la primera fase de su carrera literaria, en la decadente, Valle-Inclán expresó, en sus cuentos y en su drama, la más absoluta desconformidad con esa moral y esos principios, su actitud más deceptiva contra ellos, buscando, por encima de esa moral y

---

(1) Alfred Stern. o.c., 235

(2) Alfred Stem. o.c. 238

(3) José Rubia Barcia. The "Esperpento". A new novelistic dimenssion (traducción al español del autor), en manuscrito, 8

(4) J. P. Borel, o.c., 23

normas, otros que descansaran en una moral individual sinceramente sentida.

En la época simbolista expresó ese mismo desprecio por la sociedad burguesa no considerándola digna de sus temas, de sus asuntos, no estimando merecedores de sus novelas o dramas, sus personajes e intriga, ni tampoco su ambiente. Y, por el contrario, buscando temas, gratos a su alma, que creía de valor universal, los encontró en su tierra gallega, sus raíces eternas, celtas-cristianas; y con ella también la buscó por otros pueblos, en búsqueda de esos valores eternos (el País Vasco, Italia, etc.)

En el periodo expresionista cambió de rumbo y de táctica; pues, en lugar de despreciar la sociedad burguesa, buscando otros mundos espirituales que consideraba superiores a ella, se volvió airado contra ese mundo burgués para mostrar la falsedad y el vacío de sus valores, de los valores principales en que descansaba esa sociedad: el honor, la realeza, el ejército, el patriotismo, las glorias militares, los políticos de los partidos turnantes, etc. Y el escritor gallego presentó esa falsedad y vacío, de los valores fundamentales de la sociedad española, con toda la fuerza y crudeza del arte expresionista.

* * *

El arte expresionista dramático de Valle-Inclán es de gran riqueza y variededd y no se limita, como ya hemos indicado, al *esperpento,* e incluso éste no tiene una sino varias formas. Generalmente se le atribuyen al esperpento, como características propias, las que son comunes a todas las formas del arte dramático expresionista. Así ocurre con tres de las cuatro notas características que mi paisano José Rubia Barcia, uno de los estudiosos más inteligentes y perspicaces del arte de Valle-Inclán, le atribuye únicamente a los esperpentos. De estas cuatro notas, sólo una, la primera, es característica del esperpento: "Los otros tres esperpentos (*Luces de Bohemia, Los cuernos de don Friolera* y *Las galas del difunto)* — dice Rubia Barcia — tienen, sin embargo, bastantes elementos comunes en los que poder basar un análisis y una posible caracterización. Entre estos elementos figuran los siguientes: la selección y tratamiento de los personajes; la falta de un argumento linear que se va desarrollando a medida que avanza; el énfasis en la posibilidad de lo que podía denominarse presente que reaparece; y por último, y es lo más importante, una objetividad capaz de mantenerse a si misma" (1).

De estos cuatro elementos, sólo el primero, el de los personajes, del que nos ocuparemos al tratar concretamente el esperpento pertenece a esta forma dramática inventada por Valle-Inclán. Los otros tres son comunes a todas las formas de su arte expresionista, comenzando por lo que pudiera denominarse psicología esencial, de una sola pieza, sin matices, que todavía es más característica de los *autos para siluetas* y los *melodramas para marionetas.* "El hecho de que la mayor parte de los personajes — dice Rubia Barcia — de los esperpentos tienen un pie en el exterior o mundo físico, y sean lo que pudieran llamarse "personajes de los periódicos" hace que sea totalmente innecesaria toda descripción detallada de los mismos. Están ya presentes, en toda su personalidad, en la imaginación de los lectores potenciales; y especialmente en la imaginación del autor mismo. Su substancia procede de la memoria, de la de los lectores y la del autor. Al salir de la memoria entran, por medio de la página escrita, en una fase imaginaria dispuestos a desempeñar el papel que les ha asignado el autor; y si se convierten en reales en el esperpento será con la realidad del muñeco, no del ser humano y ni siquiera del actor en el teatro legítimo. Carecen de aquella *dualidad* característica de los seres humanos vivos y de la dualidad inherente a los de los personajes de la novela tradicional. Y, como muñecos, no se supone que tengan un alma real. Pertenecen a la misma familia de figuras simbólicas estilizadas que en el pasado han poblados los múltiples escenarios de *moralidades y autos sacramentales,* aunque la analogía termine aquí. Son lo que parecen ser o parecen ser lo que son. Han entrado en la escena con el maquillaje apropiado, dejando atrás su naturaleza dual original como caracteres de la vida o de la ficción. En la vida y en la ficción uno puede siempre ser algo distinto; y, como último recurso, hasta es posible que pueda uno ser el objeto de su propio conocimiento. Pero, en el esperpento, el personaje es lo que es, su ser coincide con lo que el autor quiere que él sea, lo cual es esencialmente la encarnación de un *rasgo esencial negativo,* inmóvil e incambiable, actuando contra un fondo de valores colectivos e individuales degradados y ante la conciencia del lector-espectador. Todos los personajes que Valle-Inclán trae a la vida, de la memoria, de la

---

(1) José Rubia Barcia. o.c., 21

literatura, de la palabra escrita, los trajo realmente cristalizados, seleccionando para los esperpentos aquellos cuya esencia (o ser) le había aparecido predeterminada por una existencia sin autenticidad ("cobardes" o "abortos' en la terminología de Sartre). Si los caracteres no se desarrollan, si no pueden cambiar para ser mejores o peores, es lógico deducir que sería superfluo el uso de motivación y acción por el autor" (1).

* * *

Como ya hemos indicado en más de una ocasión, el arte dramático expresionista de Valle-Inclán no tiene una sola forma, la del esperpento, sino varias. Los críticos que sólo ven esperpentos en la obra de Valle-Inclán en esta época reducen considerablmente la importancia y significación del atre dramático valleinclanesco. La manía de ver sólo esperpentos en las obras de este tiempo, ha llevado a algunos críticos a calificar de tales obras expresionistas de muy distinto carácter y naturaleza, como la *Farsa y Licencia de la reina castiza* y tragicomedia *Divinas palabras,* las cuales tienen de común con el esperpento sus rasgos expresionistas, pero del que se diferencian por otras características. rasgos expresionitsas, pero del que se diferencian por otras características.

César Barja reduce a dos grupos la producción de Valle-Inclán en esta última fase, la expresionista, de su arte, sin percibir que ambas obedecían a esta estética. Barja sólo ve en ella *farsas* y *esperpentos;* que sirven de título al epígrafe en que nace este estudio: "Bajo los títulos de *Retablo de la avaricia, la lujuria y la muerte* y *Tablado de marionetas,* ha reunido Valle-Inclán, en los volúmenes IV y X, de su *Opera Omnia,* una serie de piezas dramáticas, en prosa unas, otras en verso, publicadas en fechas bastante distantes — de 1913 a 1927 — y de carácter bastante distinto entre sí las cinco del primer volumen (*Ligazón, La Rosa de papel, El Embrujado, La Cabeza del Bautista, Sacrilegio*) y las tres del segundo *(Farsa italiana de la enamorada del rey, Farsa infantil de la cabeza del dragón, Farsa y licencia de la Reina Castiza)*" (2).

Agustín del Saz, en *El teatro de Valle-Inclán,* hace una clari-

---

(1) José Rubia Barcia. o.c., 22-23

(2) César Barja - o.c. 408

ficación, un tanto arbitraria y apresurada, de su arte dramático; clasificación que incluye en tres apartados distintos sus obras de la fase expresionista. En primer lugar, incluye a *Divinas palabras* en el *teatro de gestas ibéricas* — segundo término de su clasificación — y en el cuarto apartado de las obras que comprende ese título denominando, a *Divinas palabras, tragicomedia de los caminos y aldeas.* En cambio, recoge bajo el título de *teatro satírico* todas las obras incluidas en el *Retablo de la avaricia,* la *lujuria y la muerte (El embrujado, Ligazón, La Rosa de papel, La cabeza del Bautista* y *Sacrilegio)* sin percibir que estas obras no son satíricas; y que en esta condición le ganan todas las *farsas,* que Agustín del Saz no incluye en lo que él llama *teatro satírico.* Con los *esperpentos* forma un nuevo título de la clasificación del teatro valleinclanesco; pero incluye entre los esperpentos la *Farsa y licencia de la Reina Castiza,* que no tiene tal carácter para Valle-Inclán.

* * *

Sólo colocando el teatro de Valle-Inclán de este periodo en la perspectiva de la estética expresionista se podrá comprender su naturaleza; y, partiendo de ella, la variedad del mismo. Partiendo de esta perspectiva, se pueden distinguir en el teatro expresionista de Valle-Inclán: la *farsa,* la *tragicomedia,* el *melodrama,* el *auto para siluetas* y el *esperpento.*

En el primer grupo de esta clasificación está la *farsa expresionista, Farsa y licencia de la Reina Castiza,* distinta, por un lado, de la de la época simbolista, aun de la cargada de elementos expresionistas,y, de otro, alejada también del *esperpento,* con el que le confunden algunos críticos.

Tras la *farsa* viene la *tragicomedia,* de tema gallego, representada por *Divinas palabras.* Valle-Inclan titula *tragedia de aldea* a *Divinas palabras,* en contraste con el título de *tragedia pastoril,* con que adjetivó a *Voces de gesta.*

El tercer miembro de la clasificación está formado por el *melodrama,* titulado *de marionetas* por Valle-Inclán, al que pertenecen *La Rosa de papel* y *La cabeza del Bautista,* que figuran entre las mejores obras de su arte dramático, en las que, como en la *tragicomedia,* predomina el tema gallego, más encubierto en estas dos obras.

Valle-Inclán denomina *autos para siluetas* a otras dos obras, *Ligazón* y *Sacrilegio,* incluidas en el *Retablo de la avaricia, la lujuria y la muerte,* en las que, con la muerte y la avaricia entre un mundo de supersticiones semireligiosas.

La última categoría es la del *esperpento* en la que se incluyen sólo los que Valle-Inclán reputa como tales: *Los Cuernos de Don Friolera, Las galas del difunto* y *La hija del capitán,* incluidas las tres en *Martes de Carnaval* (1930) y *Luces de Bohemia,* empezado a publicar, en la revista *España,* en 1920.

XVIII — LA FARSA EXPRESIONISTA: *LA FARSA Y LICENCIA DE LA REINA CASTIZA*

En el teatro contemporáneo español hay tres maestros de la farsa: Jacinto Benavente, autor de *Los intereses creados* (1907) y Federico García Lorca, que lo es de *La zapatera prodigiosa* (1930) lo son de la *farsa en prosa;* Valle-Inclán, en cambio, lo es de la *farsa en verso.* Con la particularidad de que Benavente y García Lorca, que tuvieron gran éxito en este género dramático, se encontentaron con componer una sola; mientras Valle-Inclán, a parte de componer en prosa otra farsa *(La farsa infantil de la cabeza del dragón)* escribió en verso no una sino tres de distinto carácter: *La Marquesa Rosalinda* (1912); *La farsa italiana de la enamorada del rey* (1920); y la *Farsa y licencia de la Reina Castiza* (1920), que es la última de las incluidas más tarde en su *Tablado de marionetas.*

La *Farsa y licencia de la Reina Castiza* (1920) es el preludio en verso de sus novelas en prosa de la serie de *El Ruedo Ibérico* (1927-1928-1950). Es una presentación irónica, humorística, grotesca de la Corte española de Isabel II, ya en el siglo XIX, antecedente inmediato de la España de la Restauración monárquica.

Los críticos españoles señalan la relación de esta farsa con el esperpento: del que es un anuncio (1) o "una obra de transición entre la nueva farsa y el novísimo esperpento" (2). Guillermo de Torre va más allá y califica de esperpento a la *Farsa y licencia de la Reina Castiza* (3). Agustín del Saz da también como esperpento esta farsa (4).

* * *

La farsa expresionista sigue siendo una farsa; y por eso, está mucho más cerca, en cuanto a su naturaleza, de las otras formas de la farsa del periodo simbolista, sobre todo de las que están cargadas de elementos expresionistas, que de las otras formas dramáticas de su arte expresionista. Su relación con estas

---

(1) J. Guerrero Zamora, o.c., vol. I, 170
(2) César Barja. o.c., 409
(3) Guillermo de Torre, o.c., 147
(4) Agustín del Saz, o.c., 14

últimas está en su visión grotesca de las cosas y en su lenguaje; pero no en la naturaleza y condición de este género dramático. Está en lo cierto César Barja al decir que la *Farsa y licencia de la Reina Castiza* "es una obra de transición entre la nueva farsa (la expresionista) y el novísimo esperpento" (1).

Por su parte, la nueva farsa expresionista se separa de las otras formas valleinclanescas del periodo expresionista en que no procede como ellas de la deformación de la tragedia, sino de la deformación de la comedia. Tragedias, de distinta naturaleza, son las que figuran en el *Retablo de la avaricia, la lujuria y la Muerte,* los esperpentos incluidos en *Martes de Carnaval,* y *Divinas palabras,* la cual queda fuera de estos dos volúmenes.

César Barja destaca el carácter trágico de las cinco obras *(Ligazón, El embrujado, Rosa de papel, la Cabeza del Bautista* y *Sacrilegio)* que figuran en el *Retablo de la avaricia, la lujuria y la muerte:* "Común a las cinco piezas del primer volumen es la intervención de uno u otro de estos tres poderes — avaricia, lujuria o muerte — o de los tres. Tres poderes con fuerza de una fatalidad trágica" (2).

La naturaleza trágica, deformada, abultada o contorsionada, es común a todas las formas de su arte expresionista con excepción de la farsa. Ese es el rasgo que Valle-Inclán destaca como característica del esperpento en *Luces de Bohemia* (3). Y ese es también la nota característica de *Divinas palabras,* la obra dramática expresionista que queda fuera de estos dos volúmenes, calificada de *tragicomedia* por Guillermo de Torre (4).

* * *

En la *Farsa y licencia de la Reina Castiza* alcanza su plenitud otra de las características de la farsa valle-inclanesca, que se había ido acentuando con la marcha de su arte del simbolismo al expresionismo: la desarmonía, la falta de correspondencia entre lo que el personaje debe ser por su condición (rey, enamorado, valentón, etc.) y lo que verdaderamente es. Esta característica desarmonía, tan grata al arte expresionista, separa la farsa valle-inclanesca expresionista de las otras formas de su arte dramá-

---

(1) César Barja. o.c., 408
(3) César Barja. o.c., 409
(3) César Barja. o.c., 411
(4) Guillermo de Torre, o.c., 147

tico de este último periodo; pues no existe ni en el *melodrama,* ni en la *tragicomedia,* ni en los *autos para siluetas* ni en los *esperpentos.*

Habíamos visto como esta falta de correspondencia entre lo que este personaje debía ser o se esperaba que fuera y lo que en realidad es, se había ido acentuando en la evolución de la farsa valleinclanesca: y así el amor, el más alto y noble sentimiento, buscado con ansia loca por la Marquesa Rosalinda, se convierte en una técnica profesional y egoista, encarnado en la baja figura del tiritítero Arlequín, comediante de la legua, que sólo busca el dinero de la marquesa; y como este amor, subiendo por el camino de lo absurdo y de lo ridículo, se encarna, en la *Farsa italiana de la enamorada del rey,* en la figura de un vejete enclenque, incapaz de amar, pero todavía ilusionado con que alguien le ame; pero, ahora, en la *Farsa y licencia de la Reina Castija* la desarmonía entre lo que debía ser y lo que es se extiende a todos los personajes y a todos los momentos de la obra: la reina tiene unos amores con un estudiante sopista,todavía más baratos que los de Rosalinda con Arlequín; y el rey, que debe ser máxima encarnación del poder, es impotente física y espiritualmente; y todo el ambiente de la Corte, que debía ser distinguido y aristocrático es en realidad un mundo picaresco en que todos andan a la rebatiña y a su propio provecho, incluso a expensas del honor de la reina, a quien le importa poco tenerlo o no tenerlo.

Valle-Inclán escribe en realidad un teatro que parece para marionetas; y sin embargo, lo que hace en esta farsa es desnudar, despojar de su *máscara,* o de su *traje* a cada uno de los personajes. Vemos desnudos, en sus defectos y vicios, a los personajes más altos de la sociedad española, los de la Corte de Madrid. Por eso el arte grotesco de Valle-Inclán al desnudarlos de sus ropajes reales o al hacernos ver el carácter que esconde ese ropaje, los humaniza , los hace profundamente humanos; pero de una humanidad totalmente distinta a la que debían tener y representar: al humanizarlos los hace bajar de su pedestal y los hace andar por el cieno de las bajas pasiones (la avaricia y la lujuria).

* * *

Valle-Inclán sigue ahora un procedimiento totalmente contrario al que empleó en la fase decadente y en gran parte de la simbolista, afectada por la corriente estética anterior: entonces buscó lo exquisito, refinado, aristocrático, distinguido, huyendo de lo vulgar y ramplón; en cambio, ahora, donde debía haber por naturaleza (la Corte, el rey, la reina, los cortesanos) elegancia, refinamiento, cortesía, aristocracia sólo encuentra los valores humanos más bajos; picardía, egoismo, concupiscencia, lujuria, achabacanamiento, vulgaridad.

Los valores más altos han desaparecido y en su lugar aparecen los de más baja condición humana: "los reyes de ahora — dice Guerrero Zamora — son puro tanguillo achulado en el corrillo de manolos y azafatas de gran cepa picara. *La Castiza* lo es porque se desvive por los bailes de candil y por las citas de tapadillo, y de sus dengues eróticos con estudiantes de tres al cuarto van dando fe las arcas saqueadas de la nación, y las prebendas de cargos y dignidades — hasta un arzobispo de Manila — que se adjudicaban para tapar bocas propicias al discreteo y a la maledicienca más que fundada. El soberano consorte, entanto, corretea los jardines, que siguen siendo geométricos por inercia, zarandeado por sus ministros y cortesanos, mera figura decorativa sintomática de tantos reales sitios del mundo. Y, a veces, da el escándalo de llamar a la alcoba de su costilla, convocado, como dice, por las dulces llamas del Himeneo. Y la costilla, que no pierde ocasión, aunque venga de marido, se enternece haciendo honor a ese nombre con guasa andaluza y mareito cubano que es cachondeo y que tan bien le cuadra. El crujido que en la faca hacen los muelles combina bien con el organillo antiplomático y el cacareo de las gallinas cluecas; bajo cada tapiz hay una puerta secreta y junto a las joyas de la corona, cartas de un descaro sofocante . . ." (1).

* * *

La *Farsa y licencia de la Reina Castiza* es una de las formas más representativas del *teatro grotesco* que fue cultivado con gran amor por los expresionistas. Lo grotesco, que había ido creciendo en la obra de Valle-Inclán durante su fase simbolista, llegó a su plenitud en esta farsa.

El arte grotesco tiene en esta farsa hondas raíces cómicas, y busca también en ella los efectos cómicos; pero, de vez en cuando, se desliza en ella un elemento trágico, que será el característico

(1) Juan Guerrero Zamora, o.c., vol. I, 170-1

de todas las otras formas dramáticas de su arte expresionista. Con la particularidad de que mientras esos elementos trágicos, que se deslizan en esta farsa, tienen una condición más colectiva que individual, proceden más del cargo o de la posición social del personaje, que de su íntima condición, los de las otras formas dramáticas expresionistas, incluyen los esperpentos, tienen sus raíces en la condición personal del individuo.

César Barja señala el creciente valor que van teniendo en las farsas de Valle-Inclán, los elementos grotescos, las deformaciones: "Hay sin duda, diferencia entre las varias farsas, ya por el grado de deformación de la visión estética, ya por razón del equilibrio entre la parte de fantasía y la parte de realidad. Es sobre todo, en la última de las tres citadas farsas, la *Farsa y licencia de la Reina Castiza,* donde la deformación aparece más exagerada. Antes que la deformación, el cambio de perspectiva: la realidad vista por ese lado ridículo y grotesco de la farsa y el esperpento. Y, desde esa perspectiva, la deformación: la exageración de las líneas caricaturescas de lo ridículo y lo grotesco. Siempre un estilista, llega Valle-Inclán en estas obras últimas a una estilización máxima, no según el criterio dominante en las anteriores producciones, en las que la visión estética era, no ordinaria, pero sí normal, clásica, sino según este nuevo criterio de acentuación y exageración de la línea caricaturesca. Caricaturesca es ya por sí la realidad del carácter, vida y costumbres de la Reina Castiza — Isabel II — y grotescamente caricaturesca es la *Farsa y licencia de la Reina Castiza*" (1).

* * *

Con la deformación grotesca de la vida la Corte española, de un periodo vivo en el recuerdo de algunas gentes, el de la época isbelina, entra con fuerza, en la obra dramática de Valle-Inclán, otro de los elementos característicos del arte expresionista: la preocupación por los valores morales y sociales de la realidad española. Con esta farsa entra de rondón en la obra de Valle-Inclán el tema que más le apasionaba a la *Generación del 98:* la visión dramática de la España del siglo XIX, antecedente inmediato de la de la Restauración. Es una visión satírica, deformadora, para hacer más visibles y salientes los rasgos de esa realidad social.

---

(1) César Barja. o.c 410

Esta visión satírica había ya aparecido, de una manera más modesta y reducida en algunas de las obras de Valle-Inclán, principalmente en las farsas, como la *Farsa italiana de la enamorada del rey*; pero ahora se desborda por toda la obra para llenarla y darle carácter. Por lo que no es totalmente exacta la afirmación de Guillermo de Torre de que "a partir de *La Reina Castiza,* las acotaciones están imbuidas de burla, traspasadas por intenciones políticas y grotescas" (1); pues antes de *La Reina Castiza* ya habían aparecido, aunque en forma más limitada.

La *Farsa y licencia de la Reina Castiza* es una sátira política de la Restauración, anuncio de la crisis del régimen constitucional español que desembocará en la Dictadura de Primo de Rivera, uno de cuyos principales adversarios fue Valle-Inclán, contra quien el Dictador escribió de su puño y letra una nota oficiosa; y tras la Dictadura vendría, como liquidación de esa corte española de fantoches, la República.

La sátira política y moral, la valoración irónica de la realidad política española, antecedente de la Restauración, se dirige contra los reyes, contra los cortesanos, contra los ministros y contra los gloriosos espadones que gobernaron la España isabelina, de lo cual es símbolo y encarnación el mayor general don Tragatundas.

Si Valle-Inclán presentó la vaciedad o la falta de calor y sentimiento en el amor profesional, simbolizado en Arlequín, en *La Marquesa Rosalinda,* trata ahora de poner en evidencia la vaciedad o falta de auténtico valor en los profesionales de él, en los militares. Ya en las novelas de la guerra carlista había enfrentado Valle-Inclán al auténtico heroísmo, cálido y desinteresado de los guerrilleros, carlistas y fueristas, con el profesional de los militares del ejército isabelino. Ahora en esta farsa, presenta de una manera grotesca, uno al lado del otro, a los militares profesionales que bullen en la Corte y los tipos achulapados (Manolo el Lucero) que campan en ella por sus arrestos. Estos dos tipos de valentones serán los que aparecerán en la serie del *Ruedo Ibérico,* predominando cada vez más los populares (gitanos, bandidos, contrabandistas, chulos) sobre los profesionales del honor y valor.

---

(1) Guillermo de Torre, o.c., 147

A través de la obra, en prosa y en verso, de Valle-Inclán, había ido entrando poco a poco el lenguaje expresionista, popular e idiomático, vivo y dinámico, explosivo y sugestivo, breve y enfático, que había ganado terreno a expensas del vocablo y de la frase simbolista melodiosa y armoniosa, plástica con colores amables, impresionista en captar algunas veces las sensaciones más que la significación ideológica de las cosas y situaciones.

En la *Farsa y licencia de la Reina Castiza* irrumpe, y en su plenitud, este estilo y lenguaje expresionista, que, en verso, había aparecido en *La pipa de Kif:* "El viejo, jugoso *argot* de la chulería — dice Guerrero Zamora — o mejor, de la chulapería, porque de Madrid se trata, substituye el lenguaje preciosista de otras comedias; y así, de una dama, por piropo, no se le dice que tiene risa de plata sino que es repolluda, no se pintan esbeltas sino fofas mantecas que tiemblan sonrosadas, no se baila el minué pero se juega a la brisca, en lugar de tenores hay luìscandelas que escupen por el colmillo, gilís en lugar de marqueses empolvados , sopones de la Universidad en el sitio de los arlequines y rufos de tufo y manteo sobre el cuello de Pierrot, mientras bajo los miriñaques bailan la rueda vocablos y nombres de trapío: tuno, borrego, gazuza, simplona, triquitraque, naturaca, pupila, patatús, camama, alhajú, y Lucero, Mari-Morena, y don Gargarabete, y el Marqués Lechugino, don Trinito y el jorobado guitarrista Torroba, el Mayor general don Tragatundas y una ronsa de majos calamocanos" (1).

* * *

En la versificación, en contra de la preferencia que había tenido el simbolismo (modernismo) por los metros largos (2), el expresionismo la tuvo por los cortos. En la *Farsa y licencia de la Reina Castiza* esta preferencia es más visible en las acotaciones escénicas que en el diálogo mismo, pues, como había señalado certeramente Pedro Salinas, a partir de esta farsa, las acotaciones se llenan de burla, de sátira y de elementos grotescos (3).

Mientras en el diálogo predomina el endecasílabo y a su lado, en forma mucho más modesta, el alejandrino, en las acotaciones escénicas campan los versos cortos: estrofas de siete y ocho

(1) Juan Guerrero Zamora, o.c., vol. I, 171
(2) Tomás Navarro. *Métrica española,* 406
(3) Guillermo de Torre, o.c., 148

versos hexasílabos, cuartetos hexasílabos, sextillas de octasílabos, coplas de pie quebrado, redondillas de eneasílabos, cuartetos de eneasílabos, estrofas de nueve versos heptasílabos; y, en forma muy limitada en las acotaciones escénicas, cuartetos de endsílabos y de alejandrinos.

XIX — LA TRAGEDIA DE ALDEA: *DIVINAS PALABRAS*

La obra de Valle-Inclán que atrajo en los últimos años la atención de la crítica fue, en el arte dramático, su teatro expresionista: los *esperpentos* en general y en particular dos obras de este periodo, *Divinas palabras* y *Luces de bohemia,* la primera que lleva el subtítulo de *tragedia de aldea,* pero que, para algunos críticos es el primero de los esperpentos, y la segunda calificada de esperpento por su propio autor y el primero de su clase que publicó.

De todas las obras dramáticas de Valle-Inclán es *Divinas palabras* la que ha sido presentada más veces en los últimos años en los escenarios de los teatros comerciales de las ciudades más importantes de Europa (Madrid, París) y América (México, Buenos Aires): *Luces de bohemia,* en cambio, es lo que ha merecido más estudios de la crítica interesada en la producción literaria de Valle-Inclán. En el número de *Homenaje a Valle-Inclán,* de *Cuadernos Hispanoamericanos* (1) hay seis estudios dedicados a *Luces de Bohemia: En torno a Luces de Bohemia,* de Alonso Zamora Vicente; *El fondo histórico-social de Luces de Bohemia,* de José Camón Aznar; *Realidad y arte en Luces de Bohemia,* de Emilio Miró; *Leyendo a Luces de Bohemia,* de Andrés Amorós; *Luces de Valle-Inclán,* de Ramón de Garciasol; y *Un teatro desconocido.* En el número de *Insula,* dedicado en gran parte a Valle-Inclán (2) hay tres artículos sobre el mismo tema: *Sobre la génesis de Luces de Bohemia,* de Alen W. Phillips; y *La técnica estética del esperpento: Acotaciones escénicas en Luces de Bohemia,* de Lesley Lee Zimic (2), y en *Papeles de don Armandans, Luces de Bohemia, elegia y sátira* de Gonzalo Sobejano (3).

Uno de los principales motivos que debió impulsar a la crítica de las últimas generaciones, hacia estas dos obras dramáticas de Valle-Inclán, debió de ser la estrecha relación que ambas

(1) Cuadernos Hispanoamericanos. Homenaje a Ramón del Valle-Inclán, Madrid, julio-agosto, 1966, números 199-200

(2) *Insula,* julio-agosto, 1966, Madrid, números 236-237

(3) Gonzalo Sobejano. Luces de Bohemia, elegia y sátira, en Papeles de San Armadanes, año XI, Tomo XLIII, número CXXVII, Octubre 1966

tienen con la estética existencialista: el tema del dolor colectivo; el del sufrimiento como carácter de la existencia del hombre sobre la tierra; el choque de distantas existencias dolorosas empujadas por la corriente de la vida.

La crítica literaria contemporánea no ha destacado todavía con bastante claridad la deuda entrañable que tiene el existencialismo con las corrientes estéticas que le precedieron en el arte y literatura de Europa, singularmente con el expresionismo, en algunas de cuyas obras palpitaba una honda y agonizante humanidad. A este tipo de expresionismo, hondamente humano, pertenecen estas dos obras de Valle-Inclán, las dos dramáticas: *Divinas palabras,* de la humanidad más humilde del pueblo gallego; y *Luces de Bohemia,* de una humanidad urbana, la de los intelectuales bohemios de Madrid en la época de la Dictadura militar de Primo de Rivera.

* * *

Divinas palabras, tragedia de carácter más monstruoso que grotesco, es la obra por excelencia del nuevo arte dramático expresionista de Valle-Inclán; asi lo han entendido los directores del teatro que, en las capitales de Europa y América, llevaron a la escena esta obra antes que cualquier otra de su repertorio. Con ella hizo su estreno en el teatro español la actriz francesa María Casares, gallega de nacimiento y educación, Primer Premio de la *Comedia Nacional Francesa,* que hasta entonces sólo había actuado en tragedias en lengua francesa. Juan Guerrero Zamora dice de *Divinas palabras* que "es la obra más excelente que ha producido el teatro español desde los Siglos de Oro" (1).

Su tema es fuertemente existencialista y constituye uno de los precedentes más inmediatos del llamado *tremendismo* de la novela española de la postguera civil, cultivada por Camilo José Cela y Ramón Sender. Sus personajes son la humanidad doliente: el pueblo gallego, principal protagonista colectivo de esta tragedia, encarnado en las clases más pobres y humildes, de los mendigos, tullidos, trujimanes, faranduleros y cuantos andan por las ferias y romerías para mostrar su ingenio o sus miserias físicas. Es la humanidad doliente, movida de nuevo por las fuerzas del retablo de la avaricia, la lujuria y la muerte, que aparecen,

---

(1) Juan Guerrero Zamora. o.c., vol. I, 181

en forma todavía más monstruosa, en esta obra. Y esta es la razón de que algunos críticos la califiquen de esperpento.

* * *

Un niño idiota, hidrocéfalo, es uno de los personajes centrales de esta tragedia. Su madre, Juana la Reina, lo paseaba por ferias y romerías para inspirar la caridad y ganarse con él la vida. Al morir, lo dejó, como lucrativa herencia, a sus dos hermanos: el sacristán Pedro Gailo, casado con Mari-Gaila; y a su hermana Marica la del Reino. Los dos deben repartirse equitativamente la administración del dornajo, en que va por los caminos de Galicia el idiota. La mujer del sacristán Mari Gaila, sale con él a ganarse la vida en las ferias; y en una se encuentra con un aventurero, que vive de la suerte del pajarito y de decir la buenafortuna por medio de una perra, Coimbra. Por este aventurero, Séptimo Miau, deja al dornajo y el idiota al cuidado de una amiga que lo lleva a una taberna. Allí el marica Miguelín el Padronés lo emborracha para que haga muecas y tonterías; y el idiota se muere asfixiado con la borrachera. En la escena final, la mujer del sacristán, que ha sido sorprendida por los vecinos fornicando en el campo con su amante, es traida en un carro de heno al atrio de la iglesia. Su marido al verla, salta del campanario; e ileso, se dirige a ella y la conduce desnuda por entre las sepulturas del atrio, repitiendo en voz alta y en latín, las palabras divinas de que "tire la piedra quien este libre de culpa". Las *divinas palabras,* como un conjuro mágico, dejan asombrados a los vecinos, que se retiran del atrio atemorizados, incapaces de castigar a la adúltera.

* * *

Son numerosas las notas existencialistas que aparecen en el arte expresionista de Valle-Inclán, singularmente en *Divinas palabras.* Una de ellas es el carácter de promiscuidad que recibe en ella la lujuria. Esta promiscuidad hace que se borren de la lujuria los contornos de pecado consciente y aparezcan en su lugar los borrosos de la vida vegetativa animal de la coexistencia de los seres. "De la promiscuidad — dice Guerrero Zamora — hace el dramaturgo en *Divinas palabras* un denominador común. Hablé ya de la morbida contaminación que ejercían algunos personajes eclesiásticos en otras obras de adulterio. Aquí, no se da una presencia directa, pero se infiltra, digamos, el olor eclesiástico de ser Pedro Gailo, como lo es, sacristán de una iglesia y el habitar en ella. Cuando éste, por otra parte, se supone engañado, y, en plena borrachera, le da por desear incestuosamente a su hija. Y esto es también promiscuidad, ya que la tentación incestuosa, más que la canela de Simoniña, se la levanta la morbosa imaginación columbrando a su mujer en otros brazos. Se promiscuyen, por los caminos, ciegos y coimas, compadres Maricuelas y vendedores de agua de limón, pordioseros y peregrinos a Santiago, mendigos y trajinantes de toda laya, negros segadores, amancebados criberos, mujeres ribereñas que venden encajes, alegres pícaros y amarillos enfermos que, con la manta al hombro y el palo en la mano, piden limosna para llegar al santo hospital o a la ermita de un santo milagroso que esperan los atienda. Y sobre todo planea la sombra parda de la Guardia civil" (1).

* * *

La trinidad de la lujuria, la avaricia y la muerte se hermanan en esta obra aún más intimamente que en las recogidas en el *Retablo* que lleva ese titulo. Pero de las tres es la lujuria, símbolo de la vida, la que domina y sesobrepone a la muerte. Es la lujuria la que, al final de esta tragedia, encarnada en la desnuda Mari Gaila, pasa por encima de las sepulturas del atrio de la iglesia en que es sacristán su marido para entrar triunfante con él en ella, perdonada de su pecado.

Mari Gaila siente la lujuria al andar por los caminos arrastrando el dornajo del idiota y verse deseada por cuantos la ven; y esta lujuria se apodera de ella cuando se encuentra con el aventurero Séptimo Miau, nueva versión del farandulero valleinclanesco, que ya habíamos visto en *La Marquesa Rosalinda* y en *La farsa italiana de la enamorada del rey,* Séptimo Miau, con su perra amaestrada y su pájaro que saca la suerte, enciende en ilusiones amorosas a las mujeres ya entradas en años, como Mari Gaila.

La lujuria se apodera también del sacristán al volver borracho a su casa y sentirse abandonado por su mujer; y ver en su propia casa a su hija, medio desnuda, con la que quiere ponerle los cuernos a su esposa.

La lujuria entra en esta obra en escenas de tremendo con-

* * *

(1) J. Guerrero Zamora, o.c., vol. I, 178

traste con la muerte. Hay en ella una combinación extraña de escenas lúbricas y escenas macabras, como ya la habíamos visto en *Romance de lobos,* de la trilogía de *Comedias bárbaras.*

En el triunfo de la vida sobre la muerte vuelve a aparecer una nueva nota existencialista en el arte expresionista valleinclanesco: "Sin embargo — dice Guerrero Zamora — avaricia, lujuria y muerte no son factores determinados con patetismo. El resultado de su fusión, casi el producto químico, es vida, y vida que rezuma lozana popularidad, ebullición, de sudores y humores; exultante hormiguero humano no sometido a la deformación de idealismo ni materialismo alguno, pero tratado en función vegetal, mineral y animal, es decir: compuesto, con admirable sentido de la composición, en armonía con la ferocidad de esa tierra verde, de rías y maizales, en que las camelias despuntan en Galicia. La hueste de pícaros feriantes ha sido rezumada por la tierra húmeda; y es, por eso, por lo que, con tanto derecho como el hombre, entre los personajes de la obra, ocupan en su lugar la perra Coimbra, el pájaro adivino Colorín y el sapo que croa en la noche" (1).

Otro punto de entronque con el existencialismo del expresionismo valleinclanesco es la sabiduría popular, la filosofía de las gentes sufridas sobre la existencia humana, que se refleja en los diálogos de los personajes de *Divinas palabras.* Su constante obsesión es la carga de la vida, el peso de esta existencia, que es mucho más sensible para los pobres que para los ricos. La filosofía y sabiduría popular que, en la época del simbolismo, buscaba los temas tradicionales del pueblo gallego, su visión de esta vida y de la otra, se orienta ahora, con una preocupación existencialista, metida en el expresionismo, hacia el dolor y la carga que es para el hombre la propia existencia.

* * *

En ese carácter existencialista, debido en gran parte al arte *expresionista* y, en una más pequeña, al *surrealista,* que gustaba de los personajes primitivos y fuertes, es donde está la nota realista que ve Rafael Conte en esta obra valleinclanesca: "Tal sea *Divinas palabras* — dice Rafael Conte — la primera obra en la que lo real impone totalmente la actitud del escritor. Este es el mundo de don Juan Manuel Montenegro, la misma Galicia trá-

---

(1) J. Guerrero Zamora, o.c., vol. I, 177

gica, pero, en esta ocasión, el cambio de enfoque supone también un mayor acercamiento a la realidad, una máxima toma de conciencia de los temas vigentes en la España de nuestro tiempo. Ya no existe aquel lente de aumento. Ya no hay grandezas. No se desorbita nada en función de un juicio previo. Aquí es el pueblo el protagonista, la masa: no aparece uno solo de los aristócratas que eran frecuentes en la obra anterior. Aquí se trata de buhoneros, sacristanes, mendigos, leñadores, etc. Con este montaje abigarrado, miserable, en el que la codicia y el sexo imponen las conductas, se presenta un tremendo cuadro dramático, en el que la conjunción de la trama argumental con la serie de tipos presentados forma un panorama atroz, gesticulante, de pasiones primitivas y motivaciones elementales. El texto es punzante, violento. Las filtraciones aludidas se han consolidado, dando paso a esta obra profundamente realista, donde un escritor, dueño de su lucidez, y estilo, contacta con la alineación de una colectividad; y la describe con un afán de objetividad verdaderamente encomiable en un antiguo modernista. Valle-Inclán no ha dejado, por eso, de ser un artista frío, despegado de sus personajes, dominador de una prosa cincelada en medio de su populismo. Y ahora, tras su conexión con el realismo, el autor va a extender, a "universalizar" su trabajo, mediante un recurso técnico que adquiere caracteres de verdadero hallazgo: el *esperpento*" (1).

Conte acierta al precisar el mundo de fuerte realidad humana que hay en *Divinas palabras,* pero yerra al tratar de denominarlo realista, como si se encontrara con el realismo sociológico o psicológico del siglo XIX. El realismo de Valle-Inclán es mucho más profundo que el de los novelistas realistas del siglo XIX, y sólo Pérez Galdós, cultivador de un realismo simbolista, se puede medir con él. Su realismo no es otra cosa que el afán del expresionismo de captar la realidad viva y transcendental de las cosas, sus valores eternos más que los fugitivos, que solía captar el impresionismo o el realismo artístico. En su arte expresionista, que busca la honda verdad, la gran realidad, de un conjunto de seres humanos, expresión de un pueblo, converge también la corriente *surrealista,* que había entrado en este periodo en la

(1) Rafael Conte. *Valle-Inclán y la realidad.* Insula, números 199-200, julio y Agosto 1966, 55

literatura española, para exaltar los caracteres primitivos y fuertes, gobernados más por sus instintos, por su subconsciencia, que por su conciencia, los cuales abundan más en las clases populares, principalmente entre la gente trashumante (buhoneros, aventureros etc.) que en las cultas y refinadas.

Hay en *Divinas palabras* la misma convergencia, de gran valor para el arte español contemporáneo, de dos de las grandes corrientes estéticas que agitarán las letras europeas en general y en particular las españolas después de la *Primera Guerra Mundial:* el *expresionismo* y el *surrealismo.* A la convergencia de estas dos corrientes debe la literatura española del siglo XX la década más esplendida, la del 20 al 30, en la que apareció: la novela y el drama expresionista de Valle-Inclán; la novela expresionista de Pérez de Ayala y Gabriel Miró; la novela surrealista de Ramón Gómez de la Serna, y apuntó el teatro y poesía de García Lorca.

Estas dos mismas corrientes son las que, unidas en proporciones y formas diversas han enriquecido el drama de García Lorca, de la preguerra civil; y la novela existencialista de la postguerra civil española, particularmente la llamada *tremendista.* Y todos los escritores de las nuevas generaciones, desde García Lorca, en su teatro, como los novelistas del *tremendismo* español (Camilo José Cela y Ramón Sender) tienen una deuda entrañable con el arte de Valle-Inclán, sobre todo con aquellas obras, que, como *Divinas palabras,* responden a la misma confluencia de esas dos grandes corrientes estéticas.

* * *

Las viejas creencias, tan gratas a su arte simbolista, reaparecen aquí en la forma del Trasgo Cabrío. En la figura de este personaje, que preside, en el camino por donde anda Mari Gaila, el despertar de la lujuria en el alma de la sacristana, convergen dos personajes un tanto distintos: por un lado, el *trasgo* de los caminos gallegos, personaje más travieso que malo, dedicado a asustar, más por la noche que por el día, los incautos y desprevenidos pasajeros; y, por otro, el propio Diablo, señor de los siete pecados capitales, dispensador de la lujuria.

Los tres motivos fundamentales del más alto teatro valleinclanesco están aquí conjugados a la perfección: avaricia, muerte, lujuria. En el camino de la feria se dan cita los tres, y, por eso, el

Trasgo Cabrío, encarnación lúbrica, hostiga con el quiebro de su risa a Mari Gaila, cuando ésta rueda bajo la noche del dornajo, donde la avaricia y el interés se le han convertido en muerte, en muerte boba y cazamoscardas (1).

El embrujado era sin duda más rico en elementos de las viejas creencias gallegas, de las llamadas supersticiones; mientras *Divinas palabras* supera a esa otra tragicomedia en los valores vitales. Pero aun así se debe reconocer, como lo hace Rita Posse, la importancia que tienen esos elementos en *Divinas palabras:* "Al lado de *El embrujado* — dice Rita Posse — cabe situar otra obra: *Divinas palabras,* donde nuevamente surge el misterioso mundo de la superstición. El aire de muerte portador de un poder maléfico, el valor sacral del aguabendita , el desgarrado planto funerario, descripciones de mortajas, de nuevo los trasgos, brujas y maldiciones" (2).

* * *

En *Divinas palabras,* Valle-Inclán presentó personajes, monstruosos física y espiritualmente: deformes más por su naturaleza que por la mano del artista. Esta diferencia en la deformación es una de las notas que separan *Divinas palabras* del *esperpento,* su pariente en el arte expresionista, pero no su igual. Guerrero Zamora señala el distinto carácter de lo grotesco, con respecto al arte de los *esperpentos,* que hay en *Divinas palabras:* "No afianzarse en el gran dilema conceptual que Bergamín decía: patetismo o lirismo, supone una tercera solución en la que los motivos que, para una mentalidad común, sólo producirían sordidez y tiniebla, o, para una mente lírica, autosublimación, no engendran ni lo uno ni lo otro, sino llana, sencillamente, algo más complejo y unilateral: vida. Este es el más profundo avance del esperpento, modalidad literaria que, practicando una deformación — en *Divinas palabras,* más que deformación es criba de personajes naturalmente deformados por su pintoresquismo — busca lo grotesco no para satirizar éticamente y alcanzar conclusiones morales o reformadoras, sino para revelar en qué consiste — instintos, pasiones elementales, histrionismo y jactancia, hueca hinchazón y barro — la esencia del hombre y en qué promiscuidad — de

---

(1) Juan Guerrero Zamora, o.c., vol. I, 176

(2) Rita Posse. *Notas sobre el folklore gallego en Valle-Inclán,* Cuadernos hispanoamericanos, Madrid, julio-agosto, 1966, números 199-200, 496-7

muerte, carne y alma, confusas y, que por eso, sin importancia alguna — radican las fuentes de la vida. Y esto — que es comprobación y no juicio, que es conformidad con la naturaleza y con la miseria del hombre, que es solidaridad con su color, su olor y su sudor, y no máscara encubridora, que es, en fin, asceticismo, el hondo asceticismo de la selva — constituye la médula de las afinidades existentes entre Valle-Inclán y Ghelderode, una médula que recorre una larga columna vertebral cuyas vertebras tienen nombre: Breughel y Bosch, Goya y Velázquez, Quevedo y Cervantes, Carlos V y don Miguel de Mañara, Solana y . . ." (1).

* * *

Uno de los temas predilectos del arte expresionista de Valle-Inclán, particularmente de sus obras dramáticas, es el del honor, columna vertebral del teatro español del Siglo de Oro, más del de la época de Calderón que del de Lope de Vega. En este tema, que había aparecido ya en obras anteriores, suele presentar a un marido engañado, que, en lugar de tomar la actitud resuelta de los protagonistas de las comedias de honor de aquel Siglo, matando a su esposa adúltera, anda vacilante sin tomar resolución alguna, actitud que enfurece a las vecinas y a otras gentes, representantes del sentido del honor español, las cuales le afean su conducta, animándolo a tomar fiera y singular venganza con los adúlteros. En esta obra es Marica la del Reino, la hermana del sacristán, con la que comparte el lucrativo negocio de exhibir por ferias y romerías el niño deforme, la que, interpretando la voz popular y su mezquino egoísmo, denuncia a su hermano el adulterio de la sacristana para que haga con ella un castigo ejemplar. Como un coro, que repite este tema, están los vecinos que han sorprendido en el campo, en fragante delito de adulterio, a la sacristana, con su amante Séptimo Miau; y la traen a ella, desnuda, en un carro de heno para que su marido la castigue en la misma puerta del atrio de la iglesia. Castigo que rehuyó el marido,el cual espantó a los vecinos congregados con las *divinas palabras,* en latin ritual, de que "lance la primera piedra quien esté libre de pecado."

Este es el tema, que, con variantes, será el central de *Los cuernos de Don Friolera,* esperpento en el que el marido vacilante, empujado por sus compañeros militares y los vecinos, trata de matar a su esposa infiel y sólo consigue dar muerte a su pobre

---

(1) Juan Guerrero Zamora, o.c., vol. I, 177

hija, una niña que acompañaba a los amantes en una cita nocturna. En *La Marquesa Rosalinda,* el marido vacilante se contenta con alquilar unos espadachines para asustar al amante Arlequín, y mandar recluir a su esposa, Rosalinda, en un convento.

* * *

El bilingüe Valle-Inclán, que había dedicado, en *La lámpara maravillosa,* algunas de sus más bellas y sentidas páginas al poder mágico de la palabra y a los valores singulares que encierra cada una de las tres lenguas de las Españas (gallego, catalán y castellano), buscó en el latín bíblico, en las *Divinas palabras,* el máximo poder mágico de una lengua: el poder de conjurar con su hechizo las pasiones más bajas de una turba incriminadora. No hay sarcasmo, ni ironía en el sentido corriente de la palabra, sino paradoja, o, quizás, humor comprensivo, en el empleo de esas palabras bíblicas por Valle-Inclán. El dramaturgo gallego ve en las palabras del latín bíblico un poder mágico y sublime, superior al de cualquier otra lengua para aquietar las males pasiones; y los mismos campesinos, que no son capaces de entender el significado de las palabras, se rinden a su hechizo y perciben intuitivamente cuanto hay de divino y de humano en ellas.

El dramaturgo y crítico español Antonio Buero Vallejo, para quien *Divinas palabras* es un esperpento, rechaza la opinión de los que ven un sarcasmo, o una ironía en el empleo por Valle-Inclán de estas *divinas palabras* al final de su tragicomedia de aldea; y señala, con sagaz penetración, la ambivalencia que pueda haber en ella, en la que cabe la ironía y el amor: "En *Divinas palabras* — dice Buero Vallejo — tragicomedia considerada de hecho, y con razón, como otro esperpento, hay a la vez otra tragedia. Acaso no se hayan estudiado todavía con la detención necesaria sus extraordinarias escenas finales. Dícese que son irónicas: que el *milagro del latín* entraña una burla de la ignorancia campesina y del mito religioso. Y es cierto. Pero son escenas ambivalentes que también significan — por milagro del arte — todo lo contrario. Que los aldeanos obedezcan cuando no entienden no es un hecho enteramente negativo: la intuición y la emoción son, en ciertos casos, fuentes de lucidez más que de error. Una moral más sana y más moderna — por más antigua — derrota en esta obra a la moral calderoniana: la salvación física de la adúltera se logra porque los campesinos, de pronto, intuyen.

Mas para ello necesitan del *milagro del latín;* es decir, de una emoción solemne. Pedro Gailo ha comprendido antes, arrodillado por otra emoción terrible: ha querido matarse y salva la vida. Entonces perdona. Y Mari Gaila, al modo de otro Orestes perseguido por las Furias que llegase al Santuario de Apolo, la cual empieza a entrever valores humanos superiores a los de la carnal fatalidad que la domina, aunque, para intuirlos sólo disponga de esa religión de sus mayores que, en su original pureza, absuelve a la carne después de condenarla. Entonces la *enorme cabeza del idiota, coronada de camelias, se le aparece como una cabeza de angel.* ¿Se trata de una burla del autor? Sólo en parte. A la ironía distante que también encierra, únese un sentimiento infinitamente solidario: Mari Gaila ve, y el autor con ella, lo que tiene de sagrada toda criatura humana. La mirada última que Valle lanza al cadáver del bufón y al resto de los protagonistas esperpénticos ya no es "goyesca" sino velazqueña. La tragicomedia termina con una verdadera catarsis" (1).

Valle-Inclán debía al simbolismo su amor y admiración por el poder mágico de las lenguas. Este amor por la palabra es una parte de la herencia simbolista que pasó a su arte expresionista. Pero, con este traspaso, su idea de ese poder sufrió unos ciertos cambios. Si Valle-Inclán hubiera escrito *Divinas palabras* en el periodo simbolista de su arte hubiera empleado el latín en temas nobles, con personajes tan nobles como el tema, los cuales hubieran hablado la lengua de la versión latina de la Biblia, la de la Roma Imperial y la del Vaticano, madre de las lenguas romances modernas. Pero ahora, en el periodo expresionista, en lugar de presentar el latín armoniosamente, como el lazo espiritual que une las cosas altas y distinguidas, se presenta de una manera dramática, desarmónicamente, para enlazar lo alto con lo más bajo, y para intimidar con su magia a gentes analfabetas y bárbaras.

No hay ironía alguna en la intención de Valle-Inclán al servirse de las *divinas palabras bíblicas* en la escena final de la obra. La ironía está en la situación: en el contraste entre la altura de las palabras bíblicas y la bajeza de las pasiones humanas de unos personajes bajos también en su condición social, analfabetos por más señas. La ironía está en que la lengua más noble sea

(1) A. Buero Valejo, o.c., 138-9

oída por las gentes más ignorantes para purificar su alma del veneno del odio y de la venganza; y que sea al acólito más modesto de la Iglesia, un sacristán, el que pronuncia, delante de los vivos y de los muertos, las palabras divinas del Redentor.

* * *

El sentido plural de las Españas, que Valle-Inclán manifestó constantemente en su obra, aparece también en el tema del honor. El sentido del honor español no es para él uno sino dual. Esta dualidad se había ya expresado en la literatura del Siglo de Oro, cuyo teatro tenía como columna vertebral este tema. En la comedia caballeresca española del Siglo de Oro, principalmente en la de la época de Calderón, se expresa un duro e inflexible sentido del honor, que desde entonces se titula *calderoniano,* según el cual el marido, ante la simple sospecha de que es engañado, debe tomar un ejemplar castigo, matando a la esposa adúltera o sospechosa de serlo.

En frente de esta concepción del honor, más del teatro que de la novela, se había manifestado otro más humano y comprensivo, cuyo portavoz fue Cervantes, especialmente en su novela ejemplar *El celoso extremeño.* Según este criterio, el marido engañado, no ya el que creía serlo, indagaba las causas de la torpe conducta de su esposa y se sentía en parte responsable de ella; y, por eso, en lugar de castigarla a una muerte inexorable, le daba otro castigo menos duro y más humano, como Cervantes en *El celoso extremeño,* haciendo que el esposo ordenara, en su testamento que la mujer infiel se casara con su amante.

En el siglo XIX, y en la época de la Restauración, José Echegaray volvió a llevar al teatro español el duro sentido calderoniano del honor, aunque en *El Gran Galeoto,* aspiró a separarse de él. En contra de este tratamiento calderoniano del honor se expresó entonces Pérez Galdós, más novelista que dramaturgo, máximo representante del concepto burgués de la vida en la España de fines del siglo XIX y principios del XX, y con él de un honor más humano y comprensivo.

Valle-Inclán siguió la senda de Pérez Galdós, llevando a sus últimas consecuencias el sentido humano, de raíces cervantinas, del honor español. La máxima encarnación de ese sentido humano, tolerante y comprensivo, es el sacristán Pedro Gailo, en *Divinas palabras,* el más humilde representante de la Iglesia de Cristo, quien perdona a su mujer, cogida *in fraganti* en acto de adulterio, lanzando, contra los que quieren ser sus perseguidores y le incitan a él a un castigo ejemplar calderoniano, las palabras bíblicas que dijo Cristo en el caso de la adultera perseguida.

Valle-Inclán, que ya en *Cuento de Abril,* había expresado el contraste entre el sentido del honor castellano y el mediterráneo europeo de la Provenza, volvió a tratar este tema del contraste con mayor énfasis en *Los cuernos de don Friolera,* en cuya obra la dualidad del sentido del honor hispánico se localiza en una particular zona geográfica: el sentido duro e inflexible, calderoniano, del honor, se identifica con Castilla, domina en la mayor parte de España y tiene raíces africanas; mientras el sentido humano y comprensivo, de origen cervantino, se extiende por Portugal, por Cantabria, para él símbolo de Galicia, y por Cataluña y está emparentado, por su común procedencia latina, con el de otros pueblos europeos, principalmente Nápoles.

Los personajes valleinclanescos representan este segundo sentido, latino, cervantino, que para Valle-Inclán tiene raíces en la tierra gallega. Sus ideas están encarnadas en dos de sus personajes más notables: el militar don Friolera en *Los cuernos de don Friolera;* y el sacristán Pedro Gailo en *Divinas palabras.* Pero, de estas dos figuras, es el sacristán la máxima expresión del honor humano, cervantino. Pedro Gailo, tomando en el atrio de la Iglesia el divino papel de Cristo y las divinas palabras de perdón del Maestro, es la figura más noble del marido engañado que perdona en lugar de castigar a la esposa adúltera. Las palabras latinas del sacristán, sus palabras de perdón, son un exorcismo contra los malos espíritus encarnados en los vecinos reunidos, ante el atrio de la iglesia, para pedir el castigo de la esposa infiel. Estos vecinos se sienten intimidados ante el conjuro mágico de las palabras bíblicas del Señor, pronunciadas en el atrio de la iglesia por el sacristán, ante la muerte, de los que están en las sepulturas, y de la vida que bulle en torno de ellas.

* * *

No se ha creado en toda la literatura española personaje alguno que supere al sacristán Pedro Gailo en despreciar el sentido calderoniano del honor, basado en la opinión pública más que en la conciencia individual de la persona ofendida. En el concepto calderoniano del honor, el marido agraviado hace todos los esfuerzos posibles para que no se conozca su deshonra; pues la deshonra no conocida es para él como si no existiera. En *Divinas palabras,* Valle-Inclán hace que la ofensa tuviera la mayor publicidad y escándalo; la esposa del sacristán cometió en público, en pleno campo, actos de adulterio con Séptimo Severo o Miau y en ellos fue sorprendida por los vecinos; y son estos los que, como en una fiesta pagana de sacrificios humanos, traen desnuda, echada en el heno, a la esposa adúltera para que el marido la castigue públicamente; pero el sacristán, en lugar de castigarla, como le pedía la opinión pública, hace oír, por encima del clamor de sus voces, la voz de su conciencia, la voz del perdón, que acalla con sus *divinas palabras* la algarabía vecinal. La *Vox Dei,* de las *divinas palabras,* de la conciencia, acalla la *Vox populi,* del castigo.

Valle-Inclán, buscando los contrastes más fuertes, hizo que la ofensa al honor tuviera en *Divinas palabras* la máxima publicidad; y también la tuviera el acto de perdón, con el que el sacristán Pedro Gailo desafió el sentido tradicional, calderoniano, del honor español.

En *Divinas palabras* se hace más evidente la analogía que algunos críticos españoles, particularmente Juan Guerrero Zamora, encuentran entre la obra dramática de Valle-Inclán y la del flamenco Michel de Ghelderode, dos generaciones más joven (nació en 1898) que el escritor gallego.

Ya habíamos indicado, en otra ocasión, la afinidad de la obra de ambos dramaturgos europeos, que quizás no conocieron su respectiva obra: "Otras varias afinidades con Ghelderode — dice Guerrero Zamora — e insisto en aclarar que todos los los datos confirman que ambos autores no se conocieron jamás en su obra ni en su persona — deben ser anotados. Primeramente, la recalcitrante, indómita negativa a la muerte, por lo cual el obispo Jan de Eremo se levantaba de su catafalco y Pedro Gailo de la tierra, donde queda aplastado, tras su caída voluntaria desde la torre de la iglesia. Lo que les alza es como una sobrehumana fuerza de voluntad para la consumación de los hechos. Ambos tienen la obligación, se diría, de redondear la historia, y ni la muerte misma consigue impedírselo. El obispo de Flandes revive para vomitar odio; el sacristán galaico para encender una vela de perdón. Y un aliento misterioso se infunde en la creación y comunión de los hombres, cuando, al cabo, uno y otro, perdonan, uno y otro aspergen a sus ofensores con el agua bendita de la caridad" (1).

Otra nota común con Ghelderode es su preferencia por lo macabro, por "ese carretón féretro, la agonía presente de Juana la Reina — y hay un nuevo velatorio en el que las sombras tienen el sentido irreal y profundo de las consejas. Como en Ghelderode. No aparecen aquí los tres canes blancos de la muerte, que circulaban en *El embrujado* y que formaban con el lúgubre ladrido de Escurial, pero se murmuran ensalmos y se recitan plegarias y rasgan plantos y jeremiadas. Como en Ghelderode. Y la lujuria viene incitada, y como en celo; mientras la avaricia calcula y la muerte ronda. Y hay hondos fervores de religión, fanatismos con trasgos y brujas, chalanes con el compadre Satanás, y, no obstante, los pícaros, cuando a Dios se les nombra, contestan "No conozco a este sujeto". Como en el Ghelderode" (2).

En la lengua, *Divinas palabras, tragedia de aldea,* está entre *El embrujado,* lleno de arcaismo y de neologismos galleguizantes, y los esperpentos, en los que la lengua toma una expresión más castellanizante.

En *Divinas palabras,* esa lengua castellanizante, idiomática, expresiva, llena de sabor popular, un tanto unida a la tradición literaria quevedesca, aparece sobre todo en las palabras de Séptimo Severo o Séptimo Miau, castellano él mismo. El titiritero, que era de origen internacional en sus farsas, italiano el Arlequín, de *La Marquesa Rosalinda,* y también el Lotario de la *Farsa italiana de la enamorada del rey,* se nacionaliza y populariza totalmente en la fase expresionista, echa raíces en la propia tierra y se encarna en personajes de profesión más baja y rastrera, más a ras del suelo, como Séptimo Severo.

A diferencia de *El embrujado,* en el que su sentido artístico de la lengua le servía sólo para inventar palabras galleguizantes, en *Divinas palabras* entra el lenguaje castellanizante de los vagabundos: "En *Divinas palabras* — dice Guerrero Zamora — y consonantemente con la identidad de sus personajes trotamundos, el habla de rompe y rasga se dosifica en gran manera con la lengua fundamental y las aportaciones del dialecto. A ello se une el trato

(1) Juan Guerrero Zamora, o.c., vol. I, 180
(2) Juan Guerrero Zamora, o.c., vol. I, 181

que Valle-Inclán da a la sintaxis, la flexibilidad con que altera el orden de colocación entre sujetos, verbos y adjetivos, complementos y adverbios, la frecuente compensación — que a veces implica alteraciones y siempre un paralelismo al menos formalmente entre el orden recto y el invertido — *¡Duélense las entrañas, la vida se duele . . ., l*a unión esporádica del complemento personal dativo y acusativo al verbo — *conócese, dícele* —, el gusto por la voz pasiva del verbo — *Y si era muerto cuando . . .* —, y en fin, el predominio de la frase incisiva cortada . . ." (1).

Algunas de estas alteraciones proceden de la lengua gallega; y, en cuanto a la frase incisiva, cortante, es la natural y consubstancial del arte expresionista.

Divinas palabras, tan semejante al arte expresionista de la pintura de Gutiérrez Solana, es una visión dura violenta de una España negra y deformada: "Jamás se dió una más acabado expresión de Galicia — dice Guerrero Zamora — y pocas veces una más hechizante de la España negra. Lazarillo, Don Pablos y Guzmân de Alfarache, toda la picaresca, dan progenie ilustre a estos personajes con los que, una vez más en la obra valleinclanesca, se conjunta el coro polifónico del pueblo, para el que el dramaturgo recreó un lenguaje propio de mezclados sabores — de Ultramar, porque la guerra de Cuba estaba reciente y, entre los pícaros, abundaban los sorches de rayadillo . . .; de antigua habla, porque se vive entre piedras románicas y tradiciones de antaño; del dialecto gallego, por cortesía del escenario; de los demás dialectos españoles, porque todos los caminos van a Roma; y de culta petulancia chulesca, porque algo se pega siempre del diccionario a quienes viven entre tanto roce" (2).

(1) Juan Guerrero Zamora, o.c., vol. I, 178
(2) Juan Guerrero Zamora, o.c., vol. I, 178

XX — EL ESPERPENTO: SU NATURALEZA Y FORMAS

El mismo año de 1920, crucial en la producción literaria de Valle-Inclán, como ya hemos indicado en otra ocasión, vió cerrarse la fase simbolista de su arte y abrirse con extraordinario impulso la expresionista, con la *Farsa y licencia de la Reina Castiza,* con *Divinas palabras* y también con su primer esperpento, *Luces de Bohemia,* que es la obra valleinclanesca más estudiada por la crítica, tanto por ser cronológicamente el primero de este carâcter como por haber expresado en el Valle-Inclán su teoría del *esperpento.*

La crítica en general, lo mismo la española que la extranjera, fue atraída, desde el primer momento, por la originalidad de esta forma expresionista del arte literario de Valle-Inclán; y uno de los primeros críticos españoles que pusieron su atención en él fue Pedro Salinas, en su estudio *Significación del esperpento o Valle-Inclán, hijo pródigo del 98* (1), que representa un cambio en la visión de la obra de Valle-Inclán del poeta y crítico de la generación vanguardista.

El esperpento ha atraido de tal modo a los críticos que les ha impedido ver, a muchos de ellos, la verdadera perspectiva de este género dramático: en primer lugar, no perciben que el esperpento no es un género dramático totalmente aislado en su obra dramática y novelesca, sino que forma parte, como una de las formas más originales y representativas de la fase expresionista de su arte; y, en segundo término, no comprenden que el esperpento, de acuerdo con la estética y la técnica del expresionismo, no tiene una sino varias formas. Sin olvidarnos de que, como ya se ha indicado en más de una ocasión, la falta de esta perspectiva, la falta de colocar el *esperpento* dentro de su mundo expresionista, es a su vez la razón de que una serie de críticos incluyan entre los esperpentos obras dramâticas expresionistas que no tiene ese carácter.

En el primer error incurre Pedro Salinas al buscar en la obra valleinclanesca los antecedentes del esperpento, cuando en realidad lo que anda buscando son los antecedentes de toda su

(1) Pedro Salinas. *Significación del esperpento,* en *Literatura española del Siglo XX,* México, 1949

obra expresionista, entre ellas los esperpentos: "Pasando de las *Sonatas* a otro ciclo de obras — dice Salinas — nos encontramos con una nueva designación: *Comedias bárbaras.* Es un riguroso antecedente del esperpento, un paso más allá hacia el esperpentismo. Porque, conceptualmente, bárbaro suena a descomunal, enorme o fuera de la norma civil, disparatado, incapaz de emparejarse con nosotros. Cuando Valle-Inclán se encariña con lo bárbaro, y echa por esa nueva senda estilizante, se delata como sintiendo ya una urgencia de deformación que, en lugar de afanarse por las formas liliales, sueña en monstruos! Cómo se nota a Don Ramón en algunos cuadros de estas comedias que el cuerpo le está pidiendo el esperpento! A este respecto *Divinas palabras* puede sumarse a las *Comedias,* con su monstruo del carretón, su tropelista andariego y sus coimas borrachas" (1).

Esta evolución del arte de Valle-Inclán fue afectando a cada uno de sus elementos, desde la presentación o visión de las personas y su ambiente hasta el estilo y la lengua en que se expresa la visión del artista; y no se limitó, como cree Pedro Salinas, a a la simple evolución del esperpento: "Van apareciendo situaciones de esperpento — dice Salinas — estilo de esperpento, antes de que surja ante nosotros el organismo entero" (2). La evolución valleinclanesca tiene un horizonte de más amplias perspectivas: es la marcha y progreso de su arte del simbolismo hacia el expresionismo; y en ambas estéticas fue Valle-Inclán uno de los grandes maestros de la literatura española contemporánea y uno de los más distinguidos de la europea en general.

Por eso, quienes, como Salinas, tratan de rastrear las huellas, los antecedentes de este arte nuevo, no se pueden limitar a tener a la vista de una de las formas concretas del expresionismo, el *esperpento,* por muy importante y significativa que sea, sino que deben tener presente toda la gama del arte dramático expresionista de Valle-Inclán, en el que, sin duda alguna, el esperpento ocupa un lugar de primera fila, pero no único y exclusivo; corriente estética a la que debe la literatura española contemporánea, tanto en la novela como en el drama, algunas de las obras más bellas y eternas.

* * *

---

(1) Pedro Salinas. o.c., 91-2
(2) Pedro Salinas. o.c., 97

Valle-Inclán formuló la teoría del esperpento en *Luces de Bohemia,* el primero de esta clase, por medio del diálogo de los de los principales personajes: Max Estrella, en gran parte trasunto del propio Valle-Inclán, y Don Latino de Hispalis.

Los esperpentos son eminentemente trágicos. Están proyectados sobre la humanidad doliente, vista de una manera abultada, con arreglo al arte expresionista. Su abultamiento toma varias y distintas formas: unas veces es una deformación, como en el ejemplo de las figuras reflejadas en los espejos cóncavos y convexos, citados por Valle-Inclán como módulo de su teoría del esperpento; pero, otras veces, son simples contorsiones y en otras violencia.

Uno de los medios de su abultamiento es su humorismo, más dramático, más trágico que entretenido, cargado de ironía y en muchos casos de sarcasmo, proyectado sobre la vida. Las muecas del humorismo, con sus visajes extraños, son como una carcajada trágica, como las risotadas del trasgo burlón y comprensivo, que se ríe en el fondo del escenario del gran drama humano.

Valle-Inclán dice, en ese diálogo, por boca de Max Estrella que "el esperpento lo ha inventado Goya. Los héroes clásicos han ido a pasearse por el callejón del Gato — Los héroes clásicos reflejados en los espejos cóncavos dan el esperpento" (1).

* * *

La naturaleza del esperpento es fundamentalmente trágica. Por eso, pese a su arte grotesco, se separa de la farsa y se acerca a la tragedia. *Tragedias grotescas* les han llamado algunos; y, en efecto, son *tragedias grotescas* iluminadas por el arte expresionista. Buero Vallejo, en su ya mencionado estudio, destacó el carácter trágico del esperpento: "Por estos y otros perfiles, que nos descubren la verdad del hombre recóndito situado a nuestra misma altura, consigue Valle-Inclán que sus esperpentos no se queden reducidos a farsas ligeras y que culminen en verdaderas tragicomedias. Que sean por lo tanto, si nos atenemos a su último sentido, versiones trágicas de la realidad. Menos alejadas de Shakespeare — esa máxima verdad que tampoco prescinde a veces de la bufonada — de lo que suponíamos. O, si se quiere

---

(1) R. del Valle-Inclán. *Obras completas. Luces de Bohemia,* 939

un ejemplo más próximo a la visión "en pie", de Ibsen. Quizá hay más parentesco del que en principio admitiríamos entre *Los cuernos de Don Friolera* y, por ejemplo, *El pato silvestre*" (1).

En este mundo trágico hay personajes patéticos, que no creen en los falsos valores de la sociedád, y otros esperpenticos: "Pachequín en la misma obra (*Los cuernos de don Friolera*), Don Latino en *Luces de Bohemia*, si son esperpénticos. Ninguno de ellos reconocerá lo ridículo y postizo de los valores en que supone creer. Lo mismo sucede con tantos otros personajes; pero no con Max Estrella, ni con Don Friolera, ni con la Sini, o la "daifa" o Juanito Ventolera, inocentes todos ellos que dejaron de serlo" (2).

En este mundo trágico, uno de los elementos más patéticos de algunos esperpentos es la muerte de un niño inocente: "los inocentes sacrificados que pagan la ceguera de los mayores. Ya en su hermosísima tragedia *El embrujado*, Valle-Inclán nos conmueve — y se conmueve — con una de ese víctimas infantiles; hemos visto la segunda en *Luces de Bohemia*, y en *Los cuernos de Don Friolera* una tercera víctima vuelve a sobrecogernos. Creyendo matar a su mujer, el teniente mata a su hija; esa niña que, pese a su aspecto de *moña de feria*, da al esperpento el contrapunto doloroso que lo humaniza" (3).

Este hondo patetismo de los esperpentos valleinclanescos, reconocido por los críticos más sagaces de su teatro — Guerrero Zamora y Buero Vallejo — pasa inadvertido para otros menos avisados, los cuales deslumbrados por el brillo del arte de lo grotesco, que está en la superficie de las cosas, no perciben el hondo patetismo humano que hay bajo esa forma.

* * *

Una de las notas características del esperpento, que lo separa de las otras formas del arte expresionista valleinclanesco, es la de que sus temas y personajes están tomados de la realidad social contemporánea española; y el propio autor es en alguno de ellos parte de esa realidad viva dramática. "Como primera conclusión general — dice Rubia Barçia — parece razonable mantener que

---

(1) Antonio Buero Valejo. o.c., 138
(2) Antonio Buero Vallejo. o.c., 138
(3) Antonio Buero Vallejo. o.c., 138

el esperpento procede del tratamiento satírico de la realidad, de la realidad de la sociedad de la España moderna, impregnada de valores tradicionales, que se sienten en crisis, no sólo en la vida española sino en toda la Europa occidental y aun si se quiere en toda la cultura universal" (1).

En este mundo del esperpento, empapado de realidades contemporáneas de la vida española, se mueven una serie de personajes, tomados de esa realidad española, entre ellos el propio autor, el cual, de acuerdo con los principios del arte expresionista, aparece para exponer más sus ideas sobre los acontecimientos y las personas que toman parte en ellas que para ser protagonista de una anécdota: "Con respecto a los personajes — dice Rubia Barcia — *Luces de Bohemia* nos presenta toda una galería de seres humanos enajenados — tan enajenados como el propio autor — la mayor parte sino todos, conocidos como personas reales en el mundo exterior (en el mundo físico) por el autor, los amigos del autor y aun por algunos de los lectores. La situación se repite en "el mundo interior" del libro mismo, donde todo se entrelaza para ilustrar un aspecto de la sociedad humana no reconocida como valiosa para la gente "normal", o por quienes se ocupan de actividades normales y respetables" (2).

Una de las personas reconoscibles es el autor que aparece de varias maneras en los esperpentos: "El autor aparece — dice Rubia Barcia — en la obra escondido como una tercera persona, el narrador, aparentemente responsable, sólo como el equivalente de las acotaciones escénicas; y aparece también "al descubierto", pero en una condición marginal, disfrazado como un *alter ego* idealizado. *Los cuernos de Don Friolera* presentan, en un modelo de una complejidad estructural mucho mayor, otro *alter ego* disfrazado del autor real, acompañado de la transfiguración de uno de sus amigos más íntimos en la vida real; y ambos aparecen en la misma condición marginal o extraña, mientras el autor se encarga también de su papel de narrador. Los tres — el narrador y los dos personajes marginales — presencian, desde el exterior ficticio, la presentación de un sólo problema — el sempiterno caso del honor español — en tres niveles distintos. Por debajo de los tres, hay también un suceso real del mundo ex-

---

(1) José Rubia Barcia. o.c. 20
(2) José Rubia Barcia. o.c. 21

terior contemporáneo, con personas disfrazadas, identificables y otros mencionados por sus nombres reales. *La hija del capitán* no tiene esa aparición de un *alter ego,* directo o disfrazado, del autor. En esta obra se abandonan todas las pretensiones de ficción; y el autor desempeña, de una manera demiúrgica, su papel como narrador escondido, pero identificable. En este caso, parece que prefiere no acercarse demasiado a sus personajes, mantenerse a una cierta distancia, movido quizás por una combinación de orgullo y disgusto con respecto al tipo de muñecos que está manipulando" (1).

* * *

Otro de los elementos expresionistas de los esperpentos, un tanto distinto al que aparece en las otras formas del arte expresionista de Valle-Inclán, es el tratamiento del tiempo, el cual representa un completo desvío de la tradición del tiempo en el arte realista y aun en el del simbolista. El tiempo de los esperpentos no es en muchos casos cronológico, pues puede haber una falta total de continuidad temporal entre un cuadro y otro. El tiempo de algunos de los esperpentos, singularmente el de *Los cuernos de Don Friolera,* no se rige por los movimientos del reloj. En todos ellos es un tiempo de gran intensidad dramática.

Rubia Barcia destaca la distinta función del tiempo en los esperpentos: "la fragmentación del contenido, la naturaleza inmutable de los personajes y la falta de un argumento continuado, que hemos visto en todos los tres esperpentos *(Luces de Bohemia, Los cuernos de don Friolera* y *La hija del capitán)* son claros indicios de la tendencia del autor a paralizar, o, por lo menos, retardar, e incluso hacer retroceder, el flujo del tiempo cronológico. Un análisis más detenido del tratamiento del tiempo en estas tres obras nos mostrará una marcada predilección por un tiempo humano en oposición al tiempo externo o de reloj." (2).

En los esperpentos, el autor acumula en unas horas o a veces en unos breves días una serie de referencias a los más variados sucesos, separados grandemente en el tiempo físico, como si para él éste no contara, fuera mas bien un estorbo del que había que prescindir.

---

(1) José Rubia Barcia. o.c. 21-22
(2) José Rubia Barcia. o.c. 24-5

Rubia Barcia señala, sin nombrarla, la naturaleza expresionista del arte de Valle-Inclán en el esperpento: el hecho que este sea una nueva visión de una realidad, y no una deformación de ella: de una realidad universal y no necesariamente española. "Sería equivocado — dice Rubia Barcia — considerar los materiales nacionales en bruto, que utiliza Vale-Inclán, para la composición del esperpento, como condición *sine qua non* de su existencia; y, en consecuencia, considerar el esperpento como un producto nacional. Una cosa es lo que la realidad ofrece — más o menos la misma en todas partes — y otra cosa es lo que el hombre hace con ella. Las peculiaridades de la vida nacional española de los últimos cien años — desgraciadamente, podemos decir — han sido posibles en todos los países y son cosa de hecho en bastantes de ellos. La crisis de los valores tradicionales y la discrepancia entre el "ser" interno y "la imagen pública" de los representantes de la sociedad contemporánea es demasiado evidente para que no la vea cualquiera. Pero lo que España hizo con sus propias circunstancias — en este caso por el genio de Valle-Inclán, iba a jugar una vez más un papel de pionero en la transformación de un aspecto de la amorfa realidad humana en una fórmula artística de significación" (1).

Esta realidad humana, española en cuanto a la anécdota, pero de amplias posibilidades universales, se presenta con toda la fuerza, a veces caricaturesca y siempre esencializada del arte expresionista. Rubia Barcia niega que esa presentación sea necesariamente una deformación de la realidad: "el esperpento — y digo esto antes de concluir — no es ni el resultado de la deformación ni el de la estilización de una realidad determinada, como se ha dicho y repetido innumerables veces. Considerar los esperpentos como realidad deformada implicaría una *contradictio in terminis;* y ver en ellos una estilización requeriría un patrón o modelo preexistente que la serviría de base. Los esperpentos son nuevas estructuras artísticas, formadas — o conformadas — a un nuevo concepto y a una nueva visión de la realidad. Toda la gama de sus ingredientes, incluyendo el propio lenguaje, consiste en reducir a eesncia — el *eidos* fenomenológico — y "se realizan" ellos mismos, teniendo lugar su acción no en un lugar determinado "exterior", sino en la participación individual, cons-

(1) José Rubia Barcia. o.c. 26-27

ciente o inconscientemente, en la situación espiritual predominante de su tiempo. El camino del esperpento fue preparado por un complejo proceso de desrealización, que culminó en la autonomía artística para el producto resultante; y una completa ruptura con los procedimientos del arte novelístico utilizados en el periodo que le había precedido" (1).

Sólo dos reparos cabe oponer a las inteligentes palabras de Rubia Barcia: en primer lugar, no podemos seguirle en el empeño de enclavar el esperpento en la novela, en ver en él una nueva dimensión novelística, como lo denomina en este estudio; pues, por el contrario, es una de las formas más representativas de su arte dramático; y, en segundo lugar, coincidimos con él en no ver una realidad totalmente deformada en el esperpento, sino que este es una nueva manera, expresionista, de ver la realidad; pero eso, en cambio, no excluye que, en numerosas ocasiones, Valle-Inclán empleara, como procedimiento expresionista, al tratar de degradar los valores morales, políticos y espirituales de la sociedad, la caricatura deformadora.

* * *

No está exclusivamente el carácter y naturaleza del esperpento en su técnica deformadora, en el espejo cóncavo; pues esta técnica está al servicio de una función más alta, la del arte expresionista, que busca los valores eternos de la humanidad doliente y sufrida, en este caso la española, que tanto preocupa a la *Generación del 98*. "El sentido trágico de la vida española — le sigue diciendo Max Estrella a Don Latino de Hispalis — sólo puede darse con una estética auténticamente deformadora. España es una deformación grotesca de la civilización europea' (2). Es decir, que España y su civilización es el fondo, el tema central, de los esperpentos, que tratan de captar algunos de los aspectos fundamentales de la manera de ser de lo español.

Nunca en la historia de la literatura española, ni aun en los tiempos de Quevedo, de su su novela picaresca, de los sueños y de las fantasmagorías morales, se creyó que España era una deformación de la civilización europea. Por el contrario, Quevedo creía que era una de las formas más nobles y notables, empequeñecida y deformada por los malos gobernantes de la Corte española del

(1) José Rubia Barcia. o.c. 27-28

(2) R. del Valle-Inclán, o.c., vol. I, 939

siglo XVII. Y, en la literatura española moderna, ni en las obras del más anárquico y violento de ella, Pio Baroja — quien, en algunas novelas presenta situaciones y personajes completamente deformados y caricaturescos, parientes de los del esperpento — se expresó la vida española y algunos de sus temas más inquietantes con tal fuerza y vigor, deformada caricaturescamente unas veces, pero otras presentada al desnudo, de una manera primitiva, como en el arte surrealista, que asomaba en la literatura española por la misma época en que componía Valle-Inclán *Divinas palabras* y *Luces de Bohemia.*

Valle-Inclán, al crear el esperpento, no sólo empleó una técnica deformadora, que tenía ya una larga historia en su arte y aún más largos antecedentes en la literatura española, sino que la utilizó para ofrecernos su visión expresionista de España, de la España de su tiempo y de la de todos los tiempos, buceando en las entrañas de su ser para atrapar los temas fundamentales de su vida. Y, al hacerlo, creó algo más: creó en el teatro español contemporáneo no una sino varias formas de la tragedia expresionista, alguna de ellas, como *Luces de Bohemia,* entrañablemente unidas al arte existencialista.

Luces de Bohemia, como *Divinas palabras,* compuestas ambas en ese año decisivo del arte valleinclanesco, de 1920, son dos auténticos puentes en la literatura española contemporánea, que unen el expresionismo, anterior a la Guerra civil, que floreció en la década del 20 al 30, con el existencialismo, que dominó, más en la novela que en el teatro, después de esa guerra.

* * *

No hay una sino varias formas del esperpento por la técnica empleada y por el distinto tratamiento expresionista de la realidad viva, espiritual y cultural, que es España.

Los tres esperpentos, *Los cuernos de Don Friolera, Las galas del difunto* y *La hija del capitán,* tienen de común el contarnos un argumento, una historia grotesca; pero, en cambio, *Luces de Bohemia,* en lugar de contarnos una historia, nos presenta la vida de una serie de personajes, principalmente la de Max Estrella, poeta ciego, en el fondo real de la España contemporánea de las dos primeras décadas de este siglo. El argumento de *Luces de Bohemia,* más aun que el de *Divinas palabras,* es la propia vida: la existencia misma. Es la vida la que forma el argumento: la vida de una serie de personajes y personajillos, representantes de la vida intelectual, bohemia, del Madrid de principios de siglo, proyectada contra la pantalla de la sociedad burguesa española de la época de la Restauración; y del contraste entre estas dos formas de vida española, la sincera, pero anárquica de los intelectuales bohemios, y la mendaz y falsificada del régimen constitucional español, caparazón de su sociedad burguesa, resulta el esperpento, el contraste y la deformación.

Los otros tres esperpentos, separados de *Luces de Bohemia,* por el carácter hondamente existencialista de este esperpento, tienen dos notas importantes en común: en primer lugar, el contarnos los tres un argumento, una historia; y, en segundo término, el carácter militar, de procedencia militar, de los personajes, que tomaron parte en la Guerra del 98; Don Friolera en las Filipinas; Juan Ventolera, el de *Las galas del difunto,* y el Capitán, en *La hija del capitán,* en la guerra de Cuba. Nunca el tema del mundo militar de esa guerra, que da nombre a la Generación del 98, estuvo tratado de una manera más directa por los escritores de este grupo que por Valle-Inclán. Quizás esas dos notas comunes, señaladamente la militar, sean la razón de que el autor incluyó a los tres en *Martes de Carnaval* (1930), volumen del que dejó fuera a *Luces de Bohemia,* como si dentro del género común del esperpento, creyera Valle-Inclán que éste pertenecía a otra clase.

Señaladas estas notas comunes, a estos tres esperpentos, comienzan muy pronto las diferencias que los separan entre sí.

* * *

De estos tres esperpentos, dos de ellos, *Los cuernos de Don Friolera* y *Las galas del difunto,* presentan, en forma grotesca, un mundo de total ficción; y cada uno es una farsa, respectivamente, de dos de los grandes temas del teatro español de todos los tiempos: el del *honor ofendido* por la esposa adúltera, en *Los cuernos de Don Friolera;* y el del *burlador,* del *Tenorio,* en *Las galas del difunto.* En cambio, en *La hija del capitán* nos cuenta Valle-Inclán una historia, transfigurada, tomada de la realidad española de su tiempo; el asesinato por codicia y celos del amante de la hija del capitán Sánchez, conserje de la Escuela Superior de Guerra de Madrid.

Asi como *Los cuernos de don Friolera* y *Las galas del difunto* son parecidas, presentaciones en forma grotesca y totalmente ficticia e imaginada, de los temas tradicionales del teatro español y de la sociedad española, *La hija del capitán,* en cambio, se parece más a los *autos de siluetas* del *Retablo de la avaricia, la lujuria y la muerte,* sobre todo a *Ligazón.* De nuevo son estos tres poderes infernales — la avaricia, la lujuria y la muerte — que mueven a los seres humanos y los llevan a su destrucción trágica los personajes principales de esta obra dramática, que lleva el título de esperpento.

A su vez hay una notoria diferencia entre *Los cuernos de don Friolera* y *Las galas del difunto.* En el primero de estos dos esperpentos, de total ficción, emplea Valle-Inclán la técnica más expresionista que utilizó en todo el género; la de ver el mismo asunto, la tragedia del honor de don Friolera, desde distintos puntos de vista: los comentarios de don Estrafalario y don Manolito sobre una tragedia (de don Friolera) que ven pintada en un cartel de ciego; la función de títeres con esta tragedia; la historia de don Friolera presentada a lo vivo, que constituye la parte central del esperpento; y el romance de ciegos que se presenta al final sobre el mismo tema. De este modo utiliza Valle-Inclán la técnica expresionista de tratar de captar, desde distintos puntos de enfoque, toda la compleja significación humana y artística de este tema contado en esta historia. Manuel Durán, en su penetrante artículo *Los cuernos de Don Friolera y la estética de Valle-Inclán,* percibe que este esperpento tiene "una composición inusitada, rica, excepcional en grado sumo" (1), distinta a la de los demás esperpentos.

En *Las galas del difunto,* en la que presenta en forma grotesca y macabra una historia de un tenorio vulgar, con la guerra de Cuba, la guerra del 98, recién terminada, con fondo, emplea Valle-Inclán una técnica expresionista más simple; y carece de la complejidad y riqueza de distintos puntos de vista que aspiran a recoger los varios matices del tema.

---

(1) Manuel Durán, o.c. *Insula.* Madrid, números 199-200, julio-agosto 1966, 5 y 28

XXI — EL ESPERPENTO DE TEMA HISTORICO-SOCIAL CONTEMPORANEO: *LUCES DE BOHEMIA*

La preocupación que sintió Valle-Inclán en este tiempo por los problemas sociales e históricos de la España de la Restauración y le llevó a tratar de penetrar en el carácter eterno del pueblo español, procede, sin duda, de la inquietud que agitó a todos los escritores de la *Generación del 98;* pero, el afán de llevar a la literatura estas inquietudes y la forma en la que las expresó en ela, se deben claramente al arte expresionista: al arte que gustó de esas inquietudes y preocupaciones entoda Europa, se afanó en penetrar en la significación cultural de los acontecimientos y de las cosas, y en expresar, literariamente, de una manera enfática esa visión, empleando muchas veces la caricatura y lo grotesco para captar las grandes verdades de la existencia.

Sólo teniendo presente que el expresionismo y no una estética vaga, indefinida, que no se nombra, es la corriente estética que fertilizó el esperpento de Valle-Inclán, se pueden entender los juicios, acertados, pero perdidos en una peligrosa vaguedad, al tratar de darnos la caracterización estética de este fenómeno artístico; como ocurre con las palabras de Guerrero Zamora, al tratar de determinar la naturaleza de *Luces de Bohemia:* el esperpento es el arquetipo dramático del 98; y una prueba de ello lo constituye su sentido del tiempo en que nació, su preocupación nacional, su conciencia histórica, sentido, preocupación y conciencia que Valle-Inclán procuró siempre dejar soterraños a la formulación artística, sin caer en la tentación de convertirlos en prédica, discurso u opinión directa, pero que en su obra de tipo grotesco son un evidente impulso . . . El espertentismo se explica como la búsqueda de una nueva convención estética; segundo, por todas aquellas tendencias que hemos ido viendo como propias del carácter de nuestro dramaturgo; y, por fin, por necesidad española de convertir en trofeos de escarnio nuestras sordideces. De esto último es un testimonio *Luces de Bohemia,* obra en la que su autor, por vez primera en su teatro, quiso opinar directamente acerca de la historia de su tiempo, quizá porque deseaba dejar expresa una nueva adquisición estética — y, con ella, la aclaración de sus raíces, de sus consonancias, de su porqué nacional" (1).

Valle-Inclán no buscó "una nueva convención estética" porque ésta ya estaba creada en la literatura europea, el expresionismo, el cual se preocupaba, como iba a hacer Valle-Inclán en este esperpento," de opinar directamente sobre la realidad histórica de su tiempo"; lo que hizo fue crear, dentro del arte expresionista, una de las formas más bellas y originales, el *esperpento,* proyectada sobre la realidad social y cultural de España.

En *Luces de Bohemia* introduce Valle-Inclán personajes de la más variada procedencia: unos inspirados en seres reales, pero que no son figuras realistas, sino expresionistas, como Máx Estrella, símbolo de una España bohemia, trasunto de varios personajes de aquel tiempo, entre ellos Alejandro Sawa y el propio Valle-Inclán, cuyas ideas sobre la vida y la cultura española expresa constantemente este poeta ciego; otros de pura ficción, como el Marqués de Bradomín; y otros tomados directamente de la realidad viva, como el poeta nicaragüense Ruben Darío.

Guillermo de Torre percibe la analogía que hay entre el esperpento valleinclanesco y algunos de los personajes de las novelas barojianas que se refieren a la España de ese tiempo: "el paso definitivo hacia el nuevo territorio — dice Guillermo de Torre —, se produce cuando Valle-Inclán abandona en absoluto lo legendario y lo regional, encarándose frontalmente con seres y lugares de su mundo cotidiano y disparatado: las vidas rotas y pintorescas que proveyeron también el bazar barojiano, los Silvestre Paradox y los Andrés Hurtado de comienzos del siglo madrileño. Es cuando escribe la epopeya de uno de los personajes reales — Alejandro Sawa —: la tragicomedia novelesca *Luces de Bohemia,* teoria y ejemplos máximos de su nuevo género, el "esperpento" (2).

Guillermo de Torre trata de identificar, tras la máscara, algunos de esos personajes: en Max Estrella ve a Alejandro Sawa, pero, como ya hemos indicado, es una combinación de caracteres de varios personajes, entre ellos y de una manera principal, del propio Valle-Inclán: "en el librero Zaratrusta no es difícil iden-

(1) Juan Guerrero Zamora, o.c., vol. I, 195

(2) Guillermo de Torre. o.c., 136

tificar al que fue inicialmente editor de los modernistas: Pueyo; y, en su covacha, cualquiera de las que abundaban, antes de abrirse la Gran Vía, en la calle de Jacometrezo. El mote "Zaratrusta" corresponde además muy bien (traspuesto el tono chungón de ciertas tertulias literarias) el momento del descubrimiento de Nietzche: "Dorio de Gades", escritor gaditano, usó efectivamente tal pseudónimo, "Don Latino de Hispalis", el acólito de Max Estrella, resulta de identificación incierta; pero en "Don Gay" o "Don Peregrino Gay" no es difícil reconocer rasgos de Ciro Bayo, quien divagó por las Españas, nuevo Lazarilo español, anduvo por tierras americanas, autor de un *Romancillo del Plata* y de quien Baroja ha trazado varias semblanzas. Basilio Soulinake, no es otro que Ernesto Bark, escritor ruso emigrado, vagamente bohemio y anarquizante, como tantos otros de fines del siglo XIX y comienzos del XX. En el "Ministro de la Gobernación" pueden adivinarse algunas reminiscencias del político y periodista que se llamó Julio Burell. Figuras episódicas los "epígonos del Parnaso modernista", como Rafael de los Vélez (¿Rafael Lasso de la Vega?), Gálvez (¿Pedro Luís Gálvez?), "Clarinito" y "Pérez", no admiten ni necesitan más que entre interrogantes una identificación precisa; son la golfemia — mezcla de golfería y bohemia — o, si se quiere, dicho más noblemente, componen el antiguo coro de las tragedias y zarzuelas y en él se mezclan figuras de la generación de Villaespesa con otras posteriores. Todos ellos, del mismo modo que el protagonista, "Max Estrella", su mujer "Madame Collet" (en realidad Jeanne Poitier) y otros que no cambian sus nombres (Rubén Darío y el "Marqués de Bradomín) se mueven en "un Madrid absurdo, brillante y hambriento" sobre un fondo de telones naturales: cafés y tabernas, covachas, una buñolería, una redacción, un ministerio, una comisaría, los alrededores nocturnos y galantes del Jardín Botánico, junto al Museo del Prado. Sin embargo, las flechas están cambiadas, mejor dicho, voluntariamente trastocadas. Si el fondo es el de los primeros años del siglo, ciertos hechos políticos aludidos, como algún otro literario, se sitúan entre 1917 y 1920" (1).

Valle-Inclán, buscando construir figuras representativas, utiliza libremente cuantos materiales encontró en la vida española de su tiempo; y, en general, en la semblanza de cada personaje

(1) Guillermo de Torre. o.c., 136-7

entran elementos no de uno sino de varios, para que así resulte el personaje más expresivo y significativo de la realidad social española, de la sociedad burguesa del reinado de Alfonso XIII, que para él es más bufa que seria. Por eso tiene razón Azorín, en una carta dirigida a Guillermo de Torre, en la que considera inútil, para desentrañar el valor literario y artístico de *Luces de Bohemia,* rastrear la filiación de cada personaje: "He conocido — dice Azorín — a todos los personajes del libro (*Luces de bohemia*). Creo, sin embargo, que es inútil buscarles la filiación. La Bruyere, en sus *Caracteres,* traza retratos auténticos: han sido identificados todos. Y lo han sido porque respondían a una realidad histórica. Estarían más o menos acusados, con malicia, los rasgos; pero todos eran exactos. No sucede lo mismo en *Luces.* Nada hay en los retratados que responda a una realidad. Ni Max tiene nada de Sawa, ni el Ministro de Gobernación — que quiere ser Burell — tiene nada de Burell, ni física ni moralmente; ni Ernesto Bark es tal Ernesto Bark . . ." (1).

* * *

En *Luces de Bohemia,* Valle-Inclán, con la rápida y breve historia de la pasión y muerte del poeta ciego Max Estrella, que ocurre durante las horas de la noche y las primeras del amanecer, nos da una serie de estampas del retablo de la vida bohemia, madrileña, de la tabernaria y cafeteril y de la de los despachos de los ministros y redacciones de los periódicos madrileños; y, con estas estampas de retablo, nos da una visión existencial de la España de su tiempo.

Las escenas de retablo se suceden con rapidez. Max Estrella, ha perdido la colaboración en un periódico y con ella el poco dinero que tenía para alimentar a su familia. Entristecido, se emborracha, después de haber vendido su capa, con su lazarillo, Don Latino de Hispalis. Visitan primero la libreria de Zaratrusta en el viejo Madrid. Luego van a la taberna de Pica Lagartos; y de allí a la buñoleria modernista. Es de noche. Madrid está en estado de guerra. Hay patrullas de soldados por las calles. En la buñoleria se reunen con otros intelectuales modernistas (Dorio de Gades, Rafael de los Velez, Mínguez, Lucio Vero, Gálvez, Clarinito y Pérez). Al salir de la buñolería se enzarzan en una discusión y luego en insultos. Interviene la policía y llevan preso a

(1) Guillermo de Torre. o.c., 141

Max Estrella al cuartelillo del Ministerio de Gobernación. Allí el poeta entabla un vivo diálogo con el comisario, al que falta de palabra. En el calabozo del cuartelillo, Max Estrella entabla conversación con un anarquista preso. Por la presión del director de un periódico, Max es llevado a la secretaría del Ministro de Gobernación, antiguo compañero de estudios, con el que tiene una animada y pintoresca entrevista, tras la cual le pone en libertad. Ya en la calle, con su satélite, don Latino de Hispalis, se van a un café, donde se encuentran con Rubén Dario. Y de allí salen para deambular por el Madrid nocturno, encontrándose con unas furcias, en las tapias del Jardín Botánico. Siguen caminando hasta llegar al Madrid austriaco. Los soldados y la policía han cargado, resultando varios muertos y heridos, entre ellos un niño muerto, que lleva su madre en brazos. Amanece cuando Max Estrella cae muerto, de cansancio, frío y agitamiento, en la puerta de su casa. Hay una escena de velorio de Max Estrella en su casa y otra de su entierro en el cementerio del Este, al que concurren Ruben Dario y el Marqués de Bradomín. En la escena final, en la taberna de Pica Lagartos, los asistentes leen en la prensa la noticia de la muerte, probablemente por suicido, de la mujer e hija de Max Estrella.

* * *

Si los personajes que desfilan por este esperpento más que reales son representativos, simbólicos, expresivos de una realidad social y cultural española, más que física, la de la Restauración en las dos primeras décadas del siglo XX, en el reinado de Alfonso XIII, lo mismo sucede con los episodios que tejen la trama del argumento; pues no son simples acontecimientos que tienen valor por ellos mismos, por su singularidad para la historia, sino por su valor representativo. Por eso están tomados de entre la faramalla de los acontecimientos de la bohemia madrileña, en la que se distinguió Valle-Inclán, de la vida política y social de este tiempo, para entresacar aquellos que tienen un valor significativo, expresivo de esa sociedad y de ese tiempo, que son una vivencia social española, reveladora de su carácter.

En este sentido se deben entender las palabras de Alonso Zamora Vicente de que "todo lo que allí se desfigura pasó"; "Yo también pienso — dice Alonso Zamora, como ha dicho más de un crítico, que es muy urgente la meditación sosegada y profunda sobre el trasfondo real de *Luces de Bohemia.* Cada vez me afirmo más en la convicción de que todo lo que allí se desfigura pasó, tuvo un hueco exacto y atormentador sobre esta tierra de Dios. Sería necesario consultar las revistas y periódicos del tiempo, los diarios de las camaras, incluso charlar con los sobrevivientes y, sobre todo, espigar a través de las memorias y recuerdos literarios (Cansino Assens, Eduardo Zamacois, Baroja, etc). Así podríamos poner orden — relámpagos de orden — en la estructura del libro valleinclanesco y nos evitariamos las identificaciones aproximadas o falsas. Desde luego, lo más atrayente es descubrir el "truco ilusorio" con que Valle-Inclán nos despista, siempre visible y amenazador. El más delicado de los recursos es la pérdida de la noción del tiempo lineal y sucesivo que más adelante cito: huelga de 1917, si, pero a la vez la *Semana Trágica* barcelonesca de 1909 y la muerte de Pérez Galdós en 1920, y alusiones a algo quizá solo entresoñado. En esa realidad estrujada entre las manos, los ejes de las acciones salen, al cesar la furia, entrecruzadas y simultáneas. Otras veces, el regate engañador se perfila en datos que, salvando las distancias, también equivalen a ese entrecruzamiento de ejes" (1).

Valle-Inclán ancla su esperpento en un periodo de la historia de España, trastocando personajes y acontecimientos, desfigurandolos para que puedan mejor figurar como elementos expresivos. Pero su propósito no es cronológico, inspirado en el afán de acotar, como un novelista de la novela histórica, un periodo de la vida española, como da a entender José Cepeda Adan: "las páginas de *Luces de Bohemia* nos muestran por debajo de las peripecias crudas y desgarradas de sus personajes, un panorama histórico-social concreto con el tiempo y en el espacio. En la cronología, el periodo que comprende de 1910 a 1920; y en el escenario, el que, además, como siempre, toma posesión Valle-Inclán" (2).

Pero no hay que tomar al pie de la letra de que Valle-Inclán presenta un panorama histórico-social concreto en el tiempo y en el espacio; en el espacio si, pues el esperpento se desarrolla todo él, en una noche, en la villa y corte, pero en

---

(1) A. Zamora Vicente. *En torno a Luces de Bohemia,* Insula, números 199-200, julio-agosto 1966, Madrid, 210

(2) José Cepeda Adan. *El fondo histórico-social de Luces de Bohemia,* Insula, números 199-200, julio-agosto, 1966, 237

cuanto al tiempo se excede en él de los lémites que le señala Cepeda; y además no es concreto sino por el contrario, un tiempo significativo, un tiempo bergsoniano, cargado de tensión y de vida, en el que se busca más lo significativo que el pasar de las horas y los días.

Es un tiempo de tragedia clásica, menos de 24 horas. Con la particularidad de que en este se desenvuelve un argumento que pasó o pudo pasar en ese tiempo, mientras que en *Luces de Bohemia* se concentran una serie de sucesos de relevancia histórica y humana que pasaron durante un largo periodo de más de dos décadas; periodo de gran importancia, por ser preludio de la Dictadura militar de Primo de Rivera y del comienzo de la crisis del régimen constitucional español que desembocó en la República.

* * *

Como es una obra expresionista, los sucesos no se presentan de una manera narrativa o descriptiva, desde el punto de vista del narrador, sino que se expresan muchas veces a través de las opiniones de las varios personajes los cuales, de este modo, nos ofrecen distintos puntos de vista y diferentes perspectivas sobre ellos. Y con las opiniones relativas a los sucesos, nos da otras sobre las instituciones culturales de España y los valores de su cultura.

Los sucesos se narran o se presentan de una manera concisa, escueta, con palabras generalmente expresionistas, es decir, cargadas de significación y muchas veces de varias significaciones; y en cambio, las ideas, las opiniones, los juicios sobre los sucesos, sobre las intuiciones o sobre los valores de la cultura española, son siempre más extensos.

* * *

Su expresionismo no es simplemente ironía o sátira, ni su valoración del mundo cultural y social de España toma la forma del sarcasmo. Su actitud ante él es la de un humorista. No aspira Valle-Inclán a corregir defectos que considera inherentes al carácter y a la cultura del pueblo español, sino que se propone exhibirlos, presentarlos al desnudo, con la esperanza de purificarlos, como en la tragedia griega se purificaba, al descubrirlos ante los espectadores, las malas pasiones que destruían el alma de los héroes clásicos.

Hay, sin duda, sátira en su obra, pues como dice Juan Guerrero Zamora, Valle-Inclán fustiga "el burocratismo vigente, la azafranada niñería a la moda, la plumífera incultura de la prensa y, en suma, la degeneración" (1). Es amplio el horizonte de su sátira: "Muy fácil sería ordenar la burla sistemática — dice Alonso Zamora Vicente — que *Luces de Bohemia* desparrama sobre el horizonte vital de Valle-Inclán: la monarquía con sus alusiones a Alfonso XIII y a la popularidad callejera de la infanta Isabel, citada como ejemplo de despreocupación ante las posibles personalidades asistentes al entierro de Max Estrella; la política, como ya queda entrevisto en el despacho del señor ministro, en la cita de Manuel Cano y en los frecuentes insultos a Antonio Maura; la situación social reflejada en los diálogos con el obrero catalán, en el calabozo; la ironía con ciertas clases, engalanadas y postulantes, al aludir la Pisobién a las enfermeras de "la Cruz Colorada"; la ciencia alemana, tan en candelero, desmoronada a través de las palabras de Basilio Soulinabe; la pompa de las ceremonias, disuelta en la presencia ridícula y en las palabras del cochero que viene a llevarse el cadáver de Max Estrella al cementerio, o en las palabras importunas de los sepultureros, etc. Una España cuya purpurina se deshace en polvo cegador. Pero quizá el mayor escarnio es el de la literatura preciosista de principios de siglo, acribillada de penosas orillas en la actuación de los Epígonos del Parnaso Modernista" (2).

Tras la ironía y el sarcasmo late una visión expresionista, sombría y negra, en este caso de España: "las aseveraciones sobre la deformidad social de España — dice Alonso Zamora Vicente — son numerosas en *Luces de Bohemia:* "España, en su concepción religiosa, es una tribu del centro de Africa", ¡Está buena España! . . ." ¿Qué sería de este corral (España) nublado? ¿Qué seríamos los españoles . . .?" Te has muerto de hambre, como yo voy a morir, como moriremos todos los españoles dignos; "En España es un delito el talento". "En España se premia el robar y el ser sinvergüenza". "En España se premia todo lo malo". "¿Dónde está la bomba que destripe el terrón maldito de España?" (3).

---

(1) Juan Guerrero Zamora, o.c., vol. I, 195
(2) Alonso Zamora Vicente. o.c., 225
(3) Alonso Zamora Vicente. o.c., 221

La crítica de Valle-Inclán es producto de su entrañable amor por España, a la que quisiera ver encarnar lo más noble y bello del mundo, ser la expresión de los grandes ideales humanos, y la encuentra postrada y en indigente estado porque los encargados de elevarla y de ennoblecerla, los que debían representarla en todos sus aspectos culturales, la han envilecido y falsificado: "La crítica de Valle-Inclán — dice Juan Guerrero Zamora —, siendo demoledora, contiene una honda nostalgia. No es, por eso, una condena, sino la amarga exhibición de unos harapos nacionales, que se desaría desterrar, pero por los que se siente ternura. No es juego de escarnio el suyo, aunque, tras las palabras últimas de Estrella, acote, no dejando títere con cabeza, uniendo a la crítica del personaje la inequivoca del autor . . . Es una tragedia de escarnio esperpento. La expresión correcta de un país, de una época, en los que se hace teosofía con los nombres de Cristo — léase fanatismo supersticioso con cristianismo, se concibe una Iglesia española independiente, con el Escorial por su Vaticano — entiéndase el frecuente vicio común en España de creerse en absoluta posesión de la verdad, de ser más inquisitorial que la Inquisición misma y, en lenguaje llano, más papista que el Papa — se resuelven los grandes conceptos con unas copas de Rute o un café de recuelo, se hace de la mesa del cafe contante atril de trancendentales cánticos, se funda el porvenir en la lotería, se invierten las noches en rozar busconas de paseo o ingerir chocolate o cazalla con churros, el alba en soñar y el día en dormir; y, en fin, se gasta la vida tan miserable como magnificamente. *Luces de Bohemia* son las que Valle nos alumbra, pero también son negras luces de España, muchas de ellas jamás extinguidas" (1).

* * *

Como dice Gonzalo Sobejano, *Luces de Bohmeia* está en la encrucijada de dos momentos históricos y culturales de la España contemporánea: entre el fiero individualismo, un tanto anárquico, de la *Generación del 98* y un sentido más social, de las nuevas generaciones, que animaba incluso a los escritores del 98, singularmente a Valle-Inclán: "*Luces de Bohemia* — dice Sobejano — es el resultado principal de su urgencia de responsabilidad espiritual, obra crucial, de encrucijada en el estilo de

(1) Juan Guerrero Zamora, o.c., vol. I, 195-6

Valle-Inclán, porque ofrece a la vez sus dos modos mayores de expresar la realidad: el *monumento* y el *esperpento* (aquí se trata de un monumento fúnebre consagrado a la bohemia heróica y de un esperpento irónico y sarcástico dedicado a los gusanos de una España invertebrada). Pero obra crucial también en el sentido histórico y social: producto de un momento crítico en que la *Generación bárbara del 98* va siendo retirada por otras promociones menos dadas al libertinaje del individualismo y en que el artista de ayer y el obrero de mañana intentan alargarse los brazos por encima del capital, de la burocracia, de la masa muerta, con un hondo sentido de Humanidad conciliada" (1).

En este momento crucial, en la historia y en el arte de España, fue el expresionismo el instrumento artístico más adecuado para que el viejo escritor del 98, formado en sus años mozos en el decadentismo y en los ya maduros en el simbolismo, exprésara con fuerza los hondos ideales y preocupaciones de la humanidad doliente.

(1) Gonzalo Sobejano. *Luces de Bohemia, elegía y sátira,* en Papeles de Son Armandans, Año XI, Tomo XLIII, número CXXIII, Octubre 1966, 105-106

XXII — EL ESPERPENTO DEL HONOR: *LOS CUERNOS DE DON FRIOLERA*

El tema del honor español, columna vertebral del teatro del Siglo de Oro, del romanticismo e incluso de gran parte del de la época realista, particularmente del de José Echegaray, fue también uno de los predilectos de la literatura expresionista española, tanto de la novela como del drama, no para exaltarlo sino para someterlo a su crítica de los valores sociales representativos del carácter del pueblo español; y esta crítica presentó, en forma muchas veces grotesca, todo lo que había en el sentido del honor español de ampuloso, falso y gesticulante y en otras de inhumano.

Valle-Inclán, para darle mayor relieve a este tema, de acuerdo con la técnica y principios del arte expresionista, que busca el rasgo caricaturesco y enfático, el rasgo esencial y representativo del carácter de las gentes o de las cosas, encarnó, en *Los cuernos de Don Friolera,* en un militar la figura del marido ultrajado; pues los militares, por su cargo y condición, deben ser los más sensibles a las preocupaciones del honor, los más obligados a velar, según el concepto tradicional español, intolerante y represivo, por ese honor.

Valle-Inclán había ya presentado este tema en otras obras dramáticas, de la época anterior, como *La Marquesa Rosalinda,* y de principios de esta nueva época, como *Divinas palabras,* tragicomedia expresionista; pero ahora con el esperpento el tema del honor, quizás el más representativo del carácter español, adquiere su mayor relieve y es presentado en sus múltiples aspectos.

Después de Valle-Inclán, de la publicación de *Los cuernos de Don Friolera* (1921), otros escritores españoles trataron el mismo tema también de una manera expresionista: el asturiano Ramón Pérez de Ayala (1880-1963), de la llamada *Generación Novecentista* o *postmodernista,* en sus dos novelas, de una misma serie, *Tigre Juan* y *El curandero de su honra* (1926), que figuran entre las mejores obras de ficción novelesca de la literatura española contemporánea; y el aragonés Enrique Jardiel Poncela (1901-1953), de la generación *vanguardista,* novelista y dramaturgo, maestro del teatro de lo absurdo, que llevó este tema al teatro en la tragicomedia *Angelina o el honor de un brigadier* (1934).

Es el mismo tema que, bajo ya la influencia del surrealismo, y de su interés por buscar en la subconciencia de los personajes, trató Federico García Lorca (1898-1936) en su tragedia *La casa de Bernarda Alba* (1936), en la que presentó el conflicto entre los instintos de varias muchachas, hijas de Bernarda Alba, forzadas a contener sus impulsos y deseos eróticos, y las normas morales rígidas del honor español encarnadas en la figura, vestida de luto y de negro, de la viuda Bernarda Alba, madre de las recluídas jóvenes.

* * *

El tema del honor es uno de los más apasionantes de la vida social española. No sólo por ser uno de los más vivos y obsesivos, sino también porque hay sobre él encontrados sentimientos y actitudes entre los representantes de esa sociedad. Estas distintas posiciones ante el honor, la posibilidad de presentarlo en una varia perspectiva, explican la inclinación que tuvieron por él los escritores del expresionismo español; pues este arte, un tanto como había hecho antes de él el Barroco, aspiraba no tanto a presentar las cosas sino a darnos la visión que sobre ellas tienen las personas y personajes y poder abarcar de este modo la complejidad de los aspectos que hay en todas las cosas.

* * *

El sentido cruel, vindicativo, del honor español, supervivencia de las más viejas tradiciones caballerescas germánicas españolas, había sido expresado con toda su dureza en la comedia del Siglo de Oro por don Pedro Calderón de la Barca (1600-1681) en las llamadas comedias de celos *(El médico de su honra, El pintor de su deshonra, A secreto agravio, secreta venganza* y *El mayor monstruo, los celos).* Este sentido vindicativo del honor había sido representado en el teatro de principios de la Restauración por José Echegaray (1832-1916), Primer *Premio Nobel* de la Literatura española. En contra de este sentido vindicativo, que jamás perdona a la esposa culpable, y, a veces, a la que simplemente se sospecha de que lo es, se había pronunciado Benito Pérez Galdós (1843-1920), novelista y dramaturgo, campeón de un sentido del honor más humano, más burgués, más comprensivo y tolerante.

Valle-Inclán llevó, en *Divinas palabras,* a su último extremo un sentido caritativo, de perdón del honor, en el que el marido ofendido, en lugar de tomar fiera venganza con la culpable esposa, es generoso y compasivo con ella. En *Los cuernos de don Friolera,* no toma Valle-Inclán una sola posición, la del perdón, sino que, asumiendo una actitud más expresionista, presenta el tema desde distintos puntos de vista y a través de diferentes formas artísticas.

Manuel Durán, en *Los cuernos de Don Friolera y la estética de Valle-Inclán,* percibe la complejidad de variedad de perspectivas que ofrece el autor en esta obra, que la hacen distinta a los otros esperpentos; y esto le lleva a decir que sólo una de esas perspectivas, la historia misma del ofendido don Friolera es el auténtico esperpento y que quedan fuera de este carácter los otros elemntos del mismo. Sin entrar en esta polémica, sólo diremos que todas las perspectivas, forman una entrañable unidad artística expresionista en torno al apasionante tema del honor español, del que cada una aspira a recoger una faceta o expresar un punto de vista.

La obra no es, en sí, — dice Manuel Durán — lo que pudiera llamarse un esperpento clásico: únicamente la parte central de la misma merece ser llamada así. Descomponiendo la obra en sus diferentes partes, nos encontramos con lo siguiente: 1) el *prólogo,* que contiene dos elementos marcadamente distintos: los *comentarios críticos* de don Estrafalario y de don Manolito el Pinto, y la *función* de *títeres,* presenciada por ellos en Galicia, cerca de la frontera de Portugal, en la feria de un pueblo gallego. En la función de títeres aparece el tema central, el honor conyugal traicionado, pero tratado en forma mucho más cercana a la farsa que a la tragedia; 2) las *aventuras de don Friolera* que, creyéndose traicionado por su esposa, y empujado a la venganza por sus compañeros de armas, acaba matando, por error, a su hija; 3) una nueva versión de los hechos, que aparece en el *romance de ciegos* del *epílogo,* y que representa una mitificación heróico-popular, presntada aquí con sentido irónico, de los tristes sucesos: don Friolera lava su honor dando muerte a la esposa infiel, es condecorado, y,tras combatir heróicamente contra los moros, es nombrado ayudante del Rey; 4), ya en el *epílogo,* reaparecen los mismos personajes del prólogo, testigos críticos y, en cierta medida, portavoces de la opinión de Valle-Inclán, que condenan la copla de ciegos, la atacan como ejemplo de "mala literatura" y la comparan desfavorablemente con la función de títeres, pero son a su vez condenados y rechazados por la sociedad española, mucho más solidaria de las mitificaciones de los romances de ciegos que de las críticas de los intelectuales: la simpática pareja se halla a la sazón presa en una cárcel de la costa andaluza "por sospechosos de anarquismo" y haber hecho mal de ojo a un burro en la Alpujarra" (1).

Manuel Durán registra sagazmente toda la variedad de géneros literarios que ha utilizado Valle-Inclán para componer este esperpento en el que aspira a darnos una visión global, integrada, del honor español, recogiendo las varias actitudes del pueblo español ante este problema; pero, en cambio, no percibe que esta técnica no es totalmente original y privativa de Valle-Inclán, sino que éste la ha tomado del arte expresionista, el cual gustaba de tal acumulación de géneros literarios en una misma obra y de verter sobre ellos la salsa de sus comentarios y de su crítica, generalmente expresada, desde varios puntos de vista, por varias personas: "La obra — dice Manuel Durán — yuxtapone y combina varios géneros literarios: en el prólogo, un comentario crítico dialogado, que nos atrevemos a calificar de "ensayo ideológico" en miniatura; en el mismo prólogo, una "farsa" alegre y despreocupada, que se expresa mediante la intervención desrealizadora de los títeres; en la parte central, las aventuras conyugales (mejor dicho, las desventuras conyugales) de don Friolera, un "esperpento", es decir, una acción tragicómica y grotesca; después, en el *epílogo,* el romance de ciegos, que, con su tajante división, entre héroes y villanos, constituye un breve "melodrama" lírico-heróico; y, finalmente, corespondiendo simétricamente al diálogo de los de los intelectuales en la introducción, los mismos intelectuales dialogan al final en otro brevísimo "ensayo ideológico", no exento de ironía, ya que los intelectuales críticos, los testigos de los excesos y brutalidades de la vida española (y de la mitificación) hablan desde la cárcel" (2).

Y tras estos varios géneros literarios, en que cada uno ex-

(1) Manuel Duran. Los cuernos de don Friolera y la estética de Vale-Inclán.
(2) Manuel Durán, o.c., 5

presa, en una nota distinta, el tema del honor de Don Friolera, una concepción dual hispánica del honor, que ya estaba esbozada en otras obras dramáticas anteriores *(Cuento de Abril, La Marquesa Rosalinda),* pero que ahora, en *Los cuernos de don Friolera,* ha encontrado su afirmación más clara y tajante: un concepto del honor de la España húmeda, un concepto atlántico (cántabro), que se extiende de Portugal a Galicia y quizás a Cataluña, de raíces europeas, humano, tolerante y comprensivo; y otro de la España seca, de raíces africanas, tan seco como la tierra, duro e inflexible, que domina en Castilla y en las regiones que se le asemejan en su carácter.

* * *

A la enumeración de los géneros literarios que hace Manuel Durán, como formando parte, al modo las piezas de un mosaico, del esperpento de *Los cuernos de don Friolera,* se debe añadir otra forma artística, procedente de las Artes plásticas: el *cuadro del ciego,* en el que está pintado un pecador ahorcado, al que mira con mueca sarcástica el Diablo, cuadro que es como una portada del esperpento.

Valle-Inclán, utilizando la técnica expresionista, no nos describe el cuadro sino que nos da la visión que tienen de él los dos viajeros que se encuentran en la frontera de Galicia con Portugal, don Manolito y don Estrafalario, que tienen encontradas opiniones sobre ese arte popular, considerado como bárbaro por don Manolito y obra de un genio por don Estrafalario.

Estos dos viajeros no son personajes realistas sino simbólicos, representativos, expresionistas, que expresan distintos puntos de vista sobre la realidad que ven (el cuadro de ciego, el bululú con la historia de los cuernos de Don Friolera, en el prólogo, y el romance, con la misma historia, en diferente versión, en el epílogo). Por eso sólo tiene interés de investigación erudita el tratar de buscar en su personalidad los rasgos de personas reales: Alonso Zamora Vicente dice que son trasunto del pintor Darío de Regoyos y de Emile Ver Haeren, que "corrieron España para conocerla y divagar alguna vez, proyectando un libro de dibujos y de comentos" (1). D. Bary cree que lo son de don

(1) Alonso Zamora Vicente, o.c., 210

Miguel de Unamuno y de Pío Baroja (1); pero también es probable que puedan serlo del propio Valle-Inclán (don Estrafalario) y de su amigo el pintor Ricardo Baroja, con el que recorrió varias partes de España.

Pero, como ya hemos indicado, no importan tanto sus antecedentes posibles como los que representan y dicen; y encarnan sin duda dos posiciones distintas en el perspectivismo expresionista; y una de estas dos posiciones, la de don Estrafalario, coincide con la propia de Valle-Inclán.

Los dos personajes nos dan, en el prólogo, su distinta visión del cuadro de ciego, y,tras ella, de la pintura en general, y del primitivo arte dramático del bululú, del titiritero gallego, que, con sus muñecos, nos ofrece la primera versión de la historia de *Los cuernos de don Friolera.*

* * *

La primera versión de *Los cuernos de Don Friolera* nos la ofrece el bululú, el titiritero gallego, que en una venta de Santiago el Verde, la presenta por medio de muñecos que lleva bajo su capa y salen de ella, para representar la historia. Esta versión es una amable farsa, más cómica que trágica. Para que sea mayor el aire de farsa, no está casado el ofendido don Friolera, sino que se limita a tener amores con una bolichera (la dueña de una tienda), la cual a su vez los tiene con un aceitero, que la visita con frecuencia. El aceite, el olor a aceite, que hay en la camisa de la bolichera, es una grave acusación de su infidelidad. Don Friolera pretende matarla a cuchilladas, pero, aconsejado por un amigo, para ver si estaba muerta, arroja un duro al suelo, y, ante tan dulce sonido, vuelve en su conocimiento la yacente bolichera que se guarda el duro.

El espectáculo de la farsa de los títeres le sirve a don Estrafalario (Valle-Inclán) para terminar de formular su teoría del arte dramático expresionista que había empezado antes de la llegada del titiritero, y presenta los dos puntos de vista encontrados que hay del honor en distintas zonas geográficas de España.

Don Estrafalario había comenzado a formular, antes de la representación del bululú, la teoría de su estética dramática "como

---

(1) D. Bary. *Notes on Los cuernos de Don Friolera,* Hispania, marzo, 1962, 813

superación del dolor y la risa; y al ver la *Tragedia de los cuernos de don Friolera* la alaba, lo mismo que don Manolito, quien dice de ella que es una farsa napolitana; a lo que añade su amigo que también puede ser latina. Y, a continuación, expresa don Estrafalario sus ideas sobre la geografía del honor español: "indudablemente — dice — la comprensión de este humor y esta moral no es de tradición castellana. Es portuguesa y cántabra, y tal vez de la montaña de Cataluña. Las otras regiones, literariamente, no saben de estas burlas de cornudos; y este donoso buen sentido, tan contrario al honor teatral y africano de Castilla. Ese tabanque de muñecos sobre la espalda de un viejo prosero, para mi, es más sugestivo que todo el retórico teatro español" (1).

Insistiendo en las raíces semíticas, no solo africanas sino también judías, de ese sentido del honor calderoniano español, vuelve a decir don Estrafalario: "Una forma popular judía, como el honor calderoniano. La crueldad y el dogmatismo del drama español solamente se encuentra en la palabra. La crueldad sespiriana es magnífica, porque es ciega, con la grandeza de las fuerzas naturales. Shakespeare es violento, pero no dogmático. La crueldad española tiene toda la bárbara liturgia de los Autos de Fe. Es fría y antipática. Nada más lejos de la furia ciega de los elementos que Torquemada. Es una furia escolástica. Si nuestro teatro tuviese el temblor de las fiestas de toros sería magnífico. Si hubiera sabido transportar esa violencia estética, sería un teatro heróico como la Iliada. A falta de eso, tiene toda la antipatía de los códigos, desde la Constitución a la Gramática" (2).

Su actitud de simpatía por la versión de *Los cuernos de Don Friolera* del teatro de títeres contrasta con la repulsa que darán, en el epílogo de la obra, a la versión del romance de ciegos, que ya no ven en la raya de la frontera de Galicia con Portugal, sino en la andaluza, frontera también con el país vecino.

* * *

Manuel Durán, en su estudio de *Los cuernos de Don Friolera,* destaca todo lo que hay de sensibilidad y actitud gallega en la simpatía que siente Valle-Inclán por el tratamiento del tema del honor por titiritero gallego: "La versión de los títeres — dice

---

(1) R. del Valle-Inclán. *Los cuernos de Don Friolera, Obras completas,* vol. I, 995

(2) R. del Valle-Inclán, o.c., vol. I, 996

Manuel Durán — con su actitud de farsa ante el problema del honor, es aprobada por don Estrafalario: la versión del romance de ciegos, rígida, con sus personajes estereotipados, es rechazada. El primer enfoque "está lleno de posibilidades"; el segundo, relacionado con la crueldad, el dogmatismo y la "furia escolástica" de la tradición castellana y el teatro calderoniano, es rechazado. Los motivos de esta admiración y este rechazo pueden ser en parte ideológicos y en parte estilístico — estéticos. Valle reacciona como gallego, como "hombre de la periferia", frente a la rigidez centralista de la vieja Castilla . . . Observemos como, al llegar a la plenitud de su obra, Valle-Inclán se aparta de la línea "castellanista" de su generación, expresada por Unamuno y por Azorín, en forma cada vez más consciente, y opone la España atlántica y periférica a la Castilla centralista, anquilosada y momificada por la tradición. Los títeres del prólogo se expresan con mayor espontaneidad, en estilo más variado, más inesperado, que el del romance de ciegos, en el cual los adjetivos son estereotipados, simbolizando con ello la inmovilidad de la tradición y las costumbres de Castilla. Y no hay que olvidar que — primero en asuntos de Lenguaje, después en materias de interpretación histórica y política — Valle-Inclán evoluciona, durante los años de la primera guerra mundial, pasando de una postura arcaizante y conservadora a una inquietud abierta, experimental, cada vez más radical, más anti-conservadora" (1).

* * *

Entre la presentación de los títeres del bululú, en el prólogo, y la recitación del romance de ciegos, en el epílogo, el primero en la raya de Galicia con Portugal y el segundo en la de Andalucía con el país vecino, se desarrolla lo que parece ser la verdadera historia de la tragedia de *Los cuernos de Don Friolera,* en el pueblo de San Fernando de Cabo Estrivel, nombre simbólico de un pueblo del sur de España, andaluz por más señas.

Valle-Inclán quiso reforzar el sentido del honor español de esta tragedia, de este esperpento, haciendo que sea militar el protagonista de esta historia: el teniente de cuchara, Don Pascual Astete y Bargas, más conocido por Don Friolera, de la clase de tropa, ascendido a teniente por méritos de guerra: por su com-

(1) Manuel Durán, o.c., 28

portamiento en la guerra de Filipinas, del 98, en la que él y su compañero, el teniente Capriles, recibieron la medalla de Joló.

Los tres esperpentos, recogidos en *Martes de Carnaval* (1930), presentan como nota común, según ya indicamos, el tener como protagonistas militares: unos profesionales, como Don Friolera, en *Los cuernos de don Friolera,* y el capitán Sinibaldo Pérez, en *La hija del capitán,* y otros simples soldados, como Juanito Ventolera, en *Las galas del difunto.* Tanto el teniente, como el capitán y el soldado tomaron parte en las campañas de Cuba y de las Filipinas, que terminaron con la guerra de 1898 entre España y los Estados Unidos.

La Guerra del 98, que da nombre a la generación a la que pertenece Valle-Inclán, es como un fondo vivo, que, a veces, recordado por los personajes, se acerca del pasado al presente para darle una mayor significación a lo que está ocurriendo o a lo que se está diciendo. Pero, de estas tres obras con personajes militares, es ésta, de *Los cuernos de don Friolera,* donde está más presente y vivo ese fondo de la guerra del 98: Don Friolera sirvió en Filipinas, siendo condecorado por su actuación; y los tres compañeros, oficiales del cuerpo de carabineros como él (los tenientes Cardona, Rovirosa y Campero) sirvieron también en Cuba o en Filipinas, alguno de ellos en los dos lugares e incluso en Africa.

Las referencias a las campañas de Cuba y Filipinas son todavía más acusadas cuando se menciona, en el diálogo, el nombre de los dos generales convertidos en héroes nacionales por su comportamiento en esta guerra: el general Martínez Campo, comandante general de las fuerzas españolas que lucharon en Cuba, en una fase anterior a la guerra del 98; y el general Polavieja que luchó en las Filipinas. Militares ambos que desempeñaron un importante papel político en la monarquía en el reinado de Alfonso XIII. Los dos son mencionados, Martinez Campo, por los tenientes que juzgan a Friolera, y Polavieja, en el romance de ciegos, como dos glorias nacionales, representantes y encarnación del tradicional sentido militar español del honor, que es una concepción todavía más fiera, si cabe, del honor a la manera castellana.

La figura de don Friolera es la única patética de la tragedia, luchando, contra un sentido del honor tradicional, castellano, su comodidad burguesa, que le incita a vivir tranquilo, pasando por alto las coqueterías de su esposa con el barbero. Su patetismo es muy inferior al del sacristán Pedro Gailo, en *Divinas palabras;* pues éste se enfrenta con su hermana y los vecinos, que le piden castigue a su infiel esposa; mientras Friolera se deja arrastrar, más por ellos que por la propia necesidad de lavar su honra, a cometer el acto violento en el que, pensando castigar a su esposa, mató a su inocente hija.

En cambio, la figura del amante, el barbero Pachequín, es cada vez más grotesca. Ya habíamos visto como la figura del amante de la mujer adulterina había ido degenerando en el teatro de Valle-Inclán: como el arrogante comediante italiano, Arlequín, amante de *La Marquesa Rosalinda,* había descendido, en *Divinas palabras,* al tipo más vulgar de Séptimo Severo o Séptimo Miau, que decía en las ferias la buenaventura, con la suerte del pajarito o con los enredos de su perra amaestrada, *Coimbra.* En *Los cuernos de Don Friolera* el amante desciende todavía unos peldaños más: es un barbero, Pachequín, cuarentón, cojo y narigudo, cuyo sólo atractivo es la palabra llena de halagos y requiebros para las mujeres que, como Loreta, la esposa de don Friolera, están deseosas de ser requebradas.

La trama — dice Juan Guerrero Zamora — "no es más que un merodeo irresoluto hacia unos sucesos que están dados desde un principio. Merodea doña Loreta, entre si me entrego o no me entrego. Merodea Pachequín, entre si la tomo o no. Y merodea el teniente, demorando el desenlace porque precisa de tiempo para oirse imprecar y amenazar. De verdadera pasión humana no existe ni asomo. El deseo es ficticio y la venganza también. Se rodea y se rodea morbosamente, y no porque sea víctima del morbo, sino porque se ama su vicio. Ninguno de los tres debería decidirse a la acción, y, es, por eso, por lo que, cuando se deciden, en el momento en que la tenienta se resuelve a huir con su donjuán y el teniente a matarlos, lo grotesco rompe con estridencia de barraca verbenera y un destino burlón desvía el tiro, hace diana en la hija del desavenido matrimonio, castra la venganza, castra el adulterio, castra la aventura de Pachequín" (1).

---

(1) Juan Guerrero Zamora, o.c., vol. I, 202

Valle-Inclán, para hacer todavía más complejo el tema del honor, hace que también sea una esposa infiel la del Coronel Pancho Pamela, la más alta autoridad militar de la Plaza, ante quien se presenta el desdichado Friolera para que le castigue, después de haber matado, según el creía, a su mujer. El coronel y la coronela le toman primero por un borracho, luego el coronel le mira con simpatía, al creer que, en efecto, había matado a su esposa; pero, al enterarse inmediatamente, por la coronela, que no fue la esposa sino la hija, la víctima de la venganza del marido ultrajado, y pedirle ella a su esposo, que castigue su crimen, no tanto el de matar la hija como el de intentar matar a la esposa infiel, el coronel, que estaba dispuesto a perdonarle, cuando creía que habían lavado con su tiro su honor ultrajado, le contempla como un pobre hombre, al saber que ha matado a su hija. Y como colofón, cuando el coronel le pregunta a su esposa por quien ha sabido la verdad de lo ocurrido y ella le dice que por el asistente, nos está indicando que éste es para ella más que una fuente de información callejera, y que el coronel es otro don Friolera.

Los compañeros de don Friolera, reunidos en Tribunal de honor para juzgar su caso, le indican que sólo hay dos soluciones, o el catsigo de la esposa infiel o solicitar el retiro del cuerpo. Ellos son los representantes del rígido sentido del honor español, unos más que otros; y sólo por compañerismo se preocupan del retiro que le quedará al infortunado don Friolera, si pide la separación del cuerpo, como le exigen sus compañeros de arma, en el caso de que se niegue a lavar su honra con la muerte de la esposa infiel.

* * *

Valle-Inclán se sirve de uno de los recursos predilectos del arte expresionista, el de confundir lugares distintos y alejados, en la presentación de los escenarios en que se desarrollan las dos primeras versiones de *Los cuernos de Don Friolera,* la de los títeres y la de la auténtica historia del esperpento. La primera tiene lugar en un pueblo de Galicia, en la raya con Portugal, que lleva el nombre de Santiago el Verde; en cambio, el segundo se desarrolla en el pueblo andaluz de San Fernando de Cabo Estrivel, probablemente no lejos de la raya andaluza — portuguesa. Pero en ese pueblo andaluz hay también una "costanilla de Santiago el Verde (escena segunda) y el cementerio de Santiago el Verde (escena tercera), es decir, que tienen el mismo nombre del pueblo gallego. De este modo une Valle-Inclán de una manera más entrañable las dos versiones, como si el lugar con el mismo nombre, se trasladara de un lugar a otro de la acción, o fuera el fondo consubstancial con el mismo.

* * *

El diálogo, escueto, rápido, entrecortado, que domina en el esperpento, es el característico del drama expresionista, por lo menos de gran parte de él; y de igual modo es característico de este arte el gesto enfático y violento. Es, por lo tanto, un grave error atribuir uno y otro al teatro de fantoches; y deducir de aquí que este esperpento pertenece al teatro de marionetas. El diálogo y el gesto son típicamente expresionistas, y no tienen que ser necesariamente del teatro de fantoches. Es cierto que algunos de los personajes de esta obra, los menos importantes, como la vecina Tadea, denunciadora a don Friolera de las malas andanzas de su esposa, se mueve y habla como un personaje de teatro de marionetas; pero, en cambio, los personajes principales no son fantoches, aunque con ellos coincidan en la frase breve, tajante, explosiva y en el gesto rápido y enfático.

Por eso no es exacto lo que dice Juan Guerrero Zamora, calificando este esperpento de teatro de marionetas: "Si nos vemos actuar es como si invalidaramos nuestra acción, y nos sentimos un poco nuestras marionetas. Los personajes esperpénticos son fantoches porque se autocontemplan y hacen de esta autocontemplación su única energía, su único objetivo, su única substancia. Así se corresponden forma y fondo en *Los cuernos de Don Friolera,* pues la forma utiliza todos los medios del guiñol. Es guiñolesco el diálogo chillón y entrecortado, cuajado de recriminaciones, amenazas, invocaciones y vocativos; y con frecuentes pasajes de tunda y apaleo similares a los que son tradición en el teatro de marionetas" (1).

* * *

La naturaleza expresionista de este esperpento se revela de una manera clara comparando su estilo y lengua con el de los títeres del bululú, del prólogo, y el romance de ciegos, del epílogo.

---

(1) Juan Guerrero Zamora, o.c., vol. I, 202

Mientras el lenguaje de los títeres del prólogo tiene un cierto primitivismo e inocencia, se compone de frases breves de gran simplicidad, sin complicaciones, y la del romance de ciegos está plagada de los lugares comunes de la retórica literaria popular patriótica del siglo XIX, el esperpento presenta una forma estilista mucho más compleja y elaborada, más expresiva y significativa, más rica en matices y posibilidades. Manuel Durán, que analizó con gran detalle todos los problemas estéticos de *Los cuernos de Don Friolera,* al tratar de los tres planos en que se presenta en esta obra el tema del honor, toca de pasada el problema de los diferentes estilos que hay en el teatro de títeres en el esperpento y en el romance de ciegos: "en cuanto al contraste entre los tres estilos, hace patente que la única parte artística, trabajada, plenamente expresiva, es la del esperpento. La farsa es demasiado breve insubstancial, ingenua y descuidada; el romance tiene todos los defectos y vicios de la peor poesía lírica del siglo pasado: exageración, truculencia, adjetivos manidos, frases hechas: es una obra semipopular, semi-culta, con pretensiones y sin mérito; es, en efecto, una verdadera parodia, con todos los rasgos cómicos que tal cosa implica, y, por tanto, no sólo no podemos tomarla en serio, sino que con su presencia hace resaltar el mérito del esperpento" (1).

---

(1) M. Durán, o.c. *Insula,* 199-200, Madrid, julio-agosto, 1966, 28

XXIII — LA COMEDIA BARBARA EXPRESIONISTA: *CARA DE PLATA*

En la fase de su arte simbolista, en el que éste se iba haciendo cada vez más dramático y menos lírico, había escrito Valle-Inclán dos de las obras de la trilogía *Comedias bárbaras: Aguila de blasón* (1907) y *Romance de lobos* (1908). Pero la trilogía había quedado incompleta; pues la tercera obra de ella, *Cara de Plata* (1922), no apareció hasta ya entrada su fase expresionista, publicada en *La Pluma.* Esta obra que, cronológicamente, es la tercera y última, lógica y dramáticamente es la primera (1).

La crítica, tanto la española como la extranjera, ha pasado por alto las hondas diferencias que separan estas tres *comedias bárbaras,* las dos del periodo simbolista, *Aguila de blasón* y *Romance de lobos,* de la que pertenece ya a un arte expresionista, *Cara de Plata.* Ni en las obras generales dedicadas a estudiar la obra de Valle-Inclán (César Barja, Angel del Río, Speratti Piñera, Angel Valbuena, Guillermo de Torre) ni en las particulares consagradas a su teatro (Agustín del Saz, Juan Guerrero Zamora, J. L. Brooks) se señala la menor diferencia a la distinta estética de las dos primeras y de la última; y las tres son tratadas como si respondieran al mismo arte y al mismo tema. Y, sin embargo, hay profundas diferencias que las separan, unidas las dos primeras en su estética simbolista y separada de ellas la tercera, en parte, por ser la expresión de su nuevo arte expresionista.

Cara de Plata no tiene la unidad estilística que presentaban las otras dos *Comedias bárbaras,* aparecidas muchos años antes que ella. Publicada ya en la fase expresionista y empezada probablemente a escribir en la simbolista, tiene una mayor complejidad estilística que ellas. Valle-Inclán debió comenzarla por la misma época en que compuso *Flor de Santidad* (1902); pues hay en ella una serie de elementos comunes, estilísticos y culturales procedente del viejo mundo céltico, substrato espiritual de Galicia. Es probable que Valle-Inclán concibiera al principio la trilogía de

(1) César Barja, o.c. 405

las *Comedias bárbaras* como una novela o drama corto, al modo de *Flor de Santidad,* cuyo tema sería el cierre del paso por las tierras de los dominios de Lantañón a cuantos iban a la villa de Viana del Prior; y la lucha del abad, caudillo de los campesinos, contra el señor de esas tierras, don Juan Manuel Montenegro.

En la primera escena hay una acumulación de elementos célticos que tienen a la vez una significación humana y religiosa, que sólo se encuentra en *Flor de Santidad:* "Sobre el roquedo las ruinas de un castillo; y en el verde regazo, las *Arcas* de Bradomín . . . A la redonda los caballos se esparcen, mordiendo la hierba sagrada de las *célticas mámoas* . . . Trasponiendo las célticas lomas, entre picas y gritos, cornea abravada una punta de vacas . . ." (1).

Sobre ese fondo céltico, hay un risueño escenario de églola galaica, un tanto semejante al de *Aromas de leyenda:* "Alegres albores. Luengas brañas comunales en los montes de Lantañón"; "Las voces de los chalanes y los ladridos de los perros prolongan un épico verso en los cristales matinales"; "a lo lejos, en el cristal de la mañana, un vuelo de palomas abre sus círculos sobre la torre de Lantañón".

Ese mismo mundo eglógico, en distinta forma, más fabricado por la mano cuidadosa del hombre que obra espontánea de la naturaleza, lo encontramos todavía en la descripción del Pazo de Lantañón, en la escena segunda: "Luces matinales en el Pazo de Lantañón. Sobre el atrio de limoneros, la arcada de una solana, con escalera de piedra".

Ese mundo eglógico, paradisíaco, con sus luces matinales sus viejas piedras y castros celtas se convierte en un infierno por la acción del hombre. Como pórtico de la acción del hombre, nos presenta Valle-Inclán a don Juan Manuel Montenegro unido a las viejas raíces germánicas, bárbaras, de Galicia: "Don Juan Manuel Montenegro, con la escopeta y el galgo, rufo y madrugador, aparece en el huerto de frutales y se detiene en la cancela. Es un hidalgo mujeriego y despótico, hospitalario y violento, *rey*

---

(1) Las *célticas lomas* no son otra cosa que los castros, que tienen esa forma de colinas alomadas. Las *arcas* y *mámoas* son dos formas de sepúlturas célticas: las primeras abiertas y las segunda cerradas. Son montecillos cuya entrada está formada por las tres piedras que se conocen en lengua céltica con el nombre de *dolmen.* Véase Eladio Rodríguez González — *Diccionario Enciclopedia gallego-castellano,* Vigo, Galaxia, 1958, vol. I, 212

suevo en su pazo de Lantañón". Como rey suevo procede don Juan Manuel al prohibir a las gentes, feriantes y campesinos, el paso por sus dominios, como había sido hasta entonces costumbre, camino de Viana del Prior. Es su hijo *Cara de Plata,* quien, en la escena tercera, en nombre de su padre, prohibe el paso por sus tierras a feriantes y campesinos, y también al Abad de San Clemente de Brandeso.

Los campesinos, dispuestos a enfrentarse con los Montenegro, algunos alzados en armas, lanzan contra la familia el arma peligrosa de su maldición: "¡Montenegro, emplazado quedas!, ¡Ya te llegará tu malaventura, Montenegro!" Tema que se va repitiendo a lo largo de la obra, y que culmina en la escena final en la que una Confusión de Voces, le increpa y le maldice: ¡Montenegro! ¡Negro de alma! ¡Negro de pecados! ¡Negro de las calderas del Infierno! ¡Montenegro! ¡Negro de Pauliña! ¡Negro excomulgado!".

Los efectos de la maldición de los campesinos, acompañados del Abad, es el tema de las dos obras siguientes de la trilogía, de *Aguila de blasón* y de *Romance de lobos:* es la malventura de la familia de los Montenegro, destrozados en luchas intestinas de codicia y lujuria.

* * *

A partir de la segunda jornada cambia el carácter de *Cara de Plata:* se va esfumando su naturaleza idílica, que queda perdida allá en un fondo lejano, y surge un mundo más característica del arte expresionitsa, el cual se parece, en algunas escenas, al que se ve en *Divinas palabras, tragedia de aldea,* particularmente en la escena inicial de la feria en la villa de Viana del Prior con sus vendedores y feriantes. Sin embargo, en la lengua, se separa notoriamente *Cara de Plata* de esta otra obra, pues, mientras, en *Divinas palabras,* buhoneros y mendigos emplean un lenguaje más popularizante, más idiomático, más recortado y cargado de sabor picaresco, el de *Cara de Plata* sigue siendo arcaizante y galleguizante.

El ambiente de la segunda jornada está ya lleno de elementos popularizantes picarescos: el mundo de los buhoneros de la feria de Viana del Prior; el ambiente tabernario y de casa de juego de un mesón de Viana, en donde juegan su dinero los hijos de don Juan Manuel, que lo pierden y el Abad que lo gana; la pelea, después del juego, en el mesón, en la que el Abad hiere de un tiro a *Cara de Plata.* Hay escenas de fuerte carácter lascivo: la de *Cara de Plata* en casa de la buscona Pichona; y la tentativa de violación de Sabelita — la ahijada y más tarde amante de don Juan Manuel, amada por su hijo Cara de Plata — por el loco *Fuso Negro,* salvada por don Juan Manuel de este agravio y llevada por él a su casa para convertirla en su amante.

La jornada tercera tiene ya un tono más grotesco, de arte deformador, particularmente en varias escenas: en la que *Fuso Negro* trata de entrar por el tejado en la casa de la Pichona, entablando un diálogo, como si fuera el trasgo, con ella y con *Cara de Plata,* que está en la cama con la buscona; y en la que *Fuso Negro* encuentra, tiradas en el camino, las onzas de oro que el abad le ganó a *Cara de Plata* y éste le fue a llevar a la casa rectoral, pero que el clérigo no quiso recibir y arrojó al camino.

Dos son los argumentos entrecruzados de *Cara de Plata:* uno, debió de ser el inicial, en el pensamiento de Valle-Inclán, tejido en torno a la prohibición, por don Juan Manuel, del paso de cuantos viandantes van a Viana de Prior por el antiguo paso que cruzaba sus tierras; y otro, que va desplazando al primero, el de la rivalidad entre don Juan Manuel y su hijo Cara de Plata por el amor de Sabelita, la ahijada del señor de Lantañón, con el triunfo del padre, sobre el hijo en esta rivalidad; convirtiendo aquél a Sabelita en su amante.

Otro es, en cambio, el argumento de las otras dos *Comedias bárbaras, Aguila de blasón* y *Romance de lobos:* su tema es el de los efectos de la maldición que, al final de *Cara de Plata,* lanzó contra don Juan Manuel y su linaje el abad de San Clemento de Lantañón, al prohibírsele el paso por aquellas tierras cuando iba con el viático, seguido de una procesión de viejas. Los efectos de esta maldición son las querellas intestinas que llevan a la destrucción de la familia de los Montenegro. La escena final de *Cara de Plata,* en la que el abad con su viático y su procesión de viejas lanza la maldición contra los Montenegro, es el pórtico de entrada al tema de las otras dos *Comedias bárbaras,* aparecidas antes que *Cara de Plata.*

* * *

Cara de Plata, simbolista en sus primeras jornadas, se va

cargando cada vez más de elementos expresionistas, en la segunda y tercera jornadas. Estilísticamente la primera jornada pertenece a la fase más antigua de su arte, a una fase más lírica y menos dramática, que la que el autor expresó en las dos *comedias bárbaras* anteriores, *Aguila de blasón* y *Romance de lobos;* y más unida, en sus elementos estilísticos, a *Flor de Santidad* (1904) y el libro de poemas *Aromas de leyenda* (1907).

En esta lengua, más lírica que las otras *comedias bárbaras,* abundan las formas arcaizantes gallegas en la primera jornada: Vitelo (ternero), Marela (Amarilla) Bermella (bermeja), arrodear (rodear), cadelo (perrito), Caravel (clavel), ringlera (hilera), rachada (rasgada), cancela (portillo), etc. Estos gelleguismos, un tanto disminuidos, siguen en las otras dos jornadas: Andrómeda (fábula, mentira), pauliña (excomunión), Fachizo (tea, antorcha), vicada (beso), mantelo (manto), paisiño (padrecito), noso (nuestro), falangare (charlar, usado en equivoco sentido), callarvos (callaros), ponervos (poneros), escorrentar (espantar, ahuyentar), curuja (lechuza), fayado (bohardilla).

* * *

A partir de la segunda jornada, se va perfilando el arte expresionista de esta *comedia bárbara,* distinto al grotesco de los esperpentos y al monstruoso de *Divinas palabras;* aunque haya en ella escenas, como la de la feria de Viana del Prior, un tanto parecidas en carácter. Su arte expresionista en *Cara de Plata* está más unido al de las obras recogidas en el *Retablo de la avaricia, la lujuria y la muerte:* a los *autos para siluetas* y a los *melodramas para marionetas.* Sombras, gestos, gesticulaciones, siluetas son elementos esenciales de las acotaciones escénicas de *Cara de Plata;* pues como ya indicamos en más de una ocasión, las acotaciones escénicas revelan, generalmente más que el diálogo, el rumbo del arte de Valle-Inclán en el momento en que compone la obra. Las luces, más de contraste entre luz y sombra de proyección de una figura sobre un fondo más luminoso, tienen una gran importancia en *Cara de Plata.*

Uno de los gestos, asiluetados, más empleados por Valle-Inclán en esta obra, es el de abrir los brazos o el de mantenerlos abiertos, como en el teatro de siluetas o en el de marionetas; uno de los personajes de *Cara de Plata,* doña Jeromita, hermana del Abad de Lantañón, aparece la mayor parte de las veces en esta actitud para expresar con este gesto su desesperación: "El tropel de chalanes parte en cabalgando, y *El Pastor,* en lo alto de la peña, silueťado sobre el cielo, los despide con un grito, agitando los brazos"; "en el lindero del atrio clamorea una ringla de mujerucas con frutas y tenderetes"; "Basculada con gritos y espantos, gestos torcidos sobre las cofias, manos aspadas protegiendo los tenderetes"; "en el lindero del atrio aúlla con tuertos visajes un méndigo alunado: aquel *Fuso Negro,* roto, greñudo y cismático: "Sobre los roquedos ágiles siluetas pastoriles gritan agitando los brazos"; "el abad vuelve a entrar por la puerta de la sacristía. *Blas de Míguez* le sigue, sonando las llaves de la iglesia. Doña Jeromita, con la rueca en la cintura y los brazos en aspa, baja la escalera del patio"; "la tropa de chalanes y boyeros queda silenciosa, esperando que hable, y la dueña pilonga, con la rueca en la cinta y el huso bailándole al flanco, se espanta en el ruedo del halda, los brazos abiertos, aspadas las manos"; "De cara a la iglesia, un jinete viene galopando: Resalta por negro sobre el sol poniente. Doña Jeromita, alzándose del banquillo, con los brazos en aspa, cacarea una escala de espantos"; "Torcido al bonete, escueto y ensotanado, el clérigo se mete por la puerta, y asoma, apuntando con el trabuco, en el ventano del fayado"; "levantado en los estribos, el hermoso segundón revuelve el brazo y arroja la bolsa al ventano, donde asoma el cornudo bonete. Como un pájaro negro va la bolsa por el cielo nocturno, y el tonsurado la recoge con hosco bramido, sacando fuera los brazos de sombra; El Abad, palpitando con ronca brama, arroja la bolsa al camino, por donde, al galope de su caballo, se aleja Cara de Plata. Doña Jeromita cae de rodillas abriendo los brazos, y el bonete espanta sus cuatro cuernos en el ventanuco"; "Doña Jeromita cae suplicante, con los brazos abiertos bajo la luna clara"; "Doña Jeromita abre los brazos para alcanzar el cielo y con un grito traspasa el nocturno silencio de estrellas".

En ocasiones, acumula Valle-Inclán una serie de gestos, expresivos de la acción: "Blas de Míguez guiña el ojo, tuerce la boca, saca la lengua, componiendo una mueca tragicómica de antruejo. La vieja pelona, empavorida, se santigua y. temblándole las manos, se viste la camisa".

* * *

El carácter simbolista de las tres primeras escenas de la

primera jornada de *Cara de Plata* y el expresionista del resto de la obra se revela de una manera clara en el tratamiento de la luz y de los colores en unas y en otras; pues son luces y colores claros y risueños en aquellas tres primeras; y sombras y obscuros— negro, noche, sombras, tinieblas — en las restantes. A veces, con el *negro,* se combinan otros colores, particularmente el *rojo* y el *verde,* para darle un sentido más trágico; y, en algunos casos, el color negro sirve para destacar el *blanco,* no el de la pureza sino de la lujuria, de la carne conscupiscente.

Ni en la fase simbolista ni en la expresionista empleó Valle-Inclán las luces y colores en un sentido puramente plástico, impresionista, sino significativo de un ambiente espiritual, el cual es más amable, en general, en la fase simbolista y más dramático en la expresionista.

En las dos primeras escenas, de carácter simbolista, de *Cara de Plata,* las luces son risueñas y predominan dos colores: el *verde* y el *dorado:* "Alegres albores" "cristales matinales", "cristal de la mañana", "entre el verde del limonero"; Tiene *(Cara de Plata)* el cabello de oro, los ojos de alegre verde"; "en lo alto de la solana, rubia como una espiga, infantil y risueña, esta la ahijada del Vinculero (Sabelita)".

En este mundo de luces brillantes y colores risueños juega un gran papel el sol: "Por los petriles, en los claros ojos de la mañana, se estrecha una punta de vacas con el sol en las astas. Y contra el sol, rostro al monte, viene al galope *Cara de Plata.*"

* * *

Ya en la cuarta escena, de la primera jornada, aparece el color *negro,* como símbolo de la tragedia y de las bajas pasiones, a ensuciar el *verde,* símbolo de la paz campesina de los agros gallegos: "Tumulto de voces quiebra el verde y aldeano silencio. El tonsurado, esquivo y sin hablar palabra, se mete por las puertas de la sacristía. Negro, zancudo, angosto, desaparece en la tiniebla de arcones y santos viejos". Ya al final de la escena segunda, preparando este cambio, había presentado al loco *Fuso Negro* que "se esguinza con una espantada, sacando la lengua. Una nalga negruzca le palpita entre jirones de remedios".

El color negro va dando tono a todos los elementos de la comedia, personajes, ambiente y cosas, a partir de la escena cuarta: "El abad, negro y escueto, reaparece en la puerta de la sacristía"; "el abad, signándose de prisa y paseando a la sombra del muro, comienza el rezo canónico"; "Sabelita aparece por la sombra de los limoneros. Canta la nota popular y dramática del hábito morado en la penumbra verde"; "en la sombra sonora del arco ríe, con su ruda risa feudal, el viejo Montenegro"; "en la penumbra verde de los limoneros, la nota morada es un grito dramático".

Al principio de la jornada segunda, en la que se describe la villa de Viana de Prior y los puestos de su feria, hay colores vivos y sol fulgurante; pero estos colores no son los amables del principio de la primera jornada, sino, como los que aparecen en algunos de los poemas de *La pipa de Kif,* colores que expresan fuerza, vigor, sol que ciega; y otros: detonantes, que se pelean más que acarician: "Un campo verde con robledo. Velario, gentío. Ganados. *Vistosos* tendales. Portugueses talabartes, jalmas zamoranas, *pardas* estameñas. En las bayetas de los refajos cantan *amarillos, verdes* y *granas.* El azul en las calzas y en los recortes del sayo. Tenderetes de espejillos, navajas, y sartales fulgen al sol".

Sobre ese fondo de fuerte luz y colores abigarrados, se proyecta el color negro de "*Fuso Negro,* con su sotana hecha jirones, al sol una nalga". Todo se va obscureciendo, incluso el habla de las gentes, para indicar su mala conciencia: "El abad habla oscuro, entornando los ojos". Y hasta el sol es poniente para hacer resaltar la negrura de las figuras "de cara a la iglesia un jinete viene galopando: Resalta por negro sobre el sol poniente".

Tras esta escena el cielo nocturno sirve de fondo dramático, a las otras escenas de la jornada segunda: "como un pájaro negro va la bolsa por el cielo nocturno"; "Imprecador y violento, por el muro del atrio salta impensadamente un negro jinete (don Juan Manuel) y el loco *(Fuso Negro)* se revuelve bajo la herradura, greñudo y espantable, como los moros del señor Santiago. Después, convulsa y blanca, levantada en el arzón, la niña (Sabelita salvada de ser forzada por el loco) desmaya la frente sobre el hombro del Caballero".

A partir de este momento, es la noche la que envuelve con sus tinieblas la acción de la comedia: "*Cara de Plata,* encorvándose sobre la silla, da un bote, sale al camino y desaparece en la noche"; "Se iba Pichona. Hablaba ya encapuchada con el manteo. Cubre el luar de la puerta su figura negra. Por el camino, en una ráfaga de violencia, ha cruzado un jinete, una negra centella que hace santiguar a la moza del biribis".

* * *

La luna, el luar céltico-galaico, en el que la noche se llena de mágica transparencia y las cosas toman un aire espectral, como si pertenecieran a un mundo más allá de nuestros sentidos, acompaña el desarrollo del argumento desde el final de la escena quinta de la jornada segunda. La *Comedia bárbara Cara de Plata* se convierte entonces en un mundo lunar espectral. En este punto hay una estrecha relación entre ella y *Ligazón, auto para siluetas,* aparecido unos años más tarde en el *Retablo de la avaricia, la lujuria y la muerte.* En las dos obras, la luz mágica y espectral de la noche de *luar* transforma la historia en un mundo que parece estar en la penumbra entre la vida y el más allá: "La Quintana, silenciosa y nocherniega, se prolonga por el vano de la puerta, y en el claro de luna, con los brazos abiertos, se espanta la vieja pilonga hermana de *El Abad.* Estremece el viento la llama del velón y calca su negro baile en la pared la borla del solideo". El *luar* le comunica a estas y otras escenas un aire de brujería, de hechizo.

El ambiente de hechizo, de embrujamiento, que produce en esas noches de luna, aumenta con la gasa de neblina que envuelve las cosas, haciéndolas más vigorossa y fantásmagóricas: "El Sacristán, por una ruina de piedras calvas, salta el muro de la Quintana. Asustado y acezando aparece en la neblina lunar".

En ese ambiente lunar el *verde* es simbólico de misterio ("en el círculo de la penumbra — de la casa de la Pichona — el gato abre el sacrilegio de sus ojos verdes") y de lascivia ("por la sombra del muro lo alumbra la lumbre de los ojos *verdes* — de *Cara de Plata")*.

Las personas y cosas eclesiásticas adquieren contornos de hechicería bajo la luz lunar: "la luna, en la balsa, hila tinieblas de plata. Sobre la cruz de los albos caminos ennegrece el bulto asotanado de *El Abad.* Bajo el cielo estrellado, el bonete perfila sus cuernos y el brazo perfila su trazo negro de maldición y anatema".

Paisaje lunar por fuera, en los tejados de las casas, y dentro de ella ambiente de brujería. El *negro* y el *amarillo* se combinan para aumentar el tono de embrujamiento de estas escenas "Quintana de San Martiño. Almiares y tejados luneros. Ladridos lejanos. Tendida parra de morada sombra ante alguna puerta. Una casa sola al confín del quintero. Negro y rojo el hogar donde una vieja encuerada se despulga".

En la escena última hay una apoteosis final de mundo mágico, espectral, demoniaco, fantasmagórico, presidido por la luna, cuando se enfrenta el Abad, que lleva bajo palios los santos óleos, con don Juan Manuel y su hijo *Cara de Plata* que les cierran el paso por las tierras de los dominios de Lantañón: "el atrio del pazo, fragante de limoneros. Arcos con luna, y el ciprés inmóvil y negro al pie de la escalera, cruza, cargado de remordimiento, la sombra del Caballero. Le sigue el bufón patizambo, con la bufonería de resaltar su cojera"; "confuso son de pasos y preces. Tres viejas, como tres curujas (lechuzas), con farolillos y manteos, se encogen y acechan entrando por bajo el arco. En San Clemente de Lantañón, litúrgicos dobles de una campana. Lejanas luces." "El galope de un caballo. Demudado y frenético, rompe en el atrio *Cara de Plata.* Divino de luna el yelmo de sus cabellos, y el hacha en el brazo desnudo, negra centella"; "Lenta procesión de luces y manteos entraba por el rudo arco, flanqueado por escudos y cadenas. Bajo palio viene el sacrílego Abad de San Clemente. La ropa de paños de oro, cuatro cuernos el bonete, y en las manos, entre garras negras, la copa de plata con el pan del Sacramento"; "Don Juan Manuel, con dos perros como leones cogidos por los collares, descendía por la gran escalera de piedra. Camina por entre las luces en tenebroso silencio. Bajo el palio levanta la copa de plata el Abad de San Clemente. El Caballero, Adusto, burlón, enigmático, hinca la rodilla en tierra y hace arrodillar a sus perros".

Como más tarde en *Ligazón,* en esta escena final de *Cara de Plata,* las luces de las velas, que llevan las viejas en la procesión, acompañando al viático, ponen, con su color rojo, en la noche lunar, una nota enigmática y hechicera, que sirve de adecuado fondo al momento último de la comedia, en el que el mal triunfa sobre el bien, como si el Diablo gobernara las cosas de este mundo: "Estalla una honda. Rebota en el muro de la torre una piedra. Vuela una lechuza del angaro. El Caballero se pone en pie, con resolución soberbia, y arranca el copón al clérigo"; "*Cara de Plata* sale por el arco recobrando las riendas, tendido sobre la crin del caballo espantado. Capuces y luces del piadoso cortejo retroceden. Voces agorinas (llenas de presagios). Sombras huideras. Pánico sagrado. *El Caballero,* con la copa de plata en la mano, se sienta en la escalera, y exclama: "Tengo miedo de ser el Diablo".

Y con esta escalofriante escena diabólica, presidida por la luna e iluminada por las mortecinas luces de las velas de las viejas con manteo de la procesión, concluye la comedia *Cara de Plata;* y se abre, con la maldición lanzada contra el *Caballero* y su familia por los campesinos y el Abad de San Clemente, la historia de las otras dos *comedias bárbaras,* que anuncian las voces agorinas, llenas de presagios, de las viejas procesionales: la ruina y trágico fin de la familia de los Montenegro, que se desarrollará en *Aguila de blasón* y *Romance de lobos,* las cuales habían aparecido antes que *Cara de Plata.*

XXIV — EL RETABLO DE LA AVARICIA, LA LUJURIA Y LA MUERTE

En 1927 publicó Valle-Inclán dos obras de capital importancia en la historia de su arte expresionista: *La Corte de los Milagros,* primera novela de la serie de *El ruedo ibérico,* que su muerte dejó inconclusa; y *El retablo de la avaricia, la lujuria y la muerte,* en la que recogió cinco obras dramáticas de distinto carácterter y extensión: una, la más extensa, *El embrujado,* que había sido ya leída, antes de la primera guerra europea, en el Ateneo de Madrid, y otras cuatro más modernas: dos, *La Rosa de papel* y *La cabeza del Bautista,* calificadas por el autor de *melodramas para marionetas;* y otras dos, *Ligazón* y *Sacrilegio,* a las que tituló *autos para siluetas.* De este modo daba Valle-Inclán una nueva terminología a sus nuevas piezas dramáticas expresionistas, quedando fuera de ella *El embrujado,* a la que subtituló *tragedia del valle de Salnés.*

Estas piezas dramáticas, las cuatro nuevas, son sumamente breves: no se dividen en jornadas ni en escenas; y el número de sus personajes es muy reducido. En cambio, *El embrujado,* que como ya hemos indicado, no pertenece al arte expresionista y corresponde más bien al simbolista, que practicó en el periodo anterior a la primera guerra mundial, tiene tres jornadas y son más numerosos sus personajes.

Uno de los rasgos comunes de las piezas dramáticas, incluídas en el *Retablo de la avaricia, la lujuria y la muerte* es el de que todas ellas, lo mismo *El embrujado,* de carácter simbolista, que tres de las nuevas *(La Rosa de papel, La cabeza del Bautista* y *Ligazón)* son de tema gallego. La única que no lo es es *Sacrilegio,* que se desarrolla en Andalucía. En cambio, en general, los esperpentos tratan de historias que se desarrollan fuera de Galicia: en Madrid, las de *Luces de bohemia* y *La hija del capitán;* y en Andalucía la parte principal del de *Los cuernos de Don Friolera.* Sólo *Las galas del difunto,* y la parte del bululú, con sus títeres, en *Los cuernos de Don Friolera,* tienen una historia gallega.

* * *

El Retablo de la avaricia, la lujuria y la muerte (1927)

apareció entre la publicación los dos primeros esperpentos (*Luces de bohemia,* 1920 y *Los cuernos de Don Friolera,* 1921) y los últimos (*Las galas del difunto, La hija del capitán*) incluídos, con *Los cuernos de Don Friolera,* en *Martes de Carnaval* (1930). Representan, por lo tanto, un nuevo esfuerzo de Valle-Inclán para renovar el arte dramático español, y salirse incluso del nuevo camino, apenas iniciado por él, del esperpento, al que volvería, tras el *Retablo,* con nuevo vigor.

Agustín del Saz destacó los antecedentes medievales del arte dramático de las piezas incluídas en este *Retablo.* Sin duda en Valle-Inclán, arcaizante y modernizante a la vez, hay una tendencia a volver a las formas primitivas y simples de la literatura española. Habíamos visto esta tendencia expresada, en la poesía, en sus poemas de *Aromas de leyenda,* en los que empleó formas métricas de los viejos poetas medievales españoles. Pero, en el teatro, la fuerza de los antecedentes es menor que en la poesía arcaizante valleinclanesca. Por eso hay que tomar con cierta cautela las palabras de Agustín del Saz, en las que rastrea estas analogías: "hemos de distinguir — dice Agustín del Saz — entre los esperpentos, lo más general, y las piezas que él agrupó, en un volumen, con el título de *Retablo de la avaricia, la lujuria y la muerte* (1927). Los primeros pertenecen al género de la caricatura; y las segundas son una especie de teatro medieval. Este teatro había expresado todos los lados humildes del alma: sufrimiento, tristeza, resignación, aceptación de la voluntad divina. Era un arte de modestia profunda, de espíritu cristiano. En la Edad Media, el arte da escenas y decorado al teatro, éste arregla las nuevas modalidades artísticas. La vida, simple jornada para la otra, sólo presentaba el terror místico, el ansia ascética de ser gratos a la divinidad. La vida medieval estuvo poblada de sombras y de masas populares de supersticiones de todas clases. Las dominó el miedo a cuanto desconocían; y los hechizos y embrujos se difundieron por las almas ingenuas. La palabra medieval de más matiz viene a ser *misterio:* el de las almas torturadas y doloridas por las pasiones del cuerpo, porque el alma y el cuerpo — que han de ir tan juntos — tienen ideales antagónicos; y, en esta lucha, se creían endemoniados y en su desesperanza seguían destinos fatales. Tal es el verdadero sentido de los pactos con el demonio. Y este es el añejo de la obra de Valle-Inclán, que pudieramos llamar *Retablo Medieval.* Las criaturas de este *Retablo* obran impulsadas por el miedo, y la desesperanza ante las incontrolables fuerzas de los sentidos que nos cerrarán la vida eterna" (1).

* * *

En las piezas dramáticas de este *Retablo,* al lado del *expresionismo,* que la inspira y domina, se mueve otra corriente estética, la del *surrealismo,* que empezó a bullir en la literatura española en esa década, tan espléndida y florida, del 20 al 30. A diferencia de los esperpentos, donde las pasiones se diluyen en el aire de farsa y lo grotesco, en estas piezas las pasiones son todavía más fuertes: son pasiones primitivas, brutales, unidas a los instintos, donde andan la lujuria y la avaricia.

Estas pasiones primitivas "conciertan entre todas la rueda histriónica de las tres grandes capitalidades — muerte, avaricia, lujuria — que mueven la macabra y sórdida actividad humana. Cada uno de estos tres móviles provoca a los demás, se produce ya preñado por ellos y, en su risible y paradójico parto, los origina" (2).

Este arte expresionista, en el que hay una gran preocupación por lo brutal y primitivo del hombre, no se entronca tanto con un teatro arcaizante, medieval, que aspira a presentar en forma simbólica los vicios y pecados de las gentes, sino con otras formas dramáticas más contemporáneas del arte *surrealista* que bucea en la subsconciencia, en busca de los instintos como motores de los impulsos vitales; y, por otro lado, con el *existencialismo* que se afana en presentar las formas, más duras y sufridas de la existencia humana.

Ese fondo surrealista, de presentación de los impulsos que se mueven en la subsconciencia, en la obscuridad de la vida, para llevar a quien los siente a las tinieblas de la muerte, es otro de los puntos de coincidencia entre el teatro del español Ramón María del Valle-Inclán y el del flamenco Michel de Ghelderode. Con la particularidad de que en la obra del flamenco —, una o dos generaciones más joven que el gallego Valle-Inclán — la corriente surrealista, simbolizada en la locura, es más caudalosa, quizá por que cuando él escribió, entre las dos guerras mundiales,

---

(1) Agustín del Saz, o.c., 32

(2) Juan Guerrero Zamora, o.c., vol. I, 187

se dejaba sentir con más fuerza en toda la literatura europea el surrealismo.

Juan Guerrero Zamora, buscador de las analogías entre el teatro de Valle-Inclán y el de Ghelderode, nos dice que "el *Retablo* (de Valle-Inclán) es afín, ya lo indiqué, al de Ghelderode, al menos por la intervención dinámica entre muerte y lujuria. Pero una diferencia crucial se establece entre ambos: la avaricia, por lo que respecta al español, y la locura, en lo que atañe al flamenco. Cierto que la avaricia, como pecado capital, ocupa un puesto considerable en las dramatizaciones gheldronianas de las capitales culpas. Pero *Magie Rouge,* su máximo exponente, demuestra cómo, al servir temáticamente, queda proyectada a su colmo, hasta términos absurdos, casi a fuerza telúrica, y así Hiéronymus sobrepasa los límites del avaro molieresco, se sumerge en la sinrazón, padece una avaricia demencial, en la que el cálculo le obsesiona, el interés deja de acuñarse en oro y pretende ahorrar no sólo monedas, sino sangre, esperma, virginidad, y no saciado con acumular arcas — la avaricia es fundamentalmente de signo pasivo —, busca que las onzas se procreen, con lo que alcanza un grado alucinante. Los personajes de Valle-Inclán, en cambio, practican su avaricia cauta, sórdida — como la de *Julepe,* atento, mientras su mujer muere, al burujo con los siete mil reales, fruto del ahorro de la presunta difunta — intrigante, conjuradora y lógica, es decir, demasiado humana. La avaricia, según Valle-Inclán, es la referencia mezquina que, por coordinarse con muerte y lujuria, las vuelve mezquinas también, en un contagio que cambia en grotescos factores propios de tragedia . . . En Ghelderode, la avaricia no ostenta la importancia que tienen muerte y lujuria, y está como disasociada de estos factores. No se da como contagio. Lo que en él contagia es la locura, abarcando con esta palabra todo aquello que se distiende hasta el absurdo, todo lo que se disloca. Y en esto radica una de las fundamentales diferencias entre ambos autores, si se quiere, entre el timbre de las obras. El grotesco gheldroniano es siempre hiperbólico; el de Valle-Inclán es sórdido. Aquél es el resultado de la demencia; éste, de la avaricia como encono. Lo que allí es exuberancia natural, aquí se produce como codicia que hace de todo sentimiento un escepticismo. Impera en el dramaturgo flamenco la carne y sus pasiones; en el español, esa avaricia que, aun siendo concupiscencia de la carne, no es, sin embargo, de la carne en cuanto a sexo" (1).

* * *

En el *Retablo de la avaricia, la lujuria y la muerte* emplea Valle-Inclán una nueva terminología dramática para designar las cuatro nuevas piezas que aparecen en él, quedando fuera de esta nueva terminología *El embrujado,* obra que pertenece al periodo simbolista, a la que subtituló su autor *tragedia del Valle del Salnés.* Dos son los nuevos términos dramáticos introducidos por Valle-Inclán para designar sus nuevas composiciones breves: *melodrama para marionetas,* con que designa a *La rosa de papel* y *La cabeza del Bautista;* y *autos para siluetas,* subtítulo que acompaña a las otras dos, *Ligazón* y *Sacrilegio.*

Estas cuatro nuevas obras tienen en común el preocuparse por lo exterior de los personajes, por el gesto, la actitud, la sombra, la silueta; y despreocuparse del interior, del análisis psicológico, de la sutileza de los motivos. Las motivaciones son simples y de una sola pieza: la avaricia y la lujuria. En esto, como en tantas otras cosas, siguió Valle-Inclán, en este periodo, una de las formas del arte dramático expresionista que buscaba lo esencial del individuo; y de ahí el interés por lo grotesco y la caricatura que ponen de relieve los rasgos esenciales del personaje.

La de Valle-Inclán, en estas obras, es psicología de una sola pieza y no de sutiles motivaciones. En este sentido deben entenderse las palabras de Ramón Pérez de Ayala, gran entusiasta del arte dramático de Valle-Inclán y uno de los primeros críticos españoles que se dio cuenta de su valor, de que el dramaturgo gallego "había comprendido que el teatro psicológico era un disparate" (2).

Para Valle-Inclán la acción es expresión de un carácter; y éste, el individuo, de acuerdo con el arte expresionista, está anclado en un medio cultural determinado: "En sus obras (de Valle-Inclán) — nos dice Juan Guerrero Zamora — cada personaje se produce en función argumental, extrae sus zumos vitales de la acción propia, es encarnación de su medio y, del mismo modo que las criaturas clásicas españolas, transparenta su asunto y su negocio. De ahí su índole de paisaje, su consonancia substancial

1) Juan J. Guerrero Zamora, o.c., vol. I, 188-9
(2) Citado por J Guererro Zamora, o.c., vol. I, 189

con los neoconvencionales y su tradicional idiosincrasia hispánica — que nunca fue España lugar donde el psicologismo fustigado por Artaud arraigase demasiado. Esta substitución de la psicología en el seno del personaje por una lógica interna de tipo estético, la presentó Valle-Inclán no sólo porque la cólera del español sentado la transportara hacia una dinámica espiritual a base de sintetizaciones — por lo demás, corpóreas, a fin de dejarse ver, que ya dice el dicho que nos imprime carácter: vivir para ver —, sino con nítida conciencia de sus pretensiones. Y, como siempre, en la obra, con la creación, deja la pista de su poética, aquí someramente expresada en la denominación de sus piezas: *auto para siluetas, melodrama para marionetas*" (1).

(1) Juan Guerrero Zamora, o.c., vol I, 189

XXV — EL MELODRAMA EXPRESIONISTA: *LA ROSA DE PAPEL*

La pujanza del esperpento, su llamativa originalidad, ha obscurecido un tanto las otras creaciones singulares de Valle-Inclán en el teatro expresionista: sus *melodramas para marionetas* y sus *autos para siluetas.* Valle-Inclán no sólo es uno de los grandes dramaturgos europeos del teatro expresionista, sino el que creó, con arreglo a esta estética, una mayor variedad de formas.

Una de ellas y de las más notables es el *melodrama para marionetas,* género al que pertenecen *La rosa de papel* y *La cabeza del Bautista,* ambos incluídos en el *Retablo de la avaricia, la lujuria y la muerte* (1927). En realidad estas obras no están destinadas, como pudieran aparecer por la rápida lectura del subtítulo, a ser representadas por marionetas, sino por actores que actúan al modo de marionetas; siguiendo en esto una de las corrientes que desarrolló, en el arte dramático de toda Europa, el expresionismo con su interés por las representaciones en las que los actores llevaran máscaras o se movieran como muñecos: "no está ni *La cabeza del Bautista* ni *La Rosa de papel* — dice Juan Guerrero Zamora — escritas para muñecos, sino para actores en guisa de muñecos, según una técnica de transplante que es sintomática de muchos autores neoconvencionales, desde Jarry a Ghelderode. Se importa, del tradicional arte titiritero y para el actor, la línea esencial del garbo y del desgarbo, quiero decir, la caricatura — porque la marioneta ha sido y es convención admitida que facilita a los autores la creación psicológica, — el color fijo que pinta y no maquilla — Una Mujeruca con rizos negros, ojeras y colorete —, que tipifica y no caracteriza, y que es como la versión grotesca de la máscara trágica, dato ideográfico detenido en el rostro del personaje y leyenda expresa de su función. Se recoge además de aquel arte funambulesco la amplitud del ademán un tanto automático y un tanto rígido, surgiendo de cinco centros de articulación principales: los hombros, los codos y el cuello, con lo que se logra un movimiento corporal que, en lo rotundo y repentino, es a la elasticidad del cuerpo humano lo que la sombra chinesca al progresivo declive de las formas y claroscuro reales. Y, para que el timbre y tono de la obra, se importa de allí la audacia secularmente tolerada, la descarada agresividad" (1).

El gusto de Valle-Inclán por las marionetas no procede tanto de haber visto, como indica Melchor Fernández Almagro, las reperesentaciones, dadas en Madrid, por el *Teatro de Piccoli* de Pedrecca, sino del expresionismo dramático europeo, favorecedor de esta técnica. De él y no de la visión directa de las marionetas de Pedrecca es de donde recibió Valle-Inclán los postulados básicos de su técnica deformativa y, por tanto de su esperpentismo" (2).

* * *

Valle-Inclán, maestro del esperpento, también lo es del melodrama expresionista. Para crear esta nueva forma de uno de los géneros dramáticos más desacreditados, por el excesivo y abusivo uso que se hizo de él en el teatro europeo del siglo XIX, lo despojó de uno de sus principales vicios de origen: el sentimentalismo, la sensiblería, tan del gusto de la sociedad burguesa decimonona. Valle-Inclán al purificar el melodrama, lo hizo más humano y más universal. En lugar del sentimentalismo sensiblero, introdujo en él, de acuerdo con la técnica y la estética expresionista, rasgos enérgicos, fuertes, trágicos. Los movimientos de marionetas de los actores de estas obras melodramáticas expresionistas refuerzan su sentido vigoroso. Nada más alejado del melodrama romántico y realista del siglo XIX, destinado para un público burgués sensiblero, que este melodrama expresionista, plato fuerte, salpicado de pimentón trágico, del teatro valleinclanesco.

El teatro español contemporáneo debe a Valle-Inclán el haber sacado el melodrama burgués del pozo negro en que había caído: el haberle sacado a la luz del sol para purificarlo y darle una nueva categoría estética de valor eterno y universal. Y a su vez Valle-Inclán le debe al expresionismo, el haber podido acometer empresa tan meritoria: "el milagro de Valle-Inclán — dice Juan Guerrero Zamora — consiste precisamente en haber dado a un conjunto de factores degenerados — literatura de folletín y de melodrama — una alta categoría estética. Nuestro autor vivía realmente en el gran teatro del mundo; y de ahí que prefiriera aquellas fórmulas donde el hombre, no autocontrolado por su

(1) Juan Guerrero Zamora, o.c., vol., I, 191
(2) Juan Guerrero Zamora, o.c., vol., I, 191

cerebro ni por su sensibilidad, mercantil y explotador de bajos instintos, se expresa hiperbólico, histrión y necesitado de relatos sangrientos" (1).

En lugar de sensiblero sentimentalismo, las fuertes pasiones que desata la avaricia y la lujuria, y la muerte como el compañero de ellas, en el proceso o al final de él. En estos dos melodramas, *La Rosa de papel* y *La Cabeza del Bautista,* la avaricia apunta primero, como principal motor que impulsa hacia la muerte a los seres humanos. La lujuria, en cambio, aparece más tarde, casi en el mismo momento que la muerte.

Hay en estos dos melodramas expresionistas una nota de erotismo macabro, que recuerda un tanto el erotismo morboso decadente. Pero hay una honda diferencia entre ellos: entre el erotismo morboso, con tintas macabras, del decadentismo y erotismo macabro expresionista: en el primero había una nota de refinado sensualismo, como si la muerte amenazante fuera como una gota amraga que refuerza, en lugar de debilitar, la dulzura de la vida; en cambio, en el expresionismo, el erotismo es como el estallido de unas fuerzas primitivas, largamente contenidas, como el ansia de goce de la vida, cuando ésta ha desaparecido y ya no se puede gozar de ella, como ocurre en la escena final de estos dos melodramas: el amor del borracho Simón Julepe por su esposa, en *La Rosa de papel,* a la que ve muerta, arreglada con su traje de fiesta, en el ataud; y el de la Pepona, en *La Cabeza del Bautista,* por el Jándalo, cuando muere en sus brazos y en sus labios, apuñalado por don Igi el Indiano, con el que vive amancebada.

Hay en los *melodramas para marionetas,* como en los *autos para siluetas,* una gesticulación, un énfasis y una deformación expresionistas; pero esta última es un tanto distinta a la que practica Valle-Inclán en los esperpentos. En los esperpentos abunda más lo grotesco; en cambio, este elemento desaparece o es apenas perceptible en los *autos para siluetas* y si aparece en los melodramas es menos visible y más trágico que en los esperpentos. Por el contrario, la nota patética es más fuerte en los melodramas, sobre todo en *La Rosa de papel.*

Juan Guerrero Zamora destaca los elementos grotescos, ges-

---

(1) Juan Guerrero Zamora, o.c., vol., I, 193

ticulantes, enfáticos de estos dos melodramas, de *La Rosa de papel* y de *La Cabeza del Bautista,* sin percibir la honda diferencia que hay entre ellos y más aun entre los melodramas y los esperpentos en este punto: "la gesticulación desorbitada — dice Guerrero Zamora —, el esguince, el ademán que se deforma por la misma vacuidad, son los principales factores expresivos que Valle-Inclán recogió del melodrama y recreó para su nueva estética. Pasamos a *La Rosa del papel* y a *La cabeza del Bautista,* aquí el muñeco melodramatiza, en parte porque es muñeco y lo propio del muñeco es aspaventar, y en parte porque es cartel de ciego, chafarrinón y aguafuerte, dibujo goyesco, estampita que un niño tiñoso, un lazarillo manco o un viejo morapio vende por los trenes, ferias, y romerías, folletín a entregas para criadas, porteras, entretenidas que se aburren, serial de crímenes en el diario sensacional, pornografía para soldados y reclutas de Africa, chisme de mancebía en boca de repatriados" (1).

Y, como muestra del arte deformador de Valle-Inclán en los melodramas, pone Guerrero Zamora su atención en las acotaciones escénicas; pues, como ya señaló Pedro Salinas, abundan en ellas, más que en el diálogo, los elementos grotescos y deformadores del arte valleinclanesco: "Unas acotaciones (de *La Rosa de papel)* bastan para denotar ese tono deformado de la expresión física: Julepe se hiergue tirándose de la greña — Julepe se tira de la escalera con los brazos en aspa, y cae a los pies de la difunta: Se levanta abrazado con ella. El retablo de vecinas asoma mudo, sin traspasar la puerta, y. en aquel silencio, la voz del borracho se remonta con tremo afectado y patético — El retablo de los tres caritos, se encoge lloroso, bajo los negros alones de la pantalla, Pepiña de Mus los empujaba sobre la difunta, abiertos los brazos y la cara vuelta a las otras comadres — Simón se arranca la gorra. El aire melodramático: Marchando con la cara torcida, sin perder ojo de las cotillonas, cierra la puerta" (2).

Guerrero Zamora, atraído por los elementos deformadores de los melodramas valleinclanescos, los encuentra más en *La Rosa de papel,* que en *La cabeza del Bautista:* "La hipérbole deformada no está sólo en el gesto — dice Guerrero — como ya se vio repetidas veces; lo abarca todo y, en *La Rosa,* sus características —

---

(1) Juan Guerrero Zamora, o.c., vol., I, 192

(2) Juan Guerrero Zamora, o.c., vol., I, 192-3

escepticismo sentimental, sensiblería que reemplaza al sentimiento, histrionismo sincero, declamación que desdeña la dicción y retórica chulesca que pospone al habla sencilla, barroquismo popular, pintura de cartel — son incluso argumentales. Así el *Julepe* atento a los dineros de su agonizante esposa, se olvida de su planto, al creerse robado por las vecinas, y, en cambio, se desgreña en tremulos plañideros cuando el dinero resulta resguardado en escondite seguro por la propia finada — que, cuando tal ocurre, ya está extinta —" (1).

* * *

Los elementos deformadores no operan, sin embargo, en *La rosa de papel* sobre un mundo de gestos un tanto vacios, como parece deducirse de las palabras de Guerrero Zamora, sino de una penosa y triste realidad humana: la miseria de la vida conyugal de las clases pobres, la miseria, en fin, de la existencia.

De las cuatro nuevas piezas, breves, recogidas en el *Retablo de la avaricia, la lujuria y la muerte, La rosa de papel* es la menos melodrámatica en el sentido tradicional de la palabra, la menos folletinesca y la más humana. En *La cabeza del Bautista* y en *Ligazón* la muerte sobreviene a consecuencia de un acto brutal de asesinato; en *Sacrilegio* de un acto no menos brutal de ajusticiamiento por unos bandidos. En cambio, en *La rosa de papel* la muerte llega por sus caminos naturales, por los caminos de la existencia: es el resultado de los trabajos, fatigas y agotamientos que demanda la existencia.

En aquellas tres piezas breves hay un argumento, una historia mas o menos folletinesca. En *la rosa de papel* en cambio, el argumento, como en una obra existencialista, es la vida, en su cruce con la muerte; y en ese momento de cruce despierta la codicia del marido, Simón Julepe, herrero de oficio y borracho de beneficio, que descubre los ahorros de siete mil reales que, a costa de grandes sacrificios y prescindiendo de muchas cosas, necesarias para ella y sus hijos, había ido acumulando la difunta; y la lujuria que se despierta en el borracho al ver a su esposa arreglada y ataviada para el último viaje, más bella que le había parecido en vida, en la que su aporreada existencia de labores y fatigas le habían robado toda belleza y atractivo.

---

(1) Juan Guerrero Zamora, o.c., vol., I, 193

En *La rosa de papel,* lleva Valle-Inclán a la escena la vida aporreada, miserable, de sufrimientos, trabajos y fatigas, de las mujeres de las clases populares. El tema de la esposa sufrida, de la campesina maltratada por un esposo borracho y alocado, predilecto de los novelistas rusos anteriores a la Revolución, no es puramente literario ni ruso, sino eterno y universal, existente en todos los países, más quizás abundante entre los marineros, pescadores y obreros de villas y ciudades que entre los campesinos españoles.

Valle-Inclán llevó a este melodrama una honda y triste verdad humana: la miseria de la existencia de la vida conyugal de las clases trabajadores. El marido Simón Julepe, herrero de profesión y anarquista de ideales, tiene de apellido un nombre simbólico Julepe, que en las villas y ciudades gallegas quiere decir borrachera. Con la prodigalidad del marido, en gastar el poco dinero que tiene en emborracharse, contrasta el espíritu ahorrativo de la esposa. La miseria de la vida conyugal se aumenta con la prodigalidad del marido y la mezquinidad de la esposa.

La lujuria tiene en *La rosa de papel* caracteres más macabros. En las otras piezas dramáticas surge como un impulso vital, despertado por la vida de otra persona de distinto sexo, y, en algún caso, como en *Ligazón,* en el borde mismo de la muerte, cuando Pepona besa al Jándalo, que su amante don Igi el indiano acaba de apuñalar mientras ella lo abrazaba. En cambio, en *La rosa de papel* surge ya cuando no hay vida: lo despierta la esposa muerta que yace en el ataud ataviada con sus mejores ropas. Surge la lascivia cuando ya no hay posibilidad alguna de satisfacerla, como un absurdo o un imposible.

XXVI — EL MELODRAMA EXPRESIONISTA: *LA CABEZA DEL BAUTISTA*

A diferencia de *La rosa de papel,* con su tema basado en el fluir de la propia existencia, verdadera autora de la muerte de la agotada esposa, en la que sólo en el instante de la muerte presenta la historia caracteres extraordinarios, al despertarse conjuntamente la codicia y la lujuria de Simón Julepe, el otro melodrama expresionista, *La cabeza del Bautista,* cuenta un argumento sangriento, una historia de muerte violenta, causada por los celos y la codicia. Valle-Inclán gustó de llevar a su teatro expresionista este tema, el cual aparece con distintas variantes y personajes en otras obras de este periodo: en el auto para siluetas *Ligazon* y en el esperpento *La hija del capitán.* Es un tema melodramático, de fuerte acento folletinesco, carácter que estaba ausente, como ya hemos indicado, en *La rosa del papel.*

Quizás la nota común que une a los dos melodramas es la conjunción de la muerte con la lujuria: "Y, aparte de la conjunción entre muerte y lujuria — dice Guerrero Zamora — si Julepe se exalta de necrófilo erotismo ante el cadáver lavado y bien vestido de su mujer, es porque su impotencia necesita la salsa fuerte de las postrimerías para por fin excitarse. Y si Pepona, en *La cabeza del Bautista,* suspira rendida en la boca del que asesinan en el mismo momento, es porque, coima de vejentón, tenía el sexo dormido y sólo semejante beso helado podía librarla de su impotencia" (1).

* * *

Son indianos dos de los tres principales personajes de *La Cabeza del Bautista,* Don Igi el Indiano y el Jándalo. Valle-Inclán, que, por esta época, había presentado en su novela expresionista *Tirano Banderas* (1926), una extensa variedad de tipos de indianos españoles, radicados en las tierras calientes, con un fuerte acento mexicano, los llevó a su teatro sólo en *La cabeza del Bautista;* pues no aparecen en ninguna de las otras piezas dramáticas del *Retablo,* incluyendo *El embrujado.* En cambio, como ya hemos indicado, en más de una ocasión, en los capítulos

---

(1) Juan Guerrero Zamora, o.c., vol., I, 193

anteriores, uno de los personajes predilectos de los esperpentos de Valle-Inclán es el militar, oficial o simple soldado raso, que ha prestado sus servicios en los dominios ultramarinos del Imperio español, en Cuba, Filipinas y en Africa. Estos son los personajes de *Los cuernos de don Friolera, Las galas del difunto* y *La hija del capitán.* El único esperpento donde no hay tales personajes es *Luces de bohemia.*

La visión del indiano, que nos ofrece Valle-Inclán, en *La cabeza del Bautista,* es hondamente dramática. Para él América es la tierra propicia para las aventuras de la más variada condición, desde el crimen hasta el hacer fortuna: Don Igi el Indiano asesinó en América a su esposa; y de allí se vino a Galicia, huyendo de la justicia y de los chantagistas, como el Jándalo, conocedor de su crimen, que hace granjería de este conocimiento; y en América vivió a la aventura el Jándalo chantajista y tenoriesco. La América en que vivieron estos indianos tiene un doble acento, argentino y mexicano.

* * *

En las tres historias de avaricia, lujuria y muerte, en las que es asesinado el lujurioso, presenta Valle-Inclán tres argumentos, personajes y situaciones distintas: en el melodrama expresionista *La cabeza del Bautista,* el escenario es una villa gallega, probablemente marinera; en el esperpento *La hija del capitán,* es Madrid; y en *Ligazón,* auto para siluetas, es un ventorro en un camino gallego. El lujurioso, asesinado en cada una de estas tres obras, tiene una distinta personalidad en las tres: es el aventurero Alberto Saco, el Jándalo, arrogante, marchoso, valiente y atractivo en *La cabeza del Bautista,* que es asesinado por la espalda, mientras abraza y besa a Pepona, la amante del indiano don Igi el Gachupín, quien lo apuñala; en *Ligazón, el lujurioso* es un marchoso ricacho a quien la ventera, con la ayuda de una Celestina, trata de vender la honra de su hija, la cual, confabulada con un afilador a quien acaba de conocer, despachan en la noche al marchoso que se llegó a la alcoba de la joven; en el esperpento *La hija del capitán* el asesinado es el *Pollo de Cartagena,* un hombre generoso y marchoso, uno de los amantes de paso de la Sinibalda, la hija del capitán, muerto por error por el Golfante, organillero, que lo ha confundido con el general, verdadero amante de la Sinibalda.

En *Ligazón,* la mujer desprecia al marchoso lujurioso que la busca concupiscente en la noche de luna. En *La hija del capitán,* la Sinibalda desprecia al general su amante, pero, en cambio, tiene cierto afecto por don José el Pollo de Cartagena, que muere apuñalado, también en la obscuridad de la noche, tomado por el general, por el Golfante, viejo amante de la hija del capitán. Sólo en *La cabeza del Bautista* la heroina, Pepona, siente despertar un intenso erotismo en la escena en la que el Jándalo Alberto Saco la abraza y la besa; mientras muere apuñalado por el celoso y codicioso don Igi el Indiano.

* * *

El crítico suizo Jean Paul Borel tituló su estudio del teatro valleinclanesco, *Valle-Inclán o la pasión de lo imposible* (1). Y es justamente en estos dos melodramas expresionistas en los que se presenta con más tajante crudeza la imposibilidad de la pasión, en este caso de la pasión erótica: la que siente, en *La rosa de papel,* el borracho herrero Simón Julepe por su esposa muerta que yace ya, vestida con su ropa de los días de fiesta, en el ataud; y la de la Pepona, en *La cabeza del Bautista,* por el Jándalo Alberto Saco, en el momento en que éste la abraza y besa, agonizante, apuñalado por el indiano don Igi el Gapuchín, con el que ella se había concertado para despachar, también en la obscuridad de la noche, al aventurero Jándalo.

---

(1) Jean Paul Borel. Valle-Inclán ou la passion de l'impossible, en Theatre de l'impossible. Essai surcise des dimensions fundamentales du Teatre espagnol au XX siècle, Neuchatel, Suisse, 1963

XXVII — AUTOS PARA SILUETAS
LIGAZON Y SACRILEGIO

Ni el melodrama expresionista, el *melodrama para marionetas,* como le llamó su autor, ni tampoco el *auto para siluetas,* otra de las formas dramáticas originales del teatro español, han merecido la atención de la crítica española y extranjera, las cuales se concentraron en el análisis de la naturaleza y carácter del esperpento, como si éste fuera el único logro importante del arte dramático valleinclanesco en este periodo influido por el signo del expresionismo. Como ya indicamos, la preocupación, casi única, por los esperpentos proyectó una sombra de manzanillo sobre las otras formas expresionistas de su teatro, impidiendo que la crítica se esforzara en desentrañar su naturaleza. Una de las pocas excepciones a esta regla, uno de los pocos críticos que se libró de esa sombra manzanillesca, fue Juan Guerrero Zamora que consagró a Valle-Inclán uno de los capítulos más importantes de su *Historia del teatro contemporáneo,* obra de singular valor en esta materia (1).

El gesto, de tanta importancia en el teatro expresionista en general y en el de Valle-Inclán en particular, tiene un relieve especial en los autos para siluetas, en *Ligazón* y en *Sacrilegio,* más quizás en el primero que en el segundo. La silueta, puesta de moda en toda Europa por el conocimiento del teatro oriental, chino y japonés, en el que era ampliamente utilizada, reforzaba el gesto, la actitud del autor: "La silueta dramática — dice Guerrero Zamora — gana al actor en la precisión del gesto corporal, recorta las transiciones y las hace bruscas, es un establecimiento riguroso de límites. Exactamente como los datos psicológicos en las criaturas valleinclanescas, que se afilan como denominaciones, se

1) Juan Guerrero Zamora. *Historia del teatro contemporáneo,* 3 vols., Barcelona 1963. El noveno capítulo del primer volumen está consagrado al estudio del teatro de Valle-Inclán, y comprende más de 50 páginas, de la 151 a la 206. Guerrero Zamora estudia en este primer volumen el teatro de Alfred Jarry, Guillaume Apollinaire, Max Jacob, Raymond Rousell, Jean Cocteau, Tritán Tzara, Roger Vitrac, García Lorca, Antonio Artaud, Michel de Ghelderode, Jacques Audiberti, Jules Superville, Georges Schéhadé, Eugene Ionesco, Arthur Adamov, Jean Vauthier, Jean Tardieu, T. S. Eliot, Christopher Fry, Thorton Wilder, Orson Welles, William Faulkner y William Saroyan

inscriben como etiquetas, se separan como tajos de navaja, pasan de la luz a la sombra sin desvanecido y desdeñan, por indeciso, todo claroscuro. Si la silueta es plana, el carácter aquí también lo es, no hay que considerar esto como sinónimo de vacío, por lo mismo que la sombra chinesca es una periferia compacta aunque uniformemente llena" (1).

* * *

En la silueta desempeñan un gran papel las luces. Las luces, que tuvieron una gran importancia en el teatro de Valle-Inclán, tanto en el simbolista como en el expresionista, son uno de los elementos esenciales de los autos para siluetas: "*Ligazón* — dice Juan Guerrero Zamora — está calculada con toda exactitud para sacar partido de las luces y sombras. Se recuadran las puertas y ventanas, rielan las estrellas, recorta la luna su redondel frío, chispean las piedras preciosas con que el indiano ha venido a tentar; y aquél que en definitiva salvará a *La Mozuela* del trato desonroso por codicia trae, para anunciarse, para dejar patente que es el héroe liberador del drama, su rueda de afilador, que hará saltar chispas de las tijeras, de esas tijeras escogidas como instrumentos de liberación. Los seres se deslizan tenebrosos e informes, entre los distintos términos luminosamente estáticos — la luna, la puerta, los caminos — y, por su dinamicidad, como un dolor para los ojos, prevalecen dos datos: las piedras preciosas de la avaricia, la rueda que afila la trágica libertad del amor, los dos protagonistas que se enfrentan con ira chispeante, como regueros fatuos como dos nervios que fosforecen" (2).

* * *

No es la luz del día sino la de la noche, iluminada por la luna, la que sirve de fondo para destacar las siluetas de las figuras de los dos autos y sus movimientos. La luz de la luna, que desempeña un papel de suma importancia en las historias gallegas de aparecidos, de duendes de trasgos, le comunica un ambiente de embrujamiento y misterio a los dos autos, más a *Ligazón* que a *Sacrilegio*.

De los dos *autos para siluetas,* es *Ligazón* en el que Valle-Inclán sacó más partido del empleo de las luces, de las siluetas y de las sombras; y también es en *Ligazón* en el que la luna, con

---

(1) Juan Guerrero Zamora, o.c., vol. I, 189
(2) Juan Guerrero Zamora, o.c., vol., I, 189-90

su luz mágica y fantasmagórica preside la historia, la fábula dramática de la avaricia, lujuria y muerte. El claro de luna, de la primera acotación escéncia, que abre la fábula de *Ligazón,* es el ambiente propicio para que destaquen dos de los elementos esenciales de los autos para siluetas de Valle-Inclán: una luz mágica y una cierta nota religiosa, del más allá, que es hechicería, en *Ligazón,* y parodia trágica de las funciones y cosas sagradas, en *Sacrilegio.*

En las acotaciones escénicas de *Ligazón* abundan las referencias a la presencia de esa luz lunar que sirve de fondo para las sombras y siluetas que se mueven en la obra: "Claro de luna. El ventorrillo calca el recuadro luminoso de su puerta en la tiniebla del emparrado. A la vera del tapial la luna se espeja en las aguas del dornil, donde abrevan las yuntas. Sobre la puerta iluminada se perfila la sombra de una *Mozuela.* La sombra raposa (de la alcahueta, llamada *La Raposa)* conquiere a *La Mozuela"* (1). "*La Raposa* se palpa la faltriquera, y en los haces de la luna abre un estuche. Suspende la gargantilla en el garfio de los dedos y la juega buscándole las luces"; "ladran remotos canes, y la sombra de un mozo afilador se proyecta sobre la estrella de los caminos luneros"; "en el claro de luna gira su sombra la rueda del mozo afilador. Saca chispas de la piedra de acero. *La Mozuela,* alertada y nocturna, sobre el vano luminoso de la puerta, hace saltar en la palma de la mano una moneda negra"; "el afilador, sobre la rodilla del calzón, sacaba el último brillo a las tijeras. Las hacía jugar cortando un claro de luna"; "*La Mozuela* ha desaparecido del vano luminoso. El afilador espera, cargado con la araña de su artilugio, proyecta la rueda un círculo negro en el cruce barcino de las tres sendas. Garbeando el talle, con la copa en alto, sale del ventorro *La Mozuela";* "Se aleja. El negro trebejo, sobre los hombros del errante, perfila su rueda con rara sugestión de enigmas y azares. Bajo el cielo de estrellas, en el rezo susurrante de la noche aldeana, se desvanece. Salen a la penumbra lunaria del emparrado, la dueña y la tía maulona, dos sombras calamocanas con leria tartajosa, esguinces y vaivanes"; "lenta se oscurecía la luna con errantes lutos. La sombra ahuyentada de un perro blanco cruzó el campillo. Quedaba todo de la noche,

(1) Ramón del Valle-Inclán. *Obras completas,* vol. I, Ligazón, 195

el cantar, abolida la figura de *La Mozuela* en la nocturna tiniebla"; "Volaba un nublo sobre la luna, y en el morado tenebrario de la parra, a canto del tapial, borraban su bulto, los bultos del Afilador y La Mozuela"; "en el vano luminoso de la puerta destaca por negro, enarbolando una escoba, la tia ventorrillera. El mozo afilador se disimula en las sombras"; "Se oye correr el cerrojo. La madre y la hija disputan tras de la puerta. El bulto del mozo afilador se despega sigiloso del tapiado. Maja la escoba, grita la vieja, llora *La Mozuela.* El mozo afilador escucha, con la rueda al hombro".

* * *

En los dos *autos para siluetas,* con la luz de la luna, que envuelve con sus efectos mágicos a las personas, al ambiente y a las cosas, se combina, para proyectar las siluetas y las sombras, la luz artificial de velas y candiles, las cuales le comunican a la escena una nota misteriosa y tenebrosa. En *Ligazón* es la luna la que proyecta la luz principal y dominante; en cambio, en *Sacrilegio* son las luces de las antorchas, rojas, sanguinolentas y mortecinas las que presiden las escenas a las que le dan un aire escalofriante.

En la escena final de *Ligazón,* en la que el afilador y *La Mozuela,* confabulados, dan muerte al personaje lujurioso, que ha entrado en la alcoba de la moza para poseerla, se combina la luz mágica de la luna con la trágica del candil del interior: la luna preside el mundo exterior que envuelve la casa con un ambiente mágico; la luz del candil, roja y trágica, preside la escalofriante escena de la alcoba en la que matan al concupiscente galán; "el errante se descuelga la rueda y mete las zancas por el ventano. Apaga la luz de la alcoba *La Mozuela.* Un bulto jaque, de manta y retaco, cruza el campillo y pulsa la puerta. Rechina el cerrojo. Se entorna la hoja; y el bulto se cuela furtivo por el hueco. Agorina un blanco mastín sobre el campillo de céspedes. Cruza *La Mozuela* por el claro del ventano. Levanta el brazo. Quiebra el claro de luna sin el brillo de las tijeras. Tumulto de sombras. Un grito y el golpe de un cuerpo en tierra. Tenso silencio. Por el hueco del ventano cuatro brazos descuelgan el pelele de un hombre con las tijeras clavadas en el pecho. Ladran los perros en la aldea".

* * *

En *Sacrilegio,* las sombras y las siluetas aparecen menos, mucho menos, que en *Ligazón.* Quizás se deba esto a que no está toda la escena iluminada por la luna, que sólo asoma hacia el final del auto; y, en cambio, las escenas están solo parcialmente iluminadas por alguna antorcha o linterna de los bandoleros, las cuales con su luz roja y temblona proyectan una nota más de tragedia que de misterio sobre el ambiente. Roja y temblona es también la luz del cigarro del Sordo de Triana; y rojo y fulgurante la del disparo del Capitán de bandoleros que acaba con la vida del Sordo de Triana en la última escena.

Las acotaciones escénicas, siempre reveladoras del ambiente y movimiento de la obra y con ellos de su carácter, nos van dando las sombras, las siluetas y sobre todo la luz roja. temblona y siniestra: "Quiebras de Sierra Morena. Un sésamo que llaman, en romance de la aldea, Cueva del Rey Moro. Capítulo de bandoleros. Sorda disputa que alumbra una tea con negro y rojo tumulto. Las cristalinas arcadas se atorbellinan de maravillosos reflejos; y el esmalte de una charca azul tiene ráfagas de sangre. A la boca del sésamo, con el oído en la tierra, vigila una sombra. En la fábula de luces acciona y gesticula el ruedo moreno de los caballistas. Sobre el fondo de la charca, el bulto de un hombre se acerca bordeando el añil esmalte estremecido de tornasoles. Se revela tras el ojo de una linterna. Diluvio de iris cae de las divinas arcadas sobre el oscuro ruedo"; "El Sordo de Triana, vejete flamenco, patas de alambre, un chirlo de oreja a oreja, inmoviliza su magna figura en el nicho"; *Patas largas* requiere el retaco, los otros le secundan. Se deshace la rueda. Carifancho apaga la antorcha en la charca".

Aparece entonces la luna, pero no la que llena toda la escena, sino otra más limitada, más lejana, que es como un faro en las tinieblas de la noche: "por el lado de la luna enfilan la boca del silo, doblándose con escorzo de acecho. El Sordo de Triana, vendado, esposado, enconado, reniega absurdamente, ajeno a cuanto ocurre en torno, mantenido en el supuesto de que los compadres se hallan en la cueva". Y con la lejana luz lunar, luz cenital, se combina de nuevo, el rojo tenebroso de la antorcha: El *Padre Veritas,* puesta la linterna en alto, se mira en el espejo de la charca, y el ojo de la linterna le mete un guiño sobre la tonsura. Sintió cubrírsele el alma de beato temor, frente al reflejo sacrílego de una imagen inmersa, sellada por un cristal, infinitamente distante del mundo en la cláusula azul de la charca, el ojo de la linterna como un lucero sobre la tonsura de San Antonio".

En la pretendida confesión del Sordo de Triana por el *Padre Veritas,* para sacarle, sin que se de cuenta, el secreto de donde está escondido el dinero, reaparece la luna, lejana y espectral, para reforzar el carácter de sacrilegio de esta falsa confesión; y abundan en la escena los movimientos de sombras y de siluetas: "la ristra de tunos, aumentada ahora en dos más, se metía por la boca lunera del silo, y en suspenso, atrapada sobre el borde de la charca, apostilla con guiños guasones la confesión del Sordo de Triana. El *Padre Veritas* levantaba las palmas abiertas, arrestándolas con patética ramplonería de santo en corral de comedias"; "la tropa de caballistas, con pasmo, resalta su bulto sobre el espejo de la charca, avanza con inadvertido movimiento sonámbulo. *Padre Veritas* espanta las palmas frente al retablo de bandoleros".

En la escena final, el color rojo de la luz del fogonazo del disparo y el humo de la polvora, dan un aspecto fantasmagórico, trágico y hechizado, a la escena: en la que el Capitán, tocado en su corazón empedernido por la falsa confesión del Sordo de Triana, corta en seco este sentimiento y quizás el de los otros bandidos, descerrajándole un tiro al penitente: "El Capitán se había echado el retaco a la cara. Queda destacado en el pasmo de la oscura rueda. Un fogonazo. El Sordo de Triana dobla la cabeza sobre el hombro, con un viraje de cristobeta. El trueno de la polvora retumba en la cueva. El humo oscurece las figuras atónitas sobre el espejo de la charca".

En *Sacrilegio,* más retablo para marionetas que pieza para siluetas, los gestos y los movimientos de la figura tienen más importancia que el bulto, la silueta misma. Y en ambas los sonidos tienen también un papel importante.

* * *

En estos dos *autos para siluetas* hay una nota de mundo sobrenatural, ausente en los melodramas expresionistas y en los esperpentos. Esta nota tiene un carácter de viejas supersticiones célticas en *Ligazón*; y está, en cambio, unida al mundo de la liturgia cristiana, con sus latines, en *Sacrilegio.* Y en ambos, de acuerdo con su naturaleza de autos, que le asignó Valle-Inclán, hay una nota de alegoría: "Con este carácter de la alegoría — dice Juan Guerrero Zamora — y por lo tanto, del arte profano y del auto sacramental — al que cabría definir como gradación dramática inversa — coinciden ciertos aspectos de las obras que Valle-Inclán denominó exclusivamente *autos*. Así, aunque entre *La Mozuela* y el Afilador apenas si existe un reciente conocimiento y amor alguno trabado, unen su sangre en ligazón, lo que supone fe en el poder encadenador de las fórmulas, de los ritos; en fin, de los gestos" (1).

En *Ligazón,* que pertenece al mundo totalmente galaico del teatro y del arte valleinclanesco, como si fuera su canto de cisne, el sortilegio tiene raíces célticas, se entronca, como en *El embrujado,* con su arte simbolista. En cambio, en *Sacrilegio,* que se desarrolla en el país andaluz de Sierra Morena, país de bandidos, de personajes del *Quijote y de la Cárcel del Amor,* de Diego de San Pedro, tiene unas raices totalmente cristianas, de parodia de la confesión administrada por la Iglesia en trance de muerte a los moribundos: "Al Sordo de Triana — dice Juan Guerrero Zamora — se le dispone un falso confesor, el *Padre Veritas,* al que sus compadres disfrazan incluso tonsurándole con una navaja barbera. Es un gesto vacuo. Pero el sentir surgirá de su mano. "El Padre Veritas, puesta la linterna en alto, se mira en el espejo de la charca y el ojo de la linterna le mete su guiño sobre la tonsura. Sintió cubrírsele el alma de beato temor, frente al reflejo sacrílego de su imagen" (2).

* * *

Valle-Inclán es uno de los grandes maestros de la lengua española de todos los tiempos. En la época del simbolismo, su estilo se enriqueció con una caudalosa corriente de arcaismos y de neologismos que tenían de común un fuerte sabor galleguizante. Lo volvió a ser más tarde en la del expresionismo, cuando esta poderosa y más amplia corriente linguística engolfó la primera: con su rica agua, procedente de todos los mundos hispánicos, desde los de las tierras americanas hasta los de las clases populares españolas aflamencadas y agitanadas.

En el melodrama expresionista *La Cabeza del Bautista,* con sus indianos, la lengua toma a veces tonos hispanoamericanos,

---

(1) J. Guerrero Zamora, o.c., vol. I, 192
(2) J. Guerrero Zamora, o.c., vol. I, 192

mexicanos y argentinos. En cambio, en los *autos para siluetas,* expresó Valle-Inclán dos corirentes no sólo distintas sino divergentes: en *Ligazón,* de tema gallego, en sus personajes y ambiente, la lengua tiene el sabor arcaizante de la época del simbolismo en el que Valle-Inclán gustó de crear nuevas palabras castellanas, o mejor dicho, españolas, importándolas del gallego, como *conqueridora* por conquistadora, *agorinar* por presagiar, y en esta obra abundan las notas líricas, también de su periodo simbolista, para describir y expresar los efectos de la luz lunar, como si la acción toda se desarrollara en *unha noite de luar,* en la que las cosas y las personas adquieren una transparencia mágica y no en una simple *noite de lua,* cuando la luna no añade nada mágico al ambiente.

En cambio, en *Sacrilegio,* de ambiente andaluz, cuyo argumento se desarrolla en Sierra Morena, refugio predilecto de bandidos, la lengua toma matices achulapados, de flamenquismo andaluzante, seco y desgarrado.

XXVIII — LOS ULTIMOS ESPERPENTOS Y LA GUERRA DEL 98

Valle-Inclán fue el escritor de la *Generación del 98* que trató más en su producción literaria, en el drama más que en la novela, la guerra de España con los Estados Unidos, de 1898, que da nombre a su generación literaria. Los críticos españoles que, apresuradamente, consideran a Valle-Inclán como un escritor preciosista, "modernista", preocupado sólo por la belleza, no perciben que no lo fue ni en el periodo inicial de su arte simbolista; y que, por el contrario, fue uno de los escritores españoles contemporáneos más conscientes de los problemas sociales, culturales y políticos de España. Y que, además, justamente el tema de la Guerra de 1898 con los Estados Unidos es uno de los más constantes en la fase expresionista de su arte, en los últimos años de su vida.

En realidad, Valle-Inclán nunca se desinteresó de los problemas culturales y sociales, ni siquiera en su época simbolista. En aquel entonces, como ya indicamos en más de una ocasión, el mundo, que algunos críticos consideran fantástico y otros de evasión, tenía hondas raíces en su conciencia gallega; pues estaba íntimamente unido a su herencia espiritual, literaria y folklórica, de gallego, con viejas raices en la sensibilidad y en la temática céltica, que para él eran el substrato del alma gallega.

Y aun en esta época simbolista, y a partir de las novelas de la guerra carlista, comenzó a presentar Vale-Inclán la vaciedad del heroismo militar profesional. En las novelas de la guerra carlista, principalmente en la última, *Los gerifaltes de antaño,* Valle-Inclán exalta el valor de los guerrilleros carlistas, sobre todo de los fueristas, en contraste con el heroismo hueco, gesticulante y fanfarrón de los militares profesionales isabelinos. Frente al valor profesional, pagado, oficial y rutinario, frío y mecánico, de los isabelinos, el entusiasta, romántico, desprendido de los guerrilleros carlistas, los fueristas en primera fila, que luchaban por una causa perdida e imposible.

Valle-Inclán era un alma heróica. Lo fue a lo largo de toda su vida. Tuvo siempre una actitud caballeresca y valiente ante los más serios peligros para su persona, su vida o su salud.

Su heroismo, civil y desinteresado, lo hizo despreciar cada vez más el militar interesado y pagado, gesticulante y fanfarrón. Su actitud se reforzó ante las agresiones del militarismo alemán a los pueblos vecinos en la *Primera Guerra Mundial.* Su antimilitarismo recibió un nuevo impulso a medida que los militares españoles, en nombre del ejército, comenzaron a intervenir cada vez más en la política interior del país, a partir de la huelga revolucionaria de 1917, algunas de cuyas sangrientas escenas aparecen como trasfondo de su primer esperpento *Luces de bohemia.*

Fue en *Los Cuernos de don Friolera* donde llevó Valle-Inclán a su drama personajes y temas de la Guerra del 98; pero lo que allí aparecía como fondo borroso pasa a tener mayor relieve en los últimos esperpentos, en *Las galas del difunto* y *La hija del capitán.*

* * *

Entre los dos primeros esperpentos, *Luces de bohemia* (1920) y *Los cuernos de don Friolera* (1921), y los dos últimos, *Las galas del difunto y La hija del capitán,* incluídos ambos en *Martes de Carnaval* (1930), había tratado de una manera extensa Valle-Inclán el tema del heroismo del militar profesional, en contraste con el de las gentes civiles, no obligadas profesionalmente a tenerlo (bandidos, indios, contrabandista, matones, etc.) en sus grandes novelas expresionistas: *Tirano Banderas* (1926) y en la serie de *El ruedo ibérico, La corte de los milagros* (1927) y *¡Viva mi dueño!* (1928). Póstumamente se publicó un tercer volumen de la serie, *Baza de espadas* (1950). Del último que quedó sin escribir, *Campos de Cuba,* sólo nos queda el título; y el saber que la guerra de Cuba era una de las preocupaciones constantes de Valle-Inclán. La muerte le impidió terminar esta serie y darnos su visión expresionista de las varias campañas de España en la isla de Cuba, que terminaron con la Guerra del 98, entre España y los Estados Unidos.

Tirano Banderas y la serie de *El ruedo ibérico* se publicaron durante la Dictadura militar de Primo de Rivera. La primera es la presentación expresionista de una dictadura militar hispánica, con acento hispanoamericano, pero posiblemente también española. Hay una estrecha relación entre la composición de esta obra y la actitud resuelta de Valle-Inclán contra la Dictadura del general Primo de Rivera que le encarceló por ella.

En *Tirano Banderas* aspiró Valle-Inclán a presentar, sin localizar la acción en un espacio y tiempo determinado, aunque se supone que sea un tiempo contemporáneo, en un lugar del mundo hispanoamericano, la historia de un dictador, Tirano Banderas, encarnación de todas las dictaduras militares que padece el pueblo español y los pueblos hispanos de la América española. En cambio, en *El ruedo ibérico* analiza una historia, la de España, la del reinado de Isabel II, encuadrada en un tiempo y en un espacio. Es la España que constituye el precedente de la de la Restauración, de los reinados de Alfonso XII y Alfonso XIII, en los que vivió Valle-Inclán. Si en *Tirano Banderas* utilizó el escritor gallego el simbolismo expresionista en su búsqueda de la realidad universal hispánica de las Dictaduras, en *El ruedo ibérico* se empeñó en desentrañar el carácter político y social del pueblo español a través de su historia contemporánea.

Pero, en los dos últimos esperpentos, trató Valle-Inclán una realidad histórico-social más próxima, la de la *Guerra del 98* con los Estados Unidos: en *Las galas del difunto* este conflicto pertenece al pasado, discutido por Juanito ventolera, soldado licenciado de la guerra de Cuba; pero, en cambio, en *La hija del capitán,* con su baza de militares, que sirvieron en Cuba, y allí se aficionaron a la buena vida y a la matanza, es como el ambiente propicio para cometer en España toda clase de desafueros, privados y públicos, que desembocaran en una dictadura, parodia de la particular y concreta de la de Primo de Rivera. La dictadura que pone al descubierto, en todos sus vicios y corruptelas, en la forma grotesca del esperpento, no es una simbólica hispanoamericana, de un país mas o menos imaginario, sino la española militar en la que vivía en el momento en que compuso la obra.

XXIX EL ESPERPENTO ANTIMILITARISTA: *LA HIJA DEL CAPITAN*

Hay dos fechas claves en la evolución del arte expresionista de Valle-Inclán: la de 1920, en la que aparecieron sus tres primeras obras expresionistas: *La farsa y licencia de la Reina Castiza, Divinas palabras,* tragedia de aldea y el esperpento *Luces de bohemia;* y la de 1927, de plena madurez de ese arte, en la que se publicaron otras seis más — los cuatro nuevas piezas del *Retablo de la avaricia, la lujuria y la muerte (Ligazón, Sacrilegio, La Rosa de papel* y *La cabeza del Bautista),* la primera novela de la serie *El ruedo ibérico*, titulada *La Corte de los milagros,* y el esperpento *La hija del capitán.* De las nueve obras publicadas en esas dos fechas, cruciales en la historia de su arte, sólo una *La corte de los Milagros,* es novela; las otras ocho son obras dramáticas, lo que muestra la gran importancia que concedió Valle-Inclán al teatro en la fase expresionista de su arte literario.

El esperpento *La hija del capitán* se publicó primero en forma de novela corta en la *Novela mensual* pero la intervención de la censura gubernativa militar impidió que circulara. Más tarde, en 1930, un año antes de la muerte de Valle-Inclán, se publicaron con otros dos esperpentos *(Los cuernos de don Friolera* y *Las galas del difunto)* en el volumen que lleva el título de *Martes de Carnaval.*

La censura gubernativa del Directorio militar, presidido por el general Fernando Primo de Rivera, prohibió la circulación del número de la *novela mensual* en la que había aparecido el esperpento *La hija del capitán,* por considerarlo injurioso para la familia militar. Para justificar esta medida, el gobierno se vio forzado a dar una nota oficiosa, en la que se explicaba lo sucedido y se daban las razones que habían obligado al gobierno a adoptarla: "La Dirección General de Seguridad — rezaba la nota oficiosa — cumpliendo órdenes del gobierno, ha dispuesto la recogida de un folleto, que pretende ser novela, titulado *La hija del capitán,* cuya publicación califica su autor de esperpento, no habiendo en aquel ningún renglón que no hiera el buen gusto ni omita denigrar a clases respetabilísimas a través de la más absurda de las fábulas. Si pudiera darse a la luz pública algún trozo del mencionado folleto sería suficiente para poner de manifiesto que la determinación gubernativa no está inspirada en un criterio estrecho o intolerable y si exclusivamente en el de impedir la circulación de aquellos escritos que sólo pueden alcanzar el resultado de prostituir el gusto, atentando a las buenas costumbres" (1).

La medida de la Dirección General de Seguridad, impidiendo la circulación del esperpento *La hija del capitán,* exacerbó la hostilidad de Valle-Inclán contra la Dictadura militar. Como dos años más tarde organizaran los estudiantes madrileños manifestaciones callejeras contra la Dictadura, principalmente en la calle de Alcalá, la más transitada de Madrid, en las horas nocturnas de mayor aglomeración, Valle-Inclán se sumó a ellas, como si fuera el adalid de la causa estudiantil. El gobierno le encarceló (1929) por su participación en las manifestaciones callejeras contra la Dictadura.

* * *

Para la composición de *La hija del capitán* se sirvió Valle-Inclán de algunos de los elementos de uno de los crímenes más repugnantes cometidos en Madrid a principios de siglo por el famoso capitán Sánchez, conserje de la Escuela Superior de Guerra, que, en connivencia con su hija, María Luisa, mataron al amante de ésta, Jalón, para robarle el dinero que llevaba encima, incluyendo una ficha de la sala de juego del Casino de Madrid. La sagacidad y desconfianza de un periodista, que siguió la pista de quien cobró la ficha propiedad del asesinado, llevó al descubrimiento de uno de los crímenes más repugnantes, por lo que hicieron con el cadáver el padre y la hija.

Con estos elementos tejió Valle-Inclán una historia de capitanes y generales, procedentes del ejército que había luchado en Cuba, donde se habían acostumbrado a matar; y con ellos formó una nueva historia: la del asesinato del *Pollo de Cartagena,* amante de la hija del capitán Sinibaldo Pérez, por otro amante de ella, el Golfante, que cree matar al general glorioso, tercer amante de la hija del capitán. Al descubrirse la muerte del Pollo,

(1) Sebastián Miranda. *Recuerdos de mi amistad con Valle-Inclán,* Insula, Madrid, 199-200, julio-agosto, 1966, 10

asesinado a la entrada de la casa del capitán, frecuentada por el general glorioso y otros contertulios que van a ella a jugar y a divertirse, se ponen de acuerdo el capitán y el general para encubrir este crimen; y, al ver que la prensa trata de averiguar la verdad, lo cual puede comprometer el honor de la familia militar, los conjurados dan un golpe militar y proclaman la Dictadura. La aparición de un monarca belfudo, remedo de Alfonso XIII, que expresa su solidaridad con los militares alzados, sella el ataque de Valle-Inclán contra la monarquia amparadora, en la realidad política española, de la Dictadura militar.

No se publicó durante la Dictadura militar del general Primo de Rivera, ni tampoco después de ella, obra alguna creativa de literatura más "comprometida", más metida en las entrañas de la vida social y política de la España de su tiempo, que el esperpento *La hija del capitán,* de Valle-Inclán. Esta obra es una denuncia violenta, grotesca, esperpéntica de la Dictadura militar española, que en aquel entonces era una trágica realidad tangible en la vida política de España, asociándola a uno de los crímenes más repulsivos de la historia de Madrid, que estaba todavía vivo en el recuerdo de las gentes madrileñas y de toda España.

Rafael Conte, en *Valle-Inclán y la realidad,* ve en este esperpento una sátira de los pronunciamientos militares en general, siendo cauto en señalar su posible relación con el que trajo la Dictadura militar de Primo de Rivera en 1923. "Los dos últimos esperpentos — dice Rafael Conte — son tal vez los más paradigmáticos. *Los cuernos de Don Friolera* es una sátira violenta del honor tradicional colocado en el sector teóricamente más resguardado. El teniente Friolera, una especie de fantoche celoso, en su deseo de limpiar su "honor" posiblemente mancillado por su esposa, llega a matar, por equivocación, a su propia hija. Todo es un juego absurdo de deliberados despropósitos, lleno de latiguillos, con un tratamiento irónico de la retórica y altisonante prosa tradicional, en una especie de antípoda de lo calderoniano. La carcajada suscitada es áspera, amarga, como si en este juego de muñecos estuviera emplazado un contenido extraordinariamente serio. Pero esta técnica llega a su cumbre en *La hija del capitán,* sátira esperpéntica de los pronunciamientos, en la que algunos han podido ver un ataque a los sucesos de 1923. El ambiente es conocido: políticos, militares, pícaros, otro loro (esta vez de ultramar), el rey, un obispo, beatas, patriotas, damas nobles, etc. Un jaleo erótico de la protagonista desencadena una complicación política que determina el subsiguiente pronunciamiento . . . Al final de la obra, con su correspondiente charanga y su "climax" de burda patriotería, es algo inolvidable. Probablemente sean los esperpentos de Valle-Inclán uno de los hitos más considerables de todo el fenómeno noventayochista" (1).

Juan Guerrero Zamora va todavía más allá que Rafael Conte en su afán de descomprometer esta literatura comprometida de Valle-Inclán, de substraerle a *La hija del capitán* gran parte de su intención política; y afirma que el propósito del dramaturgo gallego es más estético que ético al presentar al argumento de este esperpento: "Es sabido — dice Guerrero Zamora — que, a causa de ciertos desafueros cometidos por Valle-Inclán y a los que le empujó su carácter siempre descontento, el general Primo de Rivera se vio forzado a ordenar que se le detuviese, tachándole de *eximio escritor y extravagante ciudadano.* Las relaciones entre el dramaturgo y el Dictador no eran, por tanto, muy cordiales, y es evidente que *La hija del capitán, satirizando el golpe de estado que dirigió aquel, es fruto de animadversión personal.* La necesidad histórica de la Dictadura de Primo de Rivera, sus aciertos y sus fracasos, quedan impunes y marginales a la farsa valleinclanesca, que así se invalida en cuanto a su posible alcance político. Yo, dudo, sin embargo, que su autor haya querido darle tal alcance, al menos concreto. *La hija del capitán* es parte integrante del concepto que define al 98 en relación con la historia contemporánea de España. Y, desde ahí, profundiza en otro aspecto de la eterna carnavalada del hombre. Con esto basta. No hay partidismo en el esperpento, por lo mismo que se convierte en patriotería, a las palabras que se hinchan vanamente, a la sordidez que se pretende gloriosa, a toda fabricación de ídolos de barro, a la sedución colectiva de lo sonoramente vacío, a la substitución del sentido por el uniforme y de la recompensa interior por la condecoración externa, a todos aquellos que se prendan del tambor rítmico, de lo marcial, retórico, y declamatorio, pero que son incapaces de entrañar emoción o juicio alguno verdadero.

(1) Rafael Conte. *Valle-Inclán y la realidad,* Insula, Madrid, 199-200, julio-agosto, 1966, 57

Es decir, a quienes substituyen el sentimiento por su gesto y, precisamente para ocultar su falta de raíces, desorbitan este gesto hasta aspaventar vacuamente en el viejo tinglado muñequeril. Y esto, como se ha visto, aquí y siempre en los esperpentos" (1).

A las inteligentes palabras de Guerrero Zamora cabe oponerle el reparo de que en el arte expresionista es inseparable lo estético de lo ético; y que *La hija del capitán,* como reconoce el propio Guerrero Zamora, fustiga el autor una serie de falsos valores que roen, como un cáncer, el alma y el carácter español. En el arte expresionista, el mundo estético, la forma, no sólo está entrañablemente unida al fondo ético, sino que, muchas veces, está aquella subordinado totalmente a éste. Esta y no otra es la razón de que el escritor expresionista se valga de formas grotescas, deformadoras, exageradas y contorsionadas, para destacar con mayor fuerza ese fondo ético, el carácter de los personajes y las notas esenciales del ambiente cultural en que se mueven.

La preocupación de Valle-Inclán, por exponer artísticamente todo lo que hay de bárbaro, cruel y vacío cultural en las Dictaduras militares, le llevó a tratar este tema en dos de las obras más importantes de este tiempo: en la novela *Tirano Banderas,* en 1926; y en el esperpento *La hija del capitán,* al año siguiente, en 1927. Y lo que había comenzado en la primera de estas dos obras, en *Tirano Banderas,* como una alegoría, con un espacio y tiempo no determinados, como gustaba de hacer el arte expresionista, con una Dictadura hispanoamericana, de caudillo improvisado y popularizante, se convirtió en *La hija del capitán* en la denuncia del militarismo profesional de la propia España, que vivía en la época del escritor, y éste no era otra cosa que la Dictadura personal y concerta del general Primo de Rivera.

Sin duda, como acertadamente indica Guerrero Zamora, los tiros de Valle-Inclán no van dirigidos solamente contra los gorriones que formaban el Directorio militar y civil de Primo de Rivera, sino contra los grandes pajarracos del patriotismo huero en todas sus formas y manifestaciones, desde el rey hasta las damas catequistas, personajes del esperpento más amplio que es para Valle-Inclán la vida de la sociedad española de la Restauración.

---

(1) Juan Guerrero Zamora, o.c., vol. I, 201

El alto propósito artístico y moral de combatir el militarismo en general, no es obstáculo, sino, por el contrario, acicate, para exponer los males de la dictadura concreta, la del general Primo de Rivera, que oprimía a España en el tiempo de Valle-Inclán. Esta es la opinión de algunos críticos españoles de las nuevas generaciones: Carlos Seco Serrano, en su ya citado estudio *Valle-Inclán y la España oficial,* dice que "*La hija del capitán,* publicada en 1927, envolvía realmente un ataque total contra la Dictadura y contra el estamento militar en su conjunto, contra el pronunciamiento de 1923 — cuyos antecedentes se enmascaran en la mínima anécdota argumental — y el régimen que trajo; contra el Rey, en fin, y contra los sectores sociales en que aquél se apoyaba" (1).

Esta es también la opinión de José Rubia Barcia en su estudio *El esperpento: Una nueva dimensión novelística:* "Este esperpento *(La hija del capitán)* coincide sin embargo, con los otros dos (*Luces de Bohemia* y *Los cuernos de don Friolera)* en ser una reelaboración artística de un suceso de reciente actualidad, en este caso particular de un acontecimiento de extraordinaria importancia histórica: el pronunciamiento del general Primo de Rivera (1923), en complicidad con el rey Alfonso XIII; y ambos aparecen, con otras figuras históricas, fácilmente reconocibles, en el libro, como *Un general glorioso* y *El monarca,* respectivamente" (2).

El expresionismo, cargado de las hondas preocupaciones morales e ideológicas, sobre el dolor y la miseria de la vida humana, que palpitarán más tarde en el *existencialismo,* no se proyectó contra un mundo de realidades abstractas, sino contra el de las concretas que atormentaron a la humanidad, particularmente a Europa, a partir de la *Primera Guerra Mundial.* Sus flechas van dirigidas contra los valores en crisis de la sociedad europea de ese tiempo y contra los factores y acontecimientos en que se manifestó esa crisis; aunque el carácter simbolista, que hay siempre en el expresionismo, le hiciera convertir en universal lo que pudiera tener formas más concretas.

---

(1) Carlos Seco Serrano, o.c., 220

(2) José Rubia Barcia. *El esperpento. Una dimensión novelesca.* Cuadernos americanos, México.

XXX — EL ESPERPENTO DONJUANESCO: *LAS GALAS DEL DIFUNTO*

Para algunos de los críticos más sagaces de la obra literaria de Valle-Inclán, *Las galas del difunto* marca el final del proceso de degradación o de indignación de los valores humanos característico de los esperpentos del dramaturgo gallego.

Guillermo Díaz-Plaja, para quien el arte expresionista de Valle-Inclán, singularmente los esperpentos, es una visión degradadora de los mitos, personajes y valores de la vida y de la literatura, considera *Las galas del difunto* como la visión degradadora del mito literario de Don Juan, asi como *Los cuernos de Don Friolera* lo es de Otelo y de los personajes del honor calderoniano: "Un mismo ente literario — dice Díaz Plaja — tomado de la cantera universal, "el Burlador", nos ha dado, en Montenegro, su visión "mítica"; en Bradomín, su versión "irónica"; ahora, en el plano del esperpento, Juanito Ventolera nos da la versión degradada del mismo mito, confirmándonos así en el sistematismo estético de Valle-Inclán" (1).

Por su parte Juan B. Aballe y Arce, que ve en la fase expresionista valleinclanesca, particularmente en los esperpentos, una visión de "indignificación de la vida y de la literatura," opina que *Las galas del difunto* marcan "el tope final de este proceso" (2).

Para Juan Guerrero Zamora *Las galas del difunto* son una versión contemporánea de la danza de la muerte: "la construcción circular de este esperpento — al principio la Daifa escribe la carta a su padre el Boticario y al final Juanito Ventolera lee la carta de la Daifa en el prostíbulo — resulta identificada con su carácter de danza de la muerte. El suceso central lo constituye el robo de sus galas y es de por sí macabro. Pero la madre del cordero no está en el difunto ni en sus galas por separado, sino en esa relación de polvo y adorno, en esa muerte engalanada que es como la prolongación hasta el sepulcro del genio vano del hombre. Vanidad y sólo vanidad es su leyenda. Y en esto brilla otra vez

(1) Guillermo Díaz Plaja, o.c., 228

(2) Juan B. Aballe y Arce. *La esperpetización de Don Juan,* Hsipanófila, número 7, 1955, 18

el profundo ascetismo del esperpento, un ascetismo que, como en las danzas macabras, tiene algo de vindicante, contra la realidad del hombre, y, desde otro ángulo mirado y particularmente valle-inclanesco, cnotra la mala ralea del español mezquino, burdelero y fantasmagórico, que tuvo la culpa de aquel desastre que en el 98, grabó la cruz de su cifra sobre todo un plantel de hombres cabales" (1).

El argumento de *Las galas del difunto* es breve. Juanito Ventolera, soldado repatriado de la guerra de Cuba, se encuentra con una trotera que lo solicita, pero, al no tener dinero, le ofrece como pago de sus servicios las medallas ganadas en aquella campaña. La Daifa, encariñada con el indigente soldado, le invita a volver el lunes siguiente. Ventolera tenía una boleta de alojamiento, como soldado repatriado, en la casa del Boticario Galindo, padre de la Daifa. Este acaba de recibir una carta pidiéndole perdón, arrepentida, y solicitando de él dinero para salir del pueblo y trasladarse a Lisboa. El Boticario, furioso, al leer la carta, la arroja al arroyo, donde la recoge Ventolera que iba a la casa del Boticario a alojarse. Con el berrinche, le da al boticario un ataque al corazón que le causa la muerte. Ventolera va al cementerio a robarle al difunto las galas con las que le han enterrado. En el camino se encuentra con otros soldados repatriados que le invitan a cenar y a los que él pide ayuda para acometer la hazaña del cementerio, pero ellos se niegan a acompañarle. En la taberna, donde le esperan, aparece Juanito con las galas del difunto. Más tarde vuelve a la casa del Boticario para apoderarse del bastón y del bombín que le faltan para completar el atuendo del Boticario. Allí se encuentra con la Boticaria a la que le hace el amor, pero ella se desmaya al reconocer las ropas de su marido. Ya completado su atuendo, vuelve Juanito as prostíbulo; y allí lee la carta de la Daïfa, que llevaba en el bolsillo de su traje flamante, ante un coro de curiosos espectadores. La Daifa pierde el conocimiento, al enterarse de la muerte de su padre; mientras Juanito sigue leyendo su entristecida epístola en voz alta, sin saber que ella era la autora y el efecto que esta carta había tenido en la muerte del Boticario.

* * *

La degradación o indignización del mito de don Juan, en su

(1) Juan Guerrero Zamora, o.c., vol. I, 198

versión española de Don Juan Tenorio, alcanza a todos los elementos del mismo, desde los personajes hasta algunas de las escenas más conocidas de la versión zorrillesca del Tenorio.

En primer lugar este esperpento es una versión grotesca expresionista del tema donjuanesco a lo Zorrilla: "Entiendo, en efecto — dice Díaz Plaja — que *Las galas del difunto* es, con *Los cuernos de don Friolera,* la plenitud del nuevo género esperpéntico, coincidiendo ambas obras en ser el reverso de un mito ilustre: *Don Juan* para la primera, *Otelo* o *El médico de su honra,* para la segunda. Acaso la fuerza del contraste, el contrasentido que trae consigo la locución *tragedia grotesca,* sea más evidente en el tema de los celos que en el de Don Juan, y, de hecho, la prolongación echegarayesca de los temas del honor calderoniano ya había encontrado su caricatura sangrienta en *El curandero de su honra,* de Ramón Pérez de Ayala. El tema de don Juan, más amplio, más complejo, más sometido a versiones y a estilizaciones tiene, sin embargo, mayor sentido dentro de la elaboración valleinclanesca. Empieza descendiéndolo en el plano social. Montenegro, como Bradomín, se nos aparecen irremediablemente vinculados a su contorno aristocrático: su vida de placer sólo es posible partiendo de una hipotética vida de ocioso, de una condición altiva e inútil de "señor". Aproximar este talante a los planos humildes de la sociedad es ya un principio de radical desvalorización, un buscar el costado caricaturesco a los caracteres. Analizar hasta que punto, desde el orguloso hidalgo del Lazarillo, el "punto de honra," lleva al límite de lo risible es recordar muchas páginas de la literatura española al entregarse a un "lugar común" de nuestra historiografía literaria. Mantener en la nota de este "descenso" social, no ya el socorrido recurso del ligero sainete popular, sino la complejidad de la situación dramática con la miseria mal disimulada, el deseo de aparentar, la terrible sujeción ante el "qué dirán' ajeno ha sido el recurso de que se han fabricado las que Carlos Arniches llamó *tragedias grotescas,* Valle-Inclán — novelador de Arniches — valora el ingrediente popular en lo que tiene de "desgarro" y gracia fraseológica, y los decires chulescos del bajo pueblo impregnan el decir de los personajes de los esperpentos aunque acontezcan, uno y otro, en unas vagas escenografías marineras" (1).

* * *

(1) Guillermo Díaz-Plaja, o.c., 231-2

Juan B. Avalle y Arce, que ve en *Las galas del difunto* una esquematización paródica del *Don Juan Tenorio,* de José Zorrilla, dice de esta obra valleinclanesca, repasando el argumento de la misma, que se pueden encontrar en ella una serie de "referencias certeras para darnos el reverso de la grandiosidad de don Juan, rebajando su personalidad fulgurante a la del pobre repatriado; la de doña Inés, a la desventurada prostituta; la del Comendador, al boticario don Sócrates Galindo; la del Capitán Centellas y sus amigos, a los perdularios repatriados también de Cuba; e incluso convirtiendo a la Madre Priora en la dueña de la mancebía" (1).

Pero a estas referencias de Avalle y Arce, citadas por Díaz-Plaja, cabe añadir otras procedentes de las escenas y de los recursos dramáticos empleados en las dos obras; y así la escena del cementerio del *Don Juan Tenorio,* de Zorrilla, en la que el matador visita los sepulcros de quienes murieron a sus manos, en *Las galas del difunto* pasa a ser la escena macabra en la que Ventolera va al cementerio para desenterrar el cadáver del boticario Galindo y robarle las ropas con que le ha ataviado su esposa para el último viaje. Y el encuentro, en el cementerio, de don Juan con el capitán Centellas y Avellaneda tiene su remedo en el de Juanito Ventolera con los perdularios repatriados como él de Cuba. Incluso la carta de amor, que en don *Juan Tenorio,* le escribe don Juan a doña Inés expresándole en sentidas palabras su amor, se convierte en *Las galas del difunto* en la carta que la Daifa arrepentida le escribe a su padre pidiéndole dinero para trasladarse a Lisboa, llevando su perdón.

* * *

El tema de la guerra de Cuba, de la que es un repatriado Juanito Ventolera y los perdularios con los que se encuentra camino del cementerio, aparece, siguiendo la técnica expresionista, no presentado de una manera directa, que, en este caso, sería la evocación por las repatriados de escenas de la pasada guerra, sino a través de los comentarios de estos soldados, que expresan una sátira despiadada de esta guerra y de los jefes militares que intervinieron en ella. Juanito Ventolera es duro y sarcástico en sus juicios al enjuiciarla. "Allí solamente se busca el gasto de muni-

---

(1) Guillermo Díaz-Plapa, o.c., 229-231
(2) Guillermo Díaz-Plapa, o.c., 231-2

ción. Es una cochina vergüenza aquella guerra. El soldado, si supiese su obligación y no fuese un paria, debería tirar sobre sus jefes". A lo que la Daifa añade: "Todos volvéis con la misma polca; pero ello es que os llevan y os traen como a borregos. Y si fueseis solos a pasar las penalidades, os estaría muy bien puesto. Pero las consecuencias alcanzan a los más inocentes, y un hijo que hoy estaría criándose a mi lado, lo tengo en la maternidad. Esta vida en que me ves, se la debo a esa maldita guerra que no sabéis acabar". Ventolera le replica: "Porque no se quiere. La guerra es un negocio de galones. El soldado sólo sabe morir"; y más tarde añade, refiriéndose a los jefes militares: "¡No robaran ellos como roban en el rancho y en el haber!"

Una de las víctimas crueles de esa guerra cruel fue la propia Daifa, cuyo novio se fue a esa guerra, dejándola "embarazada de cinco meses"; y allí encontró él la muerte.

Sátira expresionista de esta guerra es el destino que Juanito Ventolera quiere darle a las condecoraciones de guerra, ganadas por él en esta campaña, que adornan su pecho y su traje de repatriado: la primera vez se las quiere dar a la Daifa, en pago de sus servicios, en lugar del dinero que no tiene; y la segunda las deja definitivamente enterradas, como algo inútil, prendidas del traje de soldado de repatriado con el que ha vestido al difunto boticario, después de despojar el cadáver de sus ricas galas.

Valle-Inclán se refiere, en una de las acotaciones escénicas a las cruces y medallas del soldado, como artículos baratos de quincalla. Tras del primer encuentro de la Daifa y el Soldado repatriado, al no admitir aquella el pago de sus servicios con las condecoraciones militares: "La Daifa se saca una horquilla del moño y se la ofrece con guiño chunguero. Entrase, y desde el fondo de la sala se vuelve. El soldado todavía está en la acera. Alto, flaco, macilento, ojos de fiebre, la manta terciada, el gorro en la oreja, la trasquila en la sien. *El tinglado de cruces y medallas* daban sus *brillos buhoneros*"

Indice de materias

INDICE DE NOMBRES

González López, Emilio, 1903-
El arte dramático de Valle-Inclán (del decadentismo al expresionismo) New York, Las Américas, 1967.
267p. illus.

1.Valle-Inclán, Ramón del, 1870-1936. I.Title.